COVENTRY LIBR

Please return this

PS130553 Disk 4

大国崛起

庸人 著

河南文艺出版社

图书在版编目（CIP）数据

大烟帮/庸人著. —郑州:河南文艺出版社,2010.4
ISBN 978-7-80765-242-7

Ⅰ.大…　　Ⅱ.庸…　　Ⅲ.长篇小说 – 中国 – 当代
Ⅳ.I247.5

中国版本图书馆 CIP 数据核字（2009）第 228000 号

出版发行　河南文艺出版社
本社地址　郑州市鑫苑路 18 号 11 栋
邮政编码　450011
本社网址　http://www.hnwycbs.cn
电子信箱　master@hnwycbs.cn
售书热线　0371 – 65379196
承印单位　三河市南阳印刷有限公司
经销单位　新华书店
纸张规格　787 毫米×1092 毫米　1/16
印　　张　17.5
字　　数　298 000
版　　次　2010 年 4 月第 1 版
印　　次　2010 年 4 月第 1 次印刷
定　　价　28.00 元

版权所有　盗版必究
图书如有印装错误,请寄回印厂调换。

小说是民族的记忆，《大烟帮》截取了民族记忆中关于大烟的一段经历，讲述了一段如烟往事。

　　大烟这东西曾是中国人无法言说的痛。我们无法遗忘我们的民族曾经与大烟有着割扯不断的渊源。

　　列宁说：忘记过去意味着背叛。铭记过去也是为了不让历史重演。

本作品中所有相关的历史人物，都是假托。

这是个为所欲为的时代，这是大烟帮的时代。

目 录

第一章 一杆大烟枪

一

民国二十六年,初春,午后。保定。

乍暖还寒,莲花池对面是直隶总督府,大清的总督成了过眼云烟,如今的衙门口是闹市,到处都是做小买卖的。

湖边聚了一群人,大家高声喊叫着,跺脚助威着,不少人纷纷脱了衣服跳进湖里,湖面上漂满了屁股,保定人似乎在集体摸鱼。

总督衙门旁的胡同里转过来两人,前面那位身材高硕,制服笔挺,一看就是个军校学生兵。后面那位穿着对襟的绸布褂子,瘦小枯干,尖嘴猴腮,头戴瓜皮帽,帽檐下钻出几缕又细又黄的头发,活脱脱一个南方痨病鬼。二人明显是一对主仆,但怪也就怪在这儿了。

保定军校全国知名,国军中诸多上将均来自这所学校,甚至形成了以何应钦为首的“保定系”。所以大街上出现个把学生兵并不稀奇,稀奇的是学生兵还带着个仆人,这就新鲜了,什么样的公子哥有这么大胆量?

学生兵发现了湖边的热闹景象,二人好奇地走了过去。

人群中央是个面目阴冷的年轻人,这家伙挥手向湖中一甩,银光闪烁,又有几个人跳下去了。原来年轻人在向湖里扔银圆呢,围观者的疯癫都是银圆导致的。这家伙又扔了一枚,人群再次躁动,有两个老太太都下水了。

仆人哼哼着道:“狗日的,显摆什么?”

学生微笑着走过去:“兄台,何必讨扰龙王爷?直接给大家不就完了?”

年轻人看了学生兵一眼,脸上满是傲气:“中国人没出息,见钱眼开,见

利忘义,怪不得你们是东亚病夫!"

学生兵一点儿没生气,反而笑着说:"如此说来兄台是东洋人了,小日本呀小日本,小日本就是小气!"

年轻人瞪着眼说:"你胆敢污蔑大日本帝国!"

"你就是小气。"学生兵无所谓,"你以为你是给大日本争脸?我看你是给你们大日本丢人呢。扔钱,应该一把一把地扔,一枚一枚地扔,多丢人啊!寒酸至极!"

年轻人的眼珠子在眼眶里逛荡了几下,狠狠盯着学生兵:"没有扔钱的魄力,倒有风凉话的习惯,中国人!无聊!"

学生兵依旧满脸轻松,他向身旁的痨病鬼努了努嘴。痨病鬼似乎与主人有心灵感应,操着南方口音说:"我现在就去银行,二位等一等。"说完这家伙屁颠屁颠地跑了。

日本年轻人倒有些意外,他打量着学生兵说:"阁下是保定军校的?"

"二十四期,步兵科,鄙人温义,温暖之温,正义之义,与流行病毫无关系。"说着温义像模像样地拱了拱手。按理说他身穿军装,应该行军礼才对,但这家伙竟然拱了拱手,明显一身江湖气。

年轻人看出来了,撇着嘴说:"在下津井正雄,大阪下田人。"

温义的眼睛亮了:"大阪是商业城市,商人都喜欢钱,你为什么扔钱?"

津井骄傲地歪着脖子:"我们日本人是全世界最优秀的民族,倒要看看你们是怎么个低劣法……"他还没说完,听得湖中有人探起脑袋喊道:"那男的,别瞎聊了,再扔几个,摸不着啦!"岸上也有人催促:"赶紧扔啊,没钱了就回家。"津井正要骂人,却见痨病鬼提着个小包袱,远远地跑了回来。

温义接过包袱,痨病鬼转过身去,半蹲着,把后背留给主人。温义把包袱放在痨病鬼的后背上,解开结扣,周围立刻响起了一片唏嘘声。包袱里竟然是一捆一捆的银圆,每捆都是一百。温义拎起一捆银圆,咔吧一撅,然后扔手榴弹似的向空中一甩,一百块银圆天女散花般落到湖里去了。这一来,莲花池像被炸开了一样,水花四溅,男女老幼全跳下去了。

温义向津井扬了扬下巴:"大日本的商人,扔啊!"

津井咽了口唾沫,从背包里抓出两把银圆,莲花池上空再次下起了银圆雨。温义见他还有些存货,索性一口气扔了三百块。湖边的呼喊声连成了片,湖里的脑袋被银圆砸开了花,但大家还是前赴后继地往湖里跳。有些维护秩序的警察干脆把帽子一摘,也跟着下去了。

扔到后来,津井正雄把背包都翻过来,却再也摸不到一块银圆了;温义的小包袱里依然满满的。津井颇有风度,向温义鞠了个躬,毕恭毕敬地说:"温君豪杰,鄙人甘拜下风。"

温义笑道:"这点钱算得了什么? 钱如流水,就该让它赴水而去。"

津井不知道怎么应付这个油腔滑调的年轻人,这家伙到底是个什么路数? 俗话说:"狗追挎篮的,人追有钱的。"这句话在日本也通用。由于见识了对方的豪气和财力,津井动了结交的念头,拉着温义要去喝酒。温义说:"今天不成,我们学校有规定,晚上不许出门。你要是不走,周日中午,还在总督衙门口见面。"

温义带着痨病鬼走了,津井盯着他们的背影,半晌没动地方。这时莲花池真成战场了,人们为了争夺银圆都动手了。远远看去,一群泥人在水里扑腾着、厮打着、号叫着,好像是一场远古的体育比赛。

第二天,保定报纸上刊登了莲花池的消息。有推测说,某富豪要自杀,所以往湖里扔钱。有记者说,一个日本疯子从疯人院里跑出来了,干了疯事。反正说什么的都有,就是没人知道真相。

津井正雄在父亲开办的商行里当管事,在保定住了半年。由于父亲常年住北平,保定这家商行是他说了算。另外津井正雄还有个身份,他是东京大学社会系的硕士。他希望利用在中国做生意的机会,完成一篇关于中国人品行调查的论文,以此证明这个大陆民族彻底腐朽了。因为这个原因,今天才出现了湖边扔钱的一幕。他是在检测银圆的价值,也是在检验生命与尊严的价值。

日本有一股思潮,号称大陆种族是繁殖惊人的蚂蚁,应该从地球上彻底剔除。世界属于海岛民族,比如日本,比如英国。津井也持这种观点,但他与军人的想法有差别,他认为对付腐朽民族用不着战争,其他的手段照样能让他们臣服,甚至是顶礼膜拜,比如经济手段。控制了他们的经济,就能控制他们的心。

万万没想到,半路上杀出个程咬金,这个学生兵视金钱如粪土,几百块大洋被他毫无意义地糟践了。这家伙到底是什么来路? 既然是富豪,为什么还上军校呢? 出于好奇,津井决定,通过军校的朋友,调查调查温义的来历。

两天后,温义的情况摆在了津井的案头:温义,二十一岁,云南人,军校二十四期,步兵科。成绩一般,无上进心,无党派倾向。家有巨资,在保定市内有房子,一仆人相随,叫老鸹。

津井震惊了,温义上大学还带着仆人? 莫说中国,即使在西方这也是颓废的象征。虽然温家有巨资，但资料上并没有说明他们的身份，这家人是干什么的？巨资，到底庞大到什么程度？出国前津井一直在研究中国社会，在中国上军校的年轻人大多有鲜明的政治观点，都是理想主义者。但温义没有党派倾向，那他为什么要上军校？

疑点太多了，津井正雄百思不解。终于熬到周日了，他老早就跑到总督衙门口，专等温义这个神秘人物。

满天飞银圆的好日子一去不返了，莲花池中依稀还可以见到人影，他们在水里苦苦摸索，似乎在探索自己的命运。津井正雄暗自发笑，用不了多久，他和温义比赛撒银圆的事就会成为保定的传说，人类的神话大多是这么来的。

日上三竿，温义晃悠着来了。今天他长袍马褂、布鞋折扇，全然一副京城阔少的派头。老鸦还是那身装扮，但背着一个帆布口袋，手里拎着鸟笼子。一只金丝雀在笼子里上蹿下跳，不时地鸣叫几声。

津井一个劲儿皱眉，中国的军校怎么能容忍这种人？这样的公子哥怎么可能带兵打仗？出于对金钱的尊重，他把温义算成了上等华人，但对温义的做派实在不敢恭维。津井走过去，半躬着身子说："阁下不失约，是君子。"

温义笑道："宁失江山，不失约会！"说着，他接过鸟笼子，饶有兴致地吹了几声口哨，金丝雀马上回应了几声。

津井耐着性子说："要不到我的商行坐一坐？我家做煤炭生意。"

温义一个劲儿摆手："我不能去你的商行，我大哥在信里说，日本的商行都是间谍站，不能招惹。"

津井先是尴尬继而又恼怒起来："我家是正经商人，你对大日本帝国有敌意。"

温义把鸟笼子扔给老鸦，不耐烦地说："我发现你这人真讨厌，说点儿什么都较真！什么大日本小日本的，大也罢小也罢，是你们家的吗？日本月本的跟你有什么关系？"

津井从没听过这样的胡言乱语，怒道："国家乃人之根本，无本之人，何以为人？"

温义冷笑着："我大哥也是这么说，我不信这个邪。我们不过是碰巧生在这个国家的过客，国家什么也不是，仅仅是收税的政府而已。活着，是自己的事。"

"一派……"脏话涌到津井喉咙里，但对方友善的表情又让他骂不出口。

温义拍着他的肩膀，苦口婆心地说："兄台！你们大日本把东三省占了，国家分你红利了吗？有你的好处吗？当然，如果你是间谍就另当别论了。"

津井是学社会学的,温义的观点无非是政府虚无论。津井以为这东西不过是西方人玩世不恭的产物,没想到愚昧的中国也有人持这个观点。他试探着问:"人总得有根本吧?"

温义看了看老鸦:"你告诉他。"

老鸦诚惶诚恐地说:"我的根本就是我们家少爷,我们家少爷的根本就是我家老爷,老爷的根本就是我们家老老爷。"

老鸦带着浓重的西南口音,津井听得面红耳赤。温义打断了老鸦的绕口令,笑着说:"人的根本是家族,我们家就是我的根本。"他挥着手,结束了这场争论,"津井君,商行我是不去的。仙鹤楼,我请你。"说着,一抖扇子,大摇大摆地走了。

二

仙鹤楼以铁狮子头和驴肉闻名保定,厅堂高大敞亮,光雅间就有三十多间。温义等人走进饭店,伙计认识他,招呼了一声便径直把他们带进雅间。老鸦点了狮子头、驴肉和老白干。伙计说:"新来了小花旦,唱折子戏的。"温义点了点头。不一会儿,三个妖艳女人进来了,拿出乐器,咿咿呀呀地唱起了《打渔杀家》。

三人喝酒听戏,喝着喝着话就多了。

津井问:"你是云南人,官话何以说得如此流利?还能听懂平戏(京剧)?"

温义说:"在北平住过几年。"然后向津井询问大阪的风土人情。

津井说:"大阪是世界上最优雅的城市,有两千年商业传统。"

温义表示赞赏:"好啊,我父亲说做买卖的人不喜欢打仗。你们的毛病就是太喜欢打仗,我估计在你们国家喜欢打仗的人都是山民吧?"

津井大声争辩:"我们大阪人不仅会做生意,大阪师团也是皇军最精锐的陆军。"

温义冷笑着说:"精锐与否只能在战场上检验。前几年你们皇军在古北口碰上二十九军的大刀片了,大阪师团在山下呐喊就是不敢上山,战后大阪师团编制最完整了,这就是商人的审时度势吧?"

津井气得说不出话来。温义说得没错,几年后,日军在诺门坎与苏联人打了一仗,陆军想试探北进政策是否可行,结果日本皇军的脸被人家打尽了。参战部队中,只有大阪师团伤亡最小,倒不是大阪师团英勇善战,而是他

5

们以各种理由拖延上前线的时间。停战后大阪师团终于赶到战场,还耀武扬威地表示遗憾。要是知道大阪师团将来还要干这么露脸的事,羞也要羞死了,此刻他只能靠喝酒来掩饰尴尬。

津井家世代经商,如今商人在日本不吃香,他叔叔只得当了兵,现在是联队长了。津井本人认为战争解决不了任何问题,征服国家首先要征服其经济,在这一点上,商人比军队有价值。他的论文就是想阐述这个观点。他不甘心接受温义的政府虚妄论,如果不是建立了一个高效的政府,如果没有天皇是绝对权威,大日本帝国怎么可能有今天?

他知道,由于东三省的问题,中国人对日本人普遍有敌意,于是决定先拉拉关系再说。"温君是云南人,如何在北平住过?"

温义颇为自得:"我十二岁来过北平,十五岁回去了,十八岁到保定读书,所以我是南北通吃。"

此后二人又谈了谈各自国家的见闻,津井发现温义年龄不大,但走南闯北,见闻颇广,对声色犬马的勾当最为在行。他又询问温家的身世,温义只说其祖辈是江苏人,三百年前逃难到云南,一直在西南地区经商,在缅甸也住过,其他的事便不谈了。津井见对方守口如瓶,话题只得落到了温义的学业上。这一次温义没回避,无奈地用手指点着桌面:"父亲大人说,在中国做事要懂得用枪,谁握着枪杆子谁就能干成事,所以我们兄弟二人都上军校了。问题是我哥哥喜欢当兵,我……唉!"说着他叹了口气,似乎一肚子难言之隐。

津井正雄并不意外,这个温义的确不是当兵的材料,于是询问他哥哥的情况。温义摆着手说:"我哥哥非要上什么黄埔军校,早毕业了。他天生是打仗的材料,从北伐到中原大战,一次都没落下。兄长十年没回家了,父亲大人想起他就生气。"

黄埔学生思想激进,大多有振兴中国的念头。津井撇着嘴说:"你们中国人就是爱做梦,老盼着历史能够重演。但历史不过是历史而已,汉唐盛世是过眼云烟了,再不会重现。"

温义对国家民族之类的话题本来没兴趣,但津井这话明显在讥讽自己的兄长,便笑着问:"你的意思是皇帝轮流做,现在轮上你们了?"

津井认真地点了点头:"强盛的民族在于血统高贵,就像马一样,纯种马的价值是不一样的。一千年前中国人的血统高贵,文化发达。但由于异族入侵,民族混杂,汉族人的血统在宋朝之后就不纯了。如今住在大陆上的人不是当年的中国人,所以你们的文明衰落了。我们大和民族保留了最纯正的血统,是东亚最高贵的种族。我们还继承了汉唐的遗风,这注定了我们要统治东亚,嘿嘿……"他笑了几声,把"统治世界"那几个字咽下去了。

温义转头看了看老鸦,老鸦似乎在听天书,两只眼睛都不会转了。温义笑着说:"你们血统高贵,就应该统治别人?"

津井使劲点头:"高贵的民族必然统治劣等民族,难道不对吗?"

温义脸上闪过一丝诡异的表情,坏笑着说:"你说说,咱们俩谁高贵?"

津井毫不犹豫地说:"你是中国人里少数的保留了高贵血统的人,而我们大和民族,集体高贵。"

"高贵的人应该有高贵的品质,意志坚定,百折不挠。"看到津井频频点头,温义继续说,"既然如此,咱俩做个测试。如果你成功通过了,我就承认日本人集体高贵,将来碰上日本人我躲着走,你们让我干什么我就干什么。"

津井稍微犹豫了一下,旋即坐直了身子:"中国人能做到的,我们一定能做到。中国人做不到的,我们照样能做到。"

温义微笑着:"你肯定能做到,因为你是高贵的人。"说着,给老鸦使了个眼色。老鸦与主人之间的确有些默契,他赶紧从背囊里取出个物件,双手递给主人。温义将那东西高高举起,然后拍在桌子上,嘴里却非常客气:"这东西你们保证见过,你们什么没见过呀?"

津井正雄的身子向后靠了靠,牙缝里挤出三个字:"大烟枪!?"

大烟枪算不得稀罕物件,在某些地区几乎是人手一把。这把烟枪非同凡响,做工极其讲究,完全是件工艺品。烟枪是石榴石的小嘴,红玛瑙的头,宜兴砂的烟斗,鸡血石的托儿,湘妃竹的杆子直又挺,三节的身子尺半长。

老鸦不失时机地取出黄铜的玻璃罩子烟灯和一根烟杆子,津井正雄识货,烟杆子是银的,杆柄上镶着颗精致的红宝石。

花旦们看到烟具立刻不唱了,眼巴巴地盯着,看样子她们也喜欢这一口。

三

津井正雄无法掩饰自己的鄙夷,他身子往后一仰,有意与烟具拉开了距离:"没想到阁下还是雾中君子。"

温义天生的一副笑模样:"津井君不要误会,我不抽烟。我这人血统不纯,意志薄弱,碰了这东西难免引火上身。之所以随身携带,完全是唯恐礼数不周,怠慢了朋友。"

当时的中国社会,抽大烟的比比皆是,很多达官显贵也喜欢这一口。不

抽烟的富裕之家只得配备烟具,甚至辟有单独的吸烟室,完全是待客用的。

津井知道温义所谓的担心礼数不周,并非妄言,撇着嘴说:"你们虽然在鸦片上栽了跟头,但应该感谢它,没有这东西,中国早就被世界文明抛弃了。"

温义大笑着表示赞同:"有道理有道理,我们是劣等民族嘛。你们就不一样了,你们血统高贵,你们是不可能被毒害的。"

这话让津井颇为受用,昂着头说:"当然,你们应该扪心自问,鸦片出现了四千年,为什么偏偏毒害了你们?"

"我们意志薄弱!"温义这么一说,津井竟然不知道下面该说什么。温义特地离他近了些,"津井君,你们日本人和我们不一样,你们是血统最纯正的民族,意志坚强。我以为,你们就算抽上了这个东西,说戒也能戒,或者这东西对你们根本不起作用。"

津井觉得脖子被人套住了,原来这小子一肚子诡计。但话说到这份儿上,总不能承认日本人和中国人一个德行吧?他咽了口唾沫道:"这……这是事实!"

大烟枪在温义手指上转了几个圈,弧度优美:"口说无凭,你得拿出让我心服口服的证据。咱们打个赌,你只要抽上六次而没有上瘾,或者能立刻戒掉,鄙人不仅承认你们日本人血统高贵,还愿意输给你五万大洋。"

津井正雄的脑袋有点大,倒不是因为抽不抽大烟的事,而是那五万大洋。这些钱足够装备一个旅团了,津井家保定商行一年的营业额不过三四万大洋。温义他们家的确是豪富啊,津井商人家族的血液开始沸腾了。理智提醒津井,这可能是个圈套,但五万大洋呢,那可是天文数字。

温义见他不开口,轻蔑地说:"明白了,原来日本人也不敢碰这东西,嘿嘿,大言不惭。"

津井涨红了脸:"你们中国人说,人心隔肚皮。"

温义的脸色暗了下来:"我给你立字据,我家做生意从来不亏欠别人。"说着,他叫来小二,要了纸笔,刷刷点点地写了两张纸条。大意是,只要津井正雄在本人监督下,吸食烟土六次而不上瘾或者戒之,本人输给津井五万大洋。写完后,温义郑重地按了手印,把字据递给津井,宽厚地说:"你可以考虑一下,实在怕了,就算了。"

津井让这个笑面虎逼得没退路了,慨然道:"六次算什么,我就不信戒不了。"

"戒不了的都是猪狗之徒。"温义使劲在字据上点了一下。

津井气不过,提笔把名字签上了,又学着温义的样子也按了手印。手印按下后,他的心脏猛然停住了,好一会儿才重新工作。

温义拍着他的肩膀说:"我就佩服日本人这点,说到做到,真了不起。"二人把字据收了起来,温义挥了下手:"老鸦,伺候着。"

老鸦的脊背本来是弯曲着的,此刻腰板突然直了。他眼冒绿光,精神抖擞,从大包里取出一条香烟般的物件,郑重地摆在桌子上。津井正雄来中国时间不短了,但从来没见过大烟土的模样,不禁伸长了脖子。那是长方形的东西,像块小金砖。烟土块包装精细,包装上印着人形图案。温义又拿出条烟土,扔给花旦道:"下去吧。"花旦们欢天喜地,千恩万谢地跑了,连赏钱都没要。

津井仔细端详了一会儿,忽然哈哈笑了起来。原来包装上印着的是清朝官员的头像,头像边写着:钦差大臣两广总督林。烟土包装上印着林则徐的像,真是滑稽透顶!他觉得中国人的幽默感世间少有,这个民族还有些可取的地方。

老鸦拿出把小剪子,熟练地挑开外包装,然后从黝黑的鸦片膏上剪下了一小条,接着点燃了烟灯。津井的心脏又停了一会儿,奇怪,烟灯与一般的油灯不一样,烟灯的火苗呈直线状,在罩子里蹿起了两寸多高。

温义跟念旁白似的,小声解释道:"南土,云土中的上品。半里闻香味,三口顶一钱啊。"

津井没好气地说:"听说你们云南人全是种大烟的。"

温义连忙摆手说:"不对,还有贩卖大烟的、熬制大烟的,也有专门搞运输的,分工很细,这个你不懂。我们云南不适合种粮食,天尽其职,地尽其力。"

老鸦把那小条烟土挑在烟扦子顶端,小心翼翼地将烟扦子放在烟灯上,转着圈地烤了起来。老鸦神态庄严,似乎在给神仙掏耳朵。

温义坐过来,在津井的肩膀拍了一下:"津井君,好福气呀。老鸦给安康省的省主席挑过膏,在我家乡是远近闻名的挑膏手。家父派他跟着我出来,就是担心北方人小看了我们云南人的手艺。"

津井正雄听得似懂非懂,挑膏是怎么回事?难道大烟不是直接抽的?其实烟土还真不是直接抽的,吸食之前,烟土要以微火烧烤,待其流油冒泡才可以放到烟枪上抽呢。烧烤过程叫挑膏,其水平高低决定了口感的好坏。烟具中的烟扦子和烟灯,是挑膏专用设备。挑膏也是职业,一般来说烟馆里都有挑膏手,也叫膏匠,豪富之家往往也要供养几个。

老鸦不愧是老手,不一会儿烟膏就噗噗作响了。他举起烟扦子,在空中

一转,冒着油的烟膏子就被转成了枣核形。老鸦迅速把烟膏按在烟斗上,双手将大烟枪递到津井面前。津井正雄犹豫了一下,但还是接过来了。温义指着烟灯说:"烟斗对着火苗,直接抽就行了。"

津井大着胆子吸了一口,一股强烈的味道涌上来,立刻产生了要吐的感觉。他嗓子眼里似乎落下了无数小针,又痒又难受还挺疼。津井正雄翻了温义一眼:"如此货色,居然也会趋之若鹜?"

温义有点不高兴:"你这个小日本!这种烟膏是用参汤熬出来的,此等货色在外面买都买不到。"

津井知他误会了,赶紧解释:"我是说,烟土味道难以下咽,不是说你的东西不够品位。"

老鸦指着烟枪,战战兢兢地说:"先生,再抽一口。"

津井有信心了,狠狠地抽了一大口,然后举着大烟枪说:"我就不相信,这么难抽的东西还能上了瘾?"

温义的眼角哆嗦了几下,随后又露出商标般的笑容:"中国人心无主宰,意志薄弱,所以无法自拔。津井君不一样,大日本帝国的臣民定力非凡,断不至此!抽吧。"

津井知道他的话有挖苦成分,但烟土味实在不敢恭维,何况自己上过大学,在日本也是上等人。于是他发着狠地把整个烟泡都抽下去了,也没觉出有什么不同。

四

酒足饭饱,津井正雄起身告辞。双方约定,明天中午还在仙鹤楼见,以六次为准。津井走了,老鸦抱着大烟枪,很是心疼:"少爷,何苦和东洋人争长短?他抽不出货色的好坏,这不是涮坛子(西南土话,意为开玩笑)吗?"

温义把字据拍在桌上:"别急,他慢慢就抽出来了。"

老鸦对外国人多少有些迷信:"人家是东洋人,东洋人终归跟咱们不一样。"

温义"哼"了一声,站起来:"神仙不过六,我倒要看一看,这小子到底有多大能耐!"此刻温义脸上再无笑容,那是一种幸灾乐祸的畅快,就像孩子在大人的靴子里撒了泡尿,然后偷偷跑掉一样。

温义是云南温家的二公子,温家也号称温家帮,滇西北赫赫有名的烟土

商。温家帮买卖烟土，控制着十几万亩烟田，甚至拥有私人武装。温家是烟土世家，他父亲是温家帮的第三代帮主，在云南，提起温家帮无人不知，包括省主席龙云。

清政府没有放开鸦片种植的时代，温义的曾祖父就开始在山沟里种罂粟了。那时中国人还没有完全掌握开果取浆的技术，由于种植成本低，很快就完成了原始积累。后来清政府被洋人羞辱了两次，痛定思痛，鸦片这东西反正无法禁绝，干脆就放开了。所谓师夷长技以治夷，他们相信土烟没准会打败洋烟，白银不一定非要向外流。若论种植农作物，中国人天赋第一，短短二十年的光景，土烟果然取代了洋烟的市场地位，不仅在国内站住了脚，甚至走私到东南亚，白银也开始回流了。民国年间，中国各省都开始种大烟了，就其品质而言，云土无疑是上品，其质量甚至超过了进口烟土。

温义的爷爷便趁着这股东风发了。由于祖上不懈努力，温家的大烟田逐渐连成了片，成了滇西北最大的鸦片种植者。温义的父亲叫温长生，曾在昆明和广州求学，他具有前瞻性思维，认为家族产业不应局限于大烟种植，于是温家开始生产烟土，并参与了从滇西北到重庆、滇西北到广西的烟路开发，为此他们组建了一支私人武装，进行烟土押运。如今温家帮是云南屈指可数的烟土商，其影响波及整个西南地区。

烟土的利润难以想象，温家的钱根本花不完，温义从不知道他们家有多少钱，所以养成了挥金如土的毛病。

温家帮掌门人温长生颇有远见。他清楚温家靠鸦片起家，说出去总是嘴短，所以老早就把大儿子温正送到昆明读书了。他盼着长子从文，次子习武，温家从他们开始改换门庭。不成想，温正在昆明接受了"打倒帝国主义、振兴中华"的思想，独自跑到广州，考入了黄埔军校，要救万民于水火。温长生写信教训儿子："兴，百姓苦，亡，百姓苦。何必管那些没边的事？"可温正天生是拧种，根本不听。听说温正现已是中央军的营长了，颇受上峰赏识。近年战事不断，他南征北战，十年来从没回过家。每念及此，温长生就顿足捶首：这儿子算是白养了。温正为人忠厚，还认死理，温长生是担心儿子为别人送死。

温家真正让人揪心的是温义，这孩子从小就不是省油的灯，好吃懒做，贪图享乐，吊儿郎当，就喜欢干坏事。十岁，温义发现驴拉粪球异常壮观，于是找了个木橛子，把驴的后腔眼给堵上了，他想看看驴拉不出粪球是什么结果。温义守了五六天，好好的一头驴硬是憋死了。仆人们谁也不敢把这事告诉帮主，等温长生知道了，那头驴都臭了。还有一次，温义伙同几个小伙伴，把当地保安团团长的儿子扔到了河里，这不算完，几个人在团长儿子露头换

气时,以尿液迎击,团长儿子险些把小命丢了。温家为了这个事,陪了人家一千两银子。温长生是真不放心,这个儿子简直是个惹事精,心想一定要找个地方好好管教他。

后来,温长生听说保定军校出来的军官,大多是黄埔军官的上司,于是派人把温义送到北平,要他熟悉北方的环境。虽然中途返回云南几年,但目标依然是保定军校。俗话说,淘气的孩子出好的。温义特别聪明,考军校就跟玩儿一样,三年前就成了保定军校的士官。温长生担心他闹出事端,无法收场,于是派了贴心仆人、忠心耿耿的老鸦跟着,一旦出了事就找老鸦算账。

温义没心思当兵,当兵是苦差事,奔波劳碌且毫无情趣。他认为人生不逍遥,空活几十年,富足的员外郎绝对抵得上万户侯。考军校是父亲的命令,另外温长生还特地给了军校当局一笔钱,意思是希望学校别和孩子一般见识。温义虽然对当兵没兴趣,但对于说书唱戏、游山玩水,那绝对是内行。他还喜欢为别人挖挖陷阱,为自己戴戴高帽,在众人不知情的情况下闹出些恶作剧,反正这小子就是不喜欢干正事。

前几天温义旷课出来闲逛,碰上了津井正雄往湖里扔大洋,出于年轻人的好胜,温义一出手就扔了三百多块。第二天,保定的大小报纸把这事都嚷嚷神了,有一篇报道比较接近事实真相,证明扔钱的人中有一人是军校学生。军校当局怀疑报纸上说的学生兵是温义,训导主任特地找他训了话。温义说瞎话从来不脸红,瞪着眼睛坚决否认,训导主任拿这小子没办法。

从仙鹤楼出来,温义心里乐开了花。他是烟土堆里长出来的,他知道什么样的英雄好汉也熬不过第六次。这个津井正雄,我叫你吹,我叫你狂,咱们骑驴看账本,走着瞧。

回到军校,门房的卫兵冲他高喊:"刚才有人找你,登记了。"温义在登记表上看了看,大吃一惊,来人竟然是温正。温义赶紧记下大哥的住址,匆匆忙忙去了旅馆。

五

温正从天而降,简直是匪夷所思!

自从温正上了黄埔军校,就再没踏上过云南的土地。几年前他们兄弟在北平见过一次,那时温义只有十五岁。

在温义的脑海中,大哥的形象还是少年时的样子。温义不认可大哥的为人原则：他在老家有个青梅竹马的恋人，两个人爱得死去活来。前几年在广西拉练时，人家从云南跑去看他，提到了结婚的事情。温正竟然说"匈奴未灭，何以为家"。这不是吃饱了撑的吗？匈奴不匈奴的和成家有什么关系？

话说回来，温义对这个兄长畏惧有加。温正与人动手下手特狠，对谁都一样。有一次温义在外面受了大孩子的欺负，回家告状。温正去了，一人打五个，硬是把五人全打成了乌眼青。回了家他居然把弟弟也揍了一顿，还斥责他没出息，不敢和人家拼命。所以温义想起大哥，脑仁都疼。

温正住在军校招待所里，这是专门为过往的军人准备的。温义来到房间门口，不自觉地正正领子——手在脖子处抓了好几下，什么都没抓到，他这才发现今天没穿军装，立刻有点心虚。既来之，则安之，温义只得硬着头皮敲门。温正站在门口，一身中校制服，身子如树棍子一样，笔管条直的。

温义笑着说："大哥，怎么到保定了？"

温正上下看了他两眼，面有嘲讽："你倒像个大少爷！"

温义突然发现自己比大哥高了半头，胆子骤然壮了，立刻恢复了嬉皮笑脸的木性："大哥，你放着少爷不当非要去当兵，你不能把我也拖累进去。你那份福，我替你享了吧。"

温正拉着温义坐下了，严肃地说："你不是当兵的料，毕了业赶紧回家，咱们家有我当兵就够了。"

当天晚上，温义在学校的食堂里请大哥吃了饭。温义并不小气，但温正坚决不去外面的馆子，他说那种地方乌烟瘴气，不是军人该去的。吃饭时，温正告诉他，自己在保定只能待一天。他是中央政府晋绥军事观察团的成员，到娘子关时请了两天假，专门来保定看弟弟。

兄弟情深，温义的眼眶湿了，但也听出了问题的关键，试探着问："晋绥军事观察团？中央军看上山西啦？阎老西能欢迎你们吗？"

温正摆着手："这事阎老西说了不算，中央军必须要为进军山西做准备。将来一旦和日本人动手，敌人从山西可直下西安，整个中原都危险。太危险了！"

温义吃惊地问："蒋光头真要和日本人动手？外面都说他是不抵抗的。"

温正一拍桌子，厉声道："胡说，什么光头？那是校长，一国之元首，说话放尊重些。"温义吓得吐了下舌头。他早听说过，黄埔学生对蒋介石敬若神明，但没想到大哥也是如此。温正瞪了他一眼，缓了口气道："不要听信谣言，谁说蒋校长不抗日？那是小人污蔑。校长早已断定，与日本人这一仗早晚要打。"

温义说："九一八为什么不打？"

温正叹息道："实力不济，内部有败类，内忧外患！所以这场战争要尽量拖延，我们必须积蓄力量。另外内部的事一定要处理干净。你是不知道，如果九一八开战，我们的军需储备连三个月都支撑不下去。唉！内耗，咱们国家让一些喜欢打内战的军阀们耗光了。"

"你们去山西是探路？"温义问。

温正点着头说："是啊，战略计划已经制定了，要让日本人付出高昂代价。拖住他们，一旦国际局势有变，咱们中国没准儿就翻身了。"

温义哈哈笑起来："反正我不信小鬼子能打到云南去。真打起来咱们回老家。"

温正瞪了他一眼，没言语。老鸦进来了，鞠躬道："大少爷好。二少爷，明天东洋人的东西还准备吗？"

温义说："明天我送大哥上车，你到仙鹤楼等他。"

老鸦点着头下去了。温正有所警觉："你和日本人有来往？"温义嘻嘻哈哈地把津井的事说了，温正怒道："你敢教日本人抽大烟，太不像话了！"

温义觉得大哥不可理喻，不耐烦地说："怎么啦？我又没教他什么好事。我倒要看看，日本人的高贵血统值几个钱。"

一龙生九子，各个不一样。温正知道这个弟弟从小就一脑子歪主意，如今是二十多岁的人了，怎么还这么没正形？温正有心思教训教训他，但琢磨着反正对方是日本人，多少有了些要看热闹的心理。再说，兄弟俩几年没见，不好为这事伤了和气。

当天兄弟俩一直谈到深夜，温正满嘴是战争的话题，到后来温义困得不行了。

津井如约赶到仙鹤楼，老鸦在门口点头哈腰地等他呢。他以为温义先进去了，老鸦却告诉他："我们家二少爷送大少爷去了，今天小老儿伺候您吧。"

津井有点不高兴，温义这小子不会是怠慢自己吧？昨天他平生第一次抽大烟，一夜都没睡好，惟恐烟魔会从床底下钻出来。早晨醒来，一切照旧，津井正雄特地围着莲花池跑了一圈，一点反应都没有。跑完步，津井正雄浑身都在冷笑：烟土远不如传说中的可怕。不少中国人居然被大烟害得家破人亡，低等动物的低等作为啊！

老鸦把客人带进雅间。今天的房间与众不同，门外挂着凌云阁的牌匾，门内装修豪华，靠窗的墙边多出了一张仿紫檀的红木罗汉床。罗汉床的三侧床沿上雕着八仙过海图，床面上铺着毛茸茸暖洋洋的鹿皮。这样的房间怎么看怎么舒坦,进了门就想躺着了。日本人喜欢素雅的装饰,这房间雍容华贵,一时间津井有些难以适应。他甚至不明白那个罗汉床有何用处,饭店里为什么要配备床呢?

罗汉床中间立着小方桌,人可以躺在两侧。老鸦端着烟具翻身上床,三下五除二就把家伙全部摆上了。然后他跳了下来,卑微地说:"先生,先抽烟还是先吃饭?"

津井是不知道,中国像样的大饭馆里都是备着吸烟室的,费用很高。他向桌上一看,今天的烟具也有变化,大烟枪是玉杆翡翠嘴的,比昨天的那只更显华丽。小桌上还多了个烟盘子,黑黢黢的,质地颇是沉重。

老鸦指着烟盘说:"先生,烟盘子是紫檀木的,也是我从老家带出来的。您看看,这上面还刻着梅兰竹菊呢,二公子说,你们日本人喜欢这个。"

"哼哼,抽大烟还要抽出品位!"津井正雄"哼"了一声。

津井正雄希望这个仪式马上结束,没吃饭便歪到了罗汉床上。老鸦给他烤了一个烟泡,津井满脸鄙夷地抽了。老鸦满脸期待地盯着他,津井坐起来,拍着胸口说:"告诉你们家主人,放下屠刀,立地成佛。我们日本人来中国都是备了戒刀的,什么大烟小烟的,一律割除。"

实际上老鸦根本不知道他说什么,但他依然卑微地立着耳朵,一副奴才状。

六

温正买的是头等票,月台上比较清净。他把弟弟拉到车厢边,苦口婆心地叮嘱一番:毕了业干脆到滇军谋个差事,离家近些,照应起来方便,上战场的可能性不大。温义嘴里应承,心下却不以为然:滇军是什么货色?温家人伺候滇军?简直是跌身份。

火车放了几个屁,温正的身子上了车,眼睛依然在弟弟身上:"忠孝不能两全,真打过来,家里的事就靠你了。"

温义眼圈红了:"大哥,咱们一起回云南吧,咱家里有钱有枪……"

温正一瞪眼:"没出息的东西,赶紧回学校。"

火车哆哆嗦嗦地开走了,温义在月台上站了好一会儿,白烟看不见了,腿也站酸了。大哥还是这么死性,一条路走到黑,从来不回头。有一次温长生痛骂温正不撞南墙不回头,温正回嘴说:撞了南墙又怎么了?大不了把南墙

15

拆了。温长生被儿子气得几天吃不下饭。如今温正把日本人当成南墙了,满脑子想拆了人家。温义琢磨过:日本人没什么了不起,多派一些走私船,每年向日本运几百船烟土,出不了十年,日本人就全老实了。

离开火车站,温义估计老鸦正伺候津井抽烟呢。他不想凑这热闹,也不愿意和津井来往过多。在温义眼里,那个日本人就是砧板上的肉,裤子早就脱下来了,就等挨宰了。

温义回宿舍取了面小镜子,来到操场南侧的杨树林。杨树林面积广阔,林地一侧是军校老师们的府第,那是片青墙红瓦的小楼。温义在林边找了一个角度,然后拿出小镜子,对着一所住宅的窗户晃了几下。

十分钟之后,一个身穿运动服、足蹬白球鞋的妙龄女郎探头探脑地出现了。当时女孩子穿运动服本身就是稀罕景,这女孩子还剪了齐耳短发,颇有几分英姿飒爽的味道。女子轻盈地冲进树林,攥着拳头,四下张望。温义躲在一棵大树后,女子转到树前时他突然跳了出来,双手揪着自己的耳朵,拼命向上一拉,嘴里咿咿呀呀地叫了几声。女子被吓了一跳,继而狠狠给了他几拳:"死人,你简直就是个超级大儿童。"

温义哈哈一笑:"你不是喜欢大儿童吗?"

女子狠狠剜了他一眼:"瞎了眼的才喜欢你呢。"

温义忽然难过起来:"这么好看的眼睛,千万不能瞎了。"

女子让他气得没办法,扭脸要走。温义一把拉住她,嘿嘿笑着说:"跑什么,让你爸爸看见,咱们就完了。"

女子赌着气说:"我爸爸在中央军里有个同学,是中将,在洛阳。中将有个儿子,人家想要一个门当户对的儿媳妇,前两天来我们家提亲了。"

温义无所谓地说:"好啊,你要是觉得般配,你就跟他走。"

女子在他脚脖子上踹了一脚,温义疼得跳了起来,嘴里一个劲儿吸气。女子怒道:"冤家路窄,我怎么就碰上你了?"

女子叫罗敷,是军校训导主任罗将军的女儿。她是燕京大学哲学系的学生,由于北平形势紧张,随时可能被日本人攻占,最近半年辍学在家。罗敷和温义结识完全是意外,在罗敷看来,那就是浪漫。

温义的心思也没有放在学业上,成绩一般。同学们都知道他们家是豪富,上大学还带着仆人,大家对这位仁兄普遍敬而远之,没人愿意招惹他。所以温义在学校里没什么朋友,剩余精力无处发泄,就开始搞恶作剧。他当然不敢在学校里折腾,但保定府繁华异常,完全容得下他的胡闹。有一次他化装跑到妓院,出了一半定金,结果十几名妓女向军校发动"冲锋",点着名地要儿位老师出来,与她们搞一搞。这个事引起了轰动,到现在也没人知道那是温义干的。

那天他在街上对十几个混混说只要他们在闹市区站一个时辰,就给他们每人一块大洋。混混们不相信有这等好事,温义便说:"不是让你们干站着,你们得往天上看,还要指指点点,就跟天上要掉大洋一样。"混混们觉得这事太简单,便照了他的话做。

不一会儿,保定闹市区出现了一副奇异的景象,十几个年轻人吵吵闹闹、嘻嘻哈哈地指着天空,似乎太上老君掉下来了。开始没人当回事,但半个时辰之后,人们的好奇心被激发了,聚过来的人越来越多,大家争着抢着想看个究竟。人越来越多,街面上越来越嘈杂,眼看闹市区就真要闹事了。混混们本来只想挣那一块大洋,但众多的围观者刺激了他们的表演欲望,于是有人开始胡说八道了,什么天上有黑影,是天狗,什么天狗的尾巴被手拽着云云。到后来闹市区竟然聚集了上万人,有几分恐怖的味道了。有人跑到警察局报告说有人要闹暴动。警察坐不住了,几百名警察扛着高压水枪一拥而出,红着眼就扑过来了。

温义一直在附近关注事态变化,他没想到事情会闹得这么大。警察刚出现,他就想逃跑。说来也巧,一辆军校的封闭卡车正好从附近经过,温义向司机打了个手势。司机是大烟鬼,平时没少抽温义的免费烟,赶紧就把车停下来。温义一头钻了进去,上了车就哈哈地笑了起来。司机问他怎么了,温义把经过一说,司机有点不相信。温义发誓道:"骗你我是小狗。"

此时车后面有人搭话道:"这是对小狗的侮辱!"

温义猛然一回头,原来后面还坐着一位呢。答话的就是罗敷,刚从北平回来。这个哲学系的学生明白,温义说的这事儿叫从众心理。但她万万没想到,天下竟有这么无聊的人,居然把上万的市民都给愚弄了,自己还觉得挺高兴。

他们俩就这么认识了。温义迷恋于罗敷的美貌、聪颖和一针见血的挖苦。罗敷对这个坏小子倾注了全部情感,因为她从来没见过这么聪明的坏蛋。当然,他们的交往是极度秘密的,这事万一让罗敷她爸爸知道就坏了。训导处主任是挂着少将军衔的将军,他绝不会允许女儿和学生自由恋爱的。有一次罗敷在家里无意中说到温义的名字,罗主任撇着嘴说:"他家的出身有问题,少招惹这个人。"罗敷问了几次,终于搞清楚了,原来温义他们家是倒腾大烟的。

罗敷是典型的现代女子,喜欢看小说,喜欢看电影,喜欢野游,喜欢体育运动,偶像是《飘》里的白瑞德。当时电影还没有拍出来,但小说已经风靡全球了。在罗敷眼中,温义的性格和白瑞德差不多,估计连模样都差不多。他们同样的放纵,同样的异想天开,同样的无拘无束,同样的风流倜傥,而且还是一个类型的浑蛋。至于温家的营生,罗敷不愿意考虑,那跟自己没关系,白瑞德是走私犯,不是一样深爱着赫思佳吗?再说,买卖大烟并不犯法,据说中央政府百分之二十的税收与烟土有关。

温义和罗敷的恋情秘密进行着,如火如荼,如胶似漆。罗敷甚至下了决心,一旦温义毕业就跟他一起去云南。万一父亲不答应,干脆就私奔。"私奔"这个词,在罗敷看来简直浪漫到极点了。她在日记中写道:"女人,都有一颗私奔的心。"

七

温义把津井正雄的事当笑话说给罗敷听,说到高兴处,他嘻嘻哈哈地把这个日本人和蠢猪排成了亲戚。

罗敷皱着眉说:"你这人太坏,津井非让你害了不可。"

温义嘿嘿笑道:"如果真那样,他就不具备日本人的高贵血统,直接跳莲花池得了。"

罗敷忽闪着大眼睛:"烟土真有那么厉害?"

"我们家有规矩,我温家帮的人,无论种烟的,押运的,还是熬膏的,一律不许抽。谁要是敢抽大烟就打折谁的腿,绝不例外。"

罗敷惊道:"你们不是卖大烟的吗?"

温义说:"那是生意,温家帮的几千号人靠这个生活。但是自己人绝不能染上烟瘾,染上了就成废人了。我爸爸说,我有个伯父,温家帮本应该是他继承的,就因为他年轻时抽上大烟了,我爷爷把他腿打折了。他还抽,我爷爷就把他活活打死了。"

"啊?"罗敷惊叫,"我的天,打死自己的儿子?!"

温义点头:"千万不能试,一旦碰上人就完了。"

"我们家是军人世家,尊严感特强。我要是抽上大烟,我爸爸就是不杀我,我也肯定自杀。"罗敷顽皮地抓住温义的手,"大烟枪到底什么样?给我看看。"

温义想了想:"那东西不能拿到学校里。晚上咱们去看戏,在戏园子里给你看。"

罗敷眉宇间流露出轻蔑："保定人会唱戏吗？角儿都在北平呢。"

温义的脸上冒油了，兴奋地说："马老板来保定啦，全本的《失空斩》！"

罗敷的眼睛也亮了："要是梅老板能来就更好了。"

温义认真地说："咱俩成亲那天，我把梅老板请到云南，让他给咱俩唱堂会。"

罗敷"啊"了一声，继而就是一顿粉拳："你太讨厌了，一天到晚地胡说八道。"

温义抓住她的小拳头，放在胸前："我发誓，我说到做到。"

罗敷下意识地躲着他，但温义就是不撒手，竟把嘴凑过来了。罗敷也不客气，一把捏住他的嘴唇："我叫你坏！"

温义想叫，可又叫不出声，眼珠子都鼓出来了。

富豪之家的孩子，自然不是普通人，温义本来是十足的浪荡公子，拿什么都不当回事，对女人也涉猎颇早。但在罗敷面前，他总感到莫名其妙地紧张，不敢太过放肆。罗敷是他心目中的白雪公主，是他理想中的女人，他们俩在一起时别提多开心了。罗敷与他自己是真像啊，喜欢听戏，喜欢电影，喜欢穿着男子的衣服去跑马场，也喜欢一本正经地挖苦人。反正她喜欢一切新奇的、又没什么用的玩意儿。另外他们都不喜欢政治，不喜欢板着面孔说话，不喜欢慷慨激昂的陈词滥调。他们之间不仅性格相像，连模样也有着几分相似。温义不敢相信，似乎这女子天生是给自己预备的！他早有打算，一定要把这个女子带回云南，一定让她看一看天堂般的家乡。

当天下午，他跑到戏园子，做了些前期准备。

京津地区是京戏大本营，国军的军官大多是南方人，却偏偏都喜欢唱两句。这个风气也带动了学生兵，如果北平大腕来保定，出身富有的学生兵往往能占去半个场子。人多，眼睛多，嘴就更多了。如果罗敷和温义在包厢里看戏定会被人看到，新闻迟早会传到她老子耳朵里，必定会酿出事端。为了保密，温义花了大价钱，在后台的台口处弄了两张椅子，其实那是戏院经理的位置。

罗敷刚进后台，迎面就跑来几个画着脸的女龙套，她兴奋得差点抱住人家亲一口。温义神通广大，居然能搞到后台的位置，真是太刺激了。其实后台往往是乱糟糟的，穿着各色行头的龙套随时会钻出来吓人一跳，但罗敷就是觉得有趣。温义二人落了座，经理特地让下人送来了上好的花茶。罗敷询问马老板的情况，经理指着个房间，小声说："马老板在里面休息呢。"

二人鬼鬼祟祟地向里面张望，房门虚掩着，墙边是张小床。室内烟雾弥

漫，一个五十来岁的清瘦男子正用烟灯烧烟泡呢。温义看了经理一眼，经理坦然地说："马老板的习惯。"

在经理的催促下，二人只得放弃偷窥。罗敷追问那人是不是马老板，温义说就是他。罗敷摇着头："怎么和台上的诸葛亮不一样啊？"

经理把他们带到舞台入口："二位就在这儿坐着，千万别动啊。"

二人坐定，罗敷拧着眉毛问："刚才马老板干什么呢？"

温义一笑，从背包里拿出大烟枪："你不是想看看这个吗？"

罗敷抱着大烟枪，上下打量了一会儿。温义给她讲解各部位的名称，如何使用等等。说到最后，罗敷拍着大腿道："我明白了，马老板烤烟泡呢。"

温义笑着说："戏子抽大烟是常事，抽一口精神足。"

罗敷似懂非懂地点了点头。后来她对烟枪上的雕刻产生了兴趣，温义说，这把烟枪是北平一顺坊的作品，曾经是前清王爷的家当。二十年前，他爸爸去北平时，花了大价钱才买下来的。

罗敷奇怪地说："你爸爸也抽大烟？他的腿没折？"

温义说："我爸爸不抽，可大烟枪是日用品，哪家不得准备几支呀？"

罗敷摇着头："胡说，我们家就没有。"温义觉得有必要了解一下未来老丈人的生活习惯，问罗主任喜欢什么，有何爱好。罗敷想了好一阵儿："除了工作，他什么都不喜欢，他那人可没意思了。"说到这儿她觉得对父亲有些不恭敬，又说："他是身体不好，即使有爱好也没精力。"温义提到了几种名贵的补品，自告奋勇地要为女朋友买来。罗敷忧心忡忡地说："其实他也没什么大毛病，反正每天吃过了晚饭，就累得不行了，估计是工作忙。"

"怎么个累法？"温义有兴趣了。

罗敷思索着说："也没什么，人岁数大了，毛病多。他老是打呵欠，有时候还流眼泪，反正回房间休息一会儿就好了。"

温义眨巴眨巴眼睛，没说话。此时垫场子的戏目演完了，观众们纷纷要求马老板出场。温义偷偷向台下看了一眼，的确有不少军校里的同学。

"好枪，真是把好枪。"

二人猛一抬头，只见一身丞相服的"诸葛亮"站在面前，正兴致勃勃地盯着罗敷怀里的烟枪。温义赶紧站了起来："马老板好。"

戏子都是聪明人。由于对方所处位置特殊，马老板断定这二位绝不是凡人，赶紧作了个揖："小爷，在您面前不敢称老板。我是觉得这把烟枪真是好物件，湘妃竹的杆子，石榴石的嘴，连上海滩也不见得有几把！"

温义有心结交这位著名的老生,笑着说:"散了戏,我做东,马老板一定赏光。"

马老板又拱了拱手:"讨扰,讨扰,我先上台了,回头聊。"

马老板前脚一走,罗敷举着大烟枪叫了起来:"原来是个宝贝!"

温义说:"送你了。咱们说好,拿着玩儿可以,千万不能抽。"

罗敷斜了他一眼:"我们家人能抽大烟吗?"

温义诡异地笑了一笑。

八

开戏了。

马老板不愧为梨园泰斗,亮相就碰了个满堂彩。《失空斩》就是"失街亭"、"空城计"、"斩马谡",是马老板的代表戏目。全本戏的第一出是"失街亭",亮相之后,诸葛亮升帐点将,环顾众将:"众将官,哪一个去守街亭?"马谡一抖袍袖,变步拧身就要上前。

温义发现马谡的嘴已经张开了,台下却有人高喊:"我去。"话音未落,一个年轻人忽地从台下蹿了上来。这一下把"诸葛亮"及众"将官"都闹糊涂了,马老板用扇子指着年轻人道:"你是何人?"年轻人不稀罕搭理他,挥舞着胳膊喊道:"同学们、父老乡亲们、同胞们,日本人占了东三省,搞出了个满洲国,现在又鼓动华北自治。国民政府无所作为,去年签订了丧权辱国的《何梅协定》,是可忍,孰不可忍!祖国是我们的母亲,如今母亲的裙子被敌人掀起来了,谁还有心思坐在这里听戏?同学们,打回老家去!同学们……"

此时场子里乱了,几个年轻人趁机打开了大横幅,大意是打到东北去,抗日到底,不做亡国奴,等等。温义不禁皱起眉来,这不是砸人家场子吗?要鼓动抗日应该到大街上鼓动去!在戏园子里闹腾算什么事?台上的年轻人颇有表演天赋,鼓着腮帮子大唱《松花江上》。场下有人跟着唱,有人大声咒骂,大部分人跟着起哄。整个戏院如飞进无数只苍蝇,这叫一个乱!

人声鼎沸,群情激昂,也听不见年轻人在唱什么。"诸葛亮"觉得不妙,带着自己的人马撤了回去。温义想上前道句"辛苦",但"诸葛亮"跑得比马谡还快,一阵风似的就冲过去了。本来跑过去了,"诸葛亮"忽然回头道:"快走吧。"

温义立刻反应过来,拉着罗敷往外跑,顷刻间就听到场子里响起了刺耳的警笛声。

温义不怕警察，主要是担心与罗敷的事败露。二人冲到街上，温义破口骂道："真讨厌，好好的戏让这帮傻瓜搅和了。"他还要骂，有个家伙也从后台里钻了出来，和温义撞了个满怀。温义怒道："你看着点儿。"年轻人一抬头，温义和罗敷同时倒吸了一口气——这家伙就是刚才在台上捣乱的年轻人。温义没好气地说："你也知道跑啊？"

年轻人不服软："我们要保存革命的有生力量。"

温义本想挖苦他两句，却听得四周警笛声大作，远处的街口出现了戴大帽子的人影，他一把揪住年轻人的脖领子，直接把他推到垃圾堆后面，然后在垃圾堆上乱踹一气，垃圾纷飞，全落在年轻人头上了。年轻人本能地想跳出来，温义小声道："不许出声。"年轻人立刻老实了。

尘埃落定，两个警察迎面跑过来。罗敷挽起温义的胳膊，做亲密状。警察冲到温义面前："你，你们是不是捣乱的？"

温义眼睛一瞪，翻着嘴唇说："你他妈眼睛瞎啦？"

警察都是有眼力的，这位全然就是位阔少爷，与坏分子的形象相差太远。警察赔笑道："小少爷，大小姐，我们抓坏蛋呢。"

温义胡乱一指："往那边跑了，赶紧去。"

警察们呼哨几声，一群人影匆匆追过去了。罗敷诧异地看着温义，温义却哈哈笑道："一群笨蛋，又让我要了。"

此时，年轻人从垃圾堆里钻出来，脑袋上顶着菜叶子，浑身散发着酸气："多谢，我叫石原，后会有期！"说完，顺着另一条街跑了。

罗敷皱着眉说："你为什么救他？"

温义笑着说："这种人是讨厌，但警察也讨厌，逗他们玩儿呗。"

罗敷有些担心："我爸爸说，国家早晚要坏在这些人手里。"

温义满脸无所谓："这个国家本来也不怎么样，还能坏到哪儿去？"

好好的一出《失空斩》给搅黄了，二人回到学校时，多少有些无精打采。在罗家小楼外，温义恋恋不舍地拉着罗敷商量：明年毕业了，到时能否请温正出面当媒人？大哥是中央军的中校，早晚也是将军。

罗敷给了他一脚："谁愿意嫁给你？想得美。"说完人影就不见了。

温义摸了摸被踢中的部位，一股甜味从那地方一直涌到嘴里，连口水都变甜了。

又一个周日，温义和津井正雄端坐在仙鹤楼里，老鸦立在旁边伺候着。今天老鸦没有挑膏烤烟泡，因为津井刚好抽过六次。

—22—

见面时津井正雄趾高气扬地说："你们中国人说'神仙不过六'，可我就是再抽六次也没关系，嘿嘿，我是日本人。"

温义犹豫了一下，笑嘻嘻地说："我相信你，但你要拿出证据。这样吧，咱们来个测验。你我在酒楼里坐它两三个时辰，你要是能坚持住，我立刻给你五万大洋。"

津井正雄怒道："这明明是不相信我，难道我们日本人还会骗你不成？"

温义也有点不高兴："你不敢？"

日本人怕激将法，津井正雄当下就答应了。

如今二人刚好坐了两个时辰，茶叶换了三次，瓜子上了四盘，温义的屁股有点酸了。但津井正雄依旧谈笑风生，神态自若。温义犯嘀咕了，他并不担心大烟的功效，而是觉得日本科技先进，这家伙来之前不会吃了什么药吧？真那样，自己就太冤枉了。虽然温义挥金如土，扔上几百块大洋不在话下，但输人家五万大洋，老爹温长生能答应吗？

温义吩咐老鸦再要一壶茶，津井却说想去厕所，温义答应了。津井出了门，温义一把将老鸦抓过来，怒冲冲地说："这小子真抽了六次？你都在场吗？"

老鸦指天画地："是我亲手给他挑的膏烤的泡，那还能错？"

温义使劲想了想，忽然嘿嘿嘿地笑了起来。老鸦惊讶地看着他：二少爷这是怎么了？

仙鹤楼的厕所比较讲究，房间宽敞，配备了带马桶的小单间。温义悄悄溜进厕所，逐个在小单间里寻找。忽然他听到些声音，便一把将最里面的单间门拽开了。津井果然在里面坐着，温义向里面看了一眼就哈哈大笑起来。

津井正雄满脸泪水，鼻涕都流到了下巴，胸前已湿了一大片，这家伙正坐在马桶上哭呢。他不好意思看温义，眉宇间却是哀求的暗示。温义兴冲冲地跑到门口，冲着雅间方向高喊道："老鸦，赶紧的，把家伙搬过来。"

老鸦端着烟盘子跑过来，他动作麻利，三下五除二就把烟泡准备好了。然后将大烟枪递到津井手里，示意他赶紧抽。津井正雄顾不得大日本帝国的体面了，坐在马桶上一边哭一边抽，鼻涕加烟土全吸进去了。

大烟这东西确是天物，津井正雄仅仅抽了几口，精神头就不一样了。他喘息了几口，拿出手帕，在脸上使劲地擦了擦，然后穿好裤子，大摇大摆地回了雅间。

温义也回来了，他从怀里把字据拿出来，举到津井面前："可以撕了吗？"

津井鄙夷地把字据烧了，重新端起身段："我是有定力的人，绝不会沉湎

于此,你不要高兴得太早。"说完甩下温义,昂首挺胸地走了。

老鸦眼巴巴地望着客人离开,怅然地说:"二少爷,定力是什么药?吃了它就能戒烟了?"

"吃了它就能戒——有定力的人自己不知道,没定力的人都说自己有定力,嘿嘿!"温义在房间里转悠了一会儿,忽然掏出十几块大洋,放在老鸦手里:"这个钱你拿去花,要壶好酒,咱们庆贺庆贺!"

第二章 烟泡的战争

一

历史就是一个年头接着另一个年头,转眼毕业典礼快要进行了。

一般来说,历史上的纪年是虚无的,仅仅是空洞的数字,但民国二十五年完全可以载入史册。这一年,一股政治力量获得了新生,思家心切的张少帅在西安发动了兵谏。兵谏结果是张学良被抓,这股政治力量却取得了合法身份。

几周前,温义收到哥哥的信,温正当上了国军某主力师的副团长,上升空间无限。他在信中表达了对张、杨二人所作所为的愤慨,但更多的是对时局的担心,在他看来,中日战争迫在眉睫。

温义对蒋介石的遭遇不感兴趣。毕业在即,他计划请大哥做媒娶罗敷,成功则万事大吉,万一罗主任不给面子,他干脆就带着罗敷直接跑掉,反正进了云南就是温家帮的天下,罗主任就是三头六臂也没辙。

六月时,学校开始组织毕业典礼了。温义给哥哥去了几封信,希望他能来给自己做媒,但信件发出后如泥牛入海,估计大哥跟着军队开拔了。温义见哥哥指望不上,便横了心,把偷偷逃跑的计划拿了出来。罗敷权衡再三,找个机会把温义臭骂了一顿,说自己好歹是将军的女儿,私奔这事太对不起父亲。另外父亲根本不知道他们的事,怎么能断定他不答应呢?罗敷认为,温义无论如何要尝试一下,私奔的计划为时尚早。

温义一时拿不定主意,但毕业典礼的日子却越来越近了。

保定军校创办于晚清,历史悠久,国军的高级将领大多是从这里走出来

的，特别是何应钦阵营，几乎一水儿的保定系。所以军校的毕业典礼也非同小可，往往要体现国家意志。

典礼当天，数千名学生兵排列在操场上，领操台上挂着"欢送师兄，前途无量"的祝福标语，罗主任是典礼的司仪。他刚过五十岁，瘦削但精神矍铄。他知道日本人的进攻即将开始，这群学生毕业后就要奔赴战场，所以心情颇为沉重。罗主任致了开场白，然后邀请校长进行毕业训话。就在这时，学校大门的方向出现了骚乱，吵闹声传到了操场上。罗主任异常震怒，居然有人胆敢搅闹毕业典礼？他正要呵斥，却见一个穿着和服的日本人，拎着把军刀，挣脱了纠缠，从大门的方向冲了过来。站岗的士兵端着刺刀围追堵截，却没人敢阻拦他。

学生们看到这副场景都有些诧异，乱哄哄地议论起来。刚刚走上台的校长脸上挂不住了，怒道："这是怎么回事？"

罗主任只得说："我去处理。"他请校长继续训话，自己赶紧迎了上去。

日本人的等级观念深入骨髓，拎着军刀的家伙发现面前站着一名将军，多少有点蔫了。罗主任低声吼道："有什么事到门房说，里面正在进行毕业典礼。"

日本人红着脸红着眼睛，估计连屁股都红了："我要和你们拼命！"

罗主任冷笑着："拼命之前，总要把话说清楚。"

日本人觉得这话有理，于是恶狠狠地跟着罗主任去了门房。罗主任问了几句，大约听明白了。这个日本人叫津井川，有个儿子叫津井正雄，在保定做生意。他冲击毕业典礼就是要找一个叫温义的学生拼命。罗主任想不通，这个日本人何以指名道姓地找温义？这个学生他是知道的，虽然调皮但还没听说有什么劣迹。出于保护学生的想法，罗主任询问原因。

津井川咬牙切齿地骂道："你们中国人太坏了，中国学生也太坏了，你们居然挑唆我的儿子吸食鸦片，你们……你们还有一点人性没有？"

听完津井川的叙述，罗主任眼前都冒出灯笼了，如果这事是真的，温义这小子简直是无法无天了。他说了几句安慰的话，暂时把津井川稳在门房，然后派人将温义叫到自己的办公室。

温义被人从典礼上拉出来，多少有些惴惴不安。一进门，罗主任就拍着桌子道："我问你，认识津井正雄吗？"

其实日本人一出现，温义就意识到这事与自己有关，他一直在琢磨对策。既然罗主任问到这儿了，温义知道也没必要隐瞒了，干脆把事情的经过一五一十地说了。罗主任气得鼻子眼翻到了脑门上："你教日本人抽大烟，该当何罪？"

温义理直气壮地说："哪条法律规定不能教日本人抽大烟？我又没用枪逼着他抽，是他自己愿意抽的。我为中国人找回了面子，有什么错？不教日本人抽大烟，难道还教日本人杀中国人吗？那就成汉奸了。"

罗主任从没见过如此胡搅蛮缠的学生，一时找不到应对方法，便威胁着要开除他，不发毕业证。温义见四下里无人，小声道："国军的将领也有不少人抽大烟的，我知道是谁，我就是不说。"

这一来罗主任的脸煞白，舌头在嘴里打了结："你……你胡说什么？我知道你们家是卖大烟的，但你也不能有恃无恐。"

温义的声音更低了，低到只有他们两个人能听见："您想办法把那个日本人打发走，我送您二百两云土，三百两也可以。那日本人要是不走的话，明天学校就有新闻了。"

"放屁，滚出去！"罗主任跳着脚把温义骂跑了。但温义出了门，他却越想越害怕，因为他自己的确是个大烟鬼。

当时瘾君子遍及全国，社会各阶层都不能幸免，自然包括高级官员。但作为军人，特别是中央军的军人，那是坚决不能碰的，委员长为此下过死命令。为了自己的前程，也为了保全学校的声誉，罗主任决定强行把那日本人赶走。他想那家伙不过是个日本商人，闹不出天来。于是罗主任运用了权力和武力，让士兵把津井川连同军刀都扔到门外去了。他还给卫兵发了几根棍子，声明若再有人想进来捣乱就打出去，绝不留情。津井川冲了好几次，每一次都被打得鼻青脸肿。在年轻人面前，那把军刀也派不上用场。最后他站在门口骂了半天日本话，中国士兵毫无反应。无奈之下，津井川扬言弟弟是皇军的联队长，他一定会为自己报仇的。说完竟在学校门口剖腹自杀了。

门房站岗的小兵吓坏了，赶紧向罗主任汇报日本人的死讯，罗主任只得说："大事化小。"

当天晚上，老鸦给罗主任送去了二百两烟土，让罗主任给扔了出来。他指着老鸦的鼻子骂道："已经死人了，让你主子赶紧走，我保不住他。"说完叫人把老鸦也扔了出去。

温义得知津井川自杀了，多少有些懊悔。津井川死也就死了，但因为这事把罗主任得罪了，即使大哥同意做媒，人家也不可能答应这门亲事了。想来想去，他还是觉得私奔最靠谱，于是偷偷地把罗敷约到仙鹤楼，商量如何逃走。

二

罗敷见了面就埋怨温义。因为她父亲说北平的日本领事馆要是知道这事,绝不会善罢甘休,所以罗敷力劝温义尽快走。温义希望两人一起走,罗敷的口气不像前几天那么强硬了,她对私奔的事一直是非常憧憬的。可就这么走了,实在没有办法向父母交代。

温义说:"还交代什么?将来抱着外孙子回来,他们不认也认了。"

罗敷揪住他胳膊上的肉,玩了命地掐:"你个死人,你脑子里都是什么念头?"

温义抱住她,一口就咬了下去,正好咬在罗敷脖子上。罗敷"啊"地叫了一声,想挣扎可又跑不了。温义霸道地说:"跟我走!要不我咬死你。"

男人是需要些野性的。虽然想起父母罗敷有些难过,但爱情的兴奋马上就把伤感冲淡了。此时,温义把嘴唇移了上来,就在两张年轻的嘴即将会合时,忽然有人敲了几下门,温义怒道:"一定是老鸦,非揍他一顿不可!"说着怒冲冲地回手把门拉开,张嘴就要呵斥。

罗敷正好对着门口,她惊得捂住嘴,下意识地从温义怀里蹿了出去。温义回头一看才明白,门外的人竟是津井正雄。

仅仅几个月时间,津井正雄就脱了相,腮帮子瘪了,下巴像挂在脸上似的。这家伙衣衫褴褛,面目肮脏,嘴角上挂着几块黑黄色的东西,不知道是什么。

温义的火不打一处来,怒道:"你来干什么?你爸爸跑到我们学校闹事,把我害得还不够惨?"

津井正雄一张嘴就要流口水,他急忙用手托着下巴:"商行让我卖了,我爸爸已经死了。我今天要去北平,麻烦你,借我十块大洋。我要带烟土上车,我受不了了。"

温义翻着眼睛说:"我凭什么借给你?你不是有定力可以把持吗?你的高贵血统哪儿去啦?"

津井正雄似乎没听见,歪着眼角说:"借我十块大洋!"

温义冷笑着说:"十块大洋,借的真不少!"

"五块也行,求你了。"津井正雄泥一样半瘫在地上,忽然,他使劲扬了扬脑袋,"我叔叔是联队长,就驻在北平。你要是不给,我就让他杀几个中国人给我爸爸报仇,八格牙路的中国人!"

本来温义已经心软了,但这家伙居然敢明目张胆地威胁自己,他的火气

又起来了。他抬起一脚，把津井正雄踹到门外："你个王八蛋，还敢骂我？一个大洋也不给，小二，这叫花子怎么进来的？"

几个酒店小二跑了出来，不由分说就把津井正雄往外拖。津井正雄身上没力气，嘴里却不老实："你等着，你们等着，我们大日本帝国不是好欺负的……"

温义朝外面啐了一口，怒气未消。罗敷惶恐地说："抽大烟的人都这样？"

温义"哼"了一声："回家问你爸爸就知道了。"

据说津井正雄没借到钱便把木屐给卖了，换了口大烟，终于熬到了北平。他连夜找到当联队长的叔叔，痛说中国人如何害死自己的父亲。联队长死了哥哥，发誓要找中国人报仇。

第二天，日军在北平西南郊举行演习，津井联队长借口丢了两个士兵，向卢沟桥的中国部队开了枪。由于大阪师团的士兵是商人出身，做买卖内行，打仗稀松二五眼，中国军队顶了半个多月，大阪师团寸步未进。联队长找不回面子，只好请关东军增援。中国的二十九军在日军的强攻下，只得放弃北平。再后来，就发生了七七事变。事实上，很多人认为日本侵华是蓄谋已久，随便迸发个火星就能打起来。温正就持这种看法。

战争打响后，温义和老鸦有一段妙趣横生的对话。温义说："妈的，日本人打过来了，咱们只能跑了。"

老鸦说："打就打呗，早晚得和平。"

温义笑道："你怎么知道能和平？"

老鸦说："当年，咱们和大理徐家打了两年多，死了几百人，最后还是和平了。只要把大烟的事说清楚了，谁也不愿意打了。"

温义嘿嘿笑了，老鸦的意思是天下都是大烟帮，起来是因为大烟的事没有弄清楚。他接着问："那前几年中原大战是怎么回事？那可不是跟外国人动手。"

老鸦说："西昌吴家有三个儿子，他们想分家，谁也不愿意把大烟田交出来，这不就打起来了？"

温义哈哈大笑，西昌吴家曾是川南地区最大的烟帮，因为内讧伤了元气。老鸦的理论似乎可以解释所有纷争，这倒是件奇事。

三

温正风风火火地赶到武汉，顿时有些茫然。偌大的武汉三镇已经乱得不

29

成样子,到处是逃难的人群和打探消息的间谍。

北平失守了,上海方向的战事也不顺利,敌人刚在杭州湾登陆,估计上海坚持不了多久。国民政府两月前在武汉扎营了,南京基本上已空。温正是从湖南方向过来的,任务是从国防部接受一批新式战车,然后在宜昌组建中国的第一支机械化团。他跑到国防部一查,吃惊不小,原来首批三十二辆苏制九吨半战车,两年前就运到武汉了。国防部的老爷们认为这堆钢铁派不上用场,一直在库里放着,直到开了战,这帮家伙才想起来。

从武汉到宜昌的公路异常崎岖,路面也禁不住装甲车的重量,最好走水路。温正打仗在行,但面对繁文缛节的政府机关却一筹莫展。他早就办好了战车的接收手续,却联系不到运送战车的船只。国防部手上没有船,据说一个月之内也别指望。就这样,他带着几十个手下在武汉晃悠了半个月。

傍晚,温正坐在江边看风景,江面上船只穿梭,温正的郁闷就如雾蒙蒙的长江,一眼望不到尽头。江面上有这么多船,就没有一条能运战车?威风凛凛的战车就这样运不上战场了?那一刻他甚至动了抢船的念头。

温正愤愤地骂了句家乡话,就听得附近有人嘀咕:"云南人?"温正回头一看,眼珠子惊得都要掉了出来。老鸦和温义坐在旁边的茶摊上,正优哉游哉地喝茶呢。此时温义也看见了他,他一跃而起:"是大哥!"

温正木头鸡似的立在原地,弟弟怎么会出现在武汉?他怎么来的?温义倒是一点儿不见外,老远地跑过来,抱住大哥转了几圈,还劈里啪啦地掉了几滴眼泪。

温正问他为何在武汉。温义手指着北方,怒声骂道:"大哥,你得给我报仇。咱们现在去洛阳,把罗主任那狗东西干掉,然后帮我把老婆给抢回来。"

温正"呸"了一口:"国难当头,你胡说八道些什么?"

温义急得直拍大腿:"你真把党国当回事?他们给你吃什么药了?"

从保定到武汉,温义经历了九九八十一难,到武汉时几乎成灾民了。津井川自杀了,津井正雄被他扔了出去,学校认为日本人会报复军校,校长逼着罗主任严整校规。但他的短处握在温义手里,投鼠忌器,他不敢以军法论处,最后只得以私藏大烟、违背校规的名义把温义开除了。

温义无所谓,如此一来正好实施私奔计划。罗敷在男朋友的攻势下动心了,她流着眼泪给父亲写了一封诀别信,就跟着温义去了火车站。

这时,七七事变的消息传到保定,当地人为了躲避战乱纷纷南逃,火车站人满为患,一票难求。老鸦花了大价钱,才弄到去汉口的车票。就因为这一耽搁,私奔计划出现了纰漏。温义和罗敷准备上车时,罗主任带着一个班的士兵追了上来,把二人扣下了。原来军校刚刚接到南迁洛阳的通知,罗主任正紧锣密鼓地张罗搬家,却听说女儿跟着温义跑了,当即气炸了肺,带人追了来。

罗主任劈头盖脸地给了温义几个大嘴巴,温义叫道:"我哥哥是中校,我们家是富翁,我不会亏待罗敷的。"

罗主任怒道:"放你娘的屁,你们家是倒卖大烟土的,什么出身?你也敢说你们家是富翁?你也敢和我比?"

温义很是奇怪,你自己明明是个大烟鬼,怎么还瞧不起卖大烟的呢?看在罗敷的面上,他不好当面点破,只得拼命哀求,希望罗主任能放二人远遁。罗主任毫不通融,不仅抢回了女儿,还把温义随身携带的东西全抢了。罗敷哭得如带雨梨花,把温义的心都哭碎了。他指着罗主任的鼻子发誓道:"我一定把罗敷抢回来,一定要让你这老东西求到我们温家门上。"罗主任"哼"了一声,大手一挥,那群士兵冲上来,把温义按在地上狠狠揍了一顿。

女人被抢回去了,随身的钱物都没了,战火随时会蔓延过来,温义无奈,只得带着老鸦在败兵们征用铁路之前上了火车。客车开到石家庄就开始为军列让路了,因为大部分军列是南下。温义明白,华北平原无险可守,估计国军准备放弃黄河以北了。他最担心自己的客车也被征用,命令老鸦念佛保佑。老鸦信佛,便跪在车厢里念经,一念就是半天。

或许天无绝人之路,或许老鸦的祈祷产生了作用,列车走一站停半天,但终归没有被军队征用,几天后总算过了黄河。由于钱物都没了,到郑州时,温义主仆遇到了吃饭问题。好在二人营养充足,饿了几天,终于扛到了武汉。

钱从来不是问题,没有钱才是问题呢。温义平生第一次碰到了囊中羞涩的尴尬,他一时想不出应付的办法。这地方举目无亲的,温义想给家里拍电报都拿不出钱来。后来老鸦自告奋勇要去大烟馆挑膏,凭手艺把路费挣出来。

所谓的挑膏就是把生烟土熬成熟膏的过程,煮烟、过笼、收膏,是一整套的工艺,一般人是难以全部掌握的。老鸦偏偏有这个本事,还是个高手,在云南一地颇有名气。当时不少烟馆为了节约成本,买来生烟土,自己挑膏,所以挑膏手非常珍贵。

他们跑到武汉最高档的庆康烟馆,老鸦当着烟馆经理的面一通摆弄,经理惊其为天人。从此老鸦在烟馆挑膏卖手艺,温义只得给他打下手。几天下来,烟客们无不竖指称赞:真是好手艺!老鸦挑出来的烟膏子,又香又耐工

夫,劲头适中,怎么抽都舒坦。大家夸奖时,老鸦说了几句大话,什么摸爬滚打四十年,是云南温家帮头一号挑膏手云云。

两天后有个中年人来到烟馆,下人说:这位是来俊臣来老板,是烟馆的大东家。老鸦不知道对方是谁,温义却倒吸了一口冷气:这家伙就是来俊臣!

来俊臣是四川、湖北烟土行的老大,一次外销烟土的数量曾多达千担,在川鄂一带提起他的名头,没人不知道。温义清楚,对方不是冲着老鸦来的,他赶紧拱手把身份亮了出来。来俊臣同样吃惊,这个年轻人居然是温家帮的二少爷!

温家帮和来俊臣没有生意上的往来,但既然都是同行,将来难免会碰头。何况温家帮在行业中也是颇有影响的,搭上这条船不会吃亏。来俊臣马上把温义请到自己的公馆,好吃好喝好招待,还一个劲儿地套交情。温义询问他如何能尽快回云南。来俊臣说:"最好是走四川,走贵州也可以。听说日本人可能在广东登陆,走广西估计就不太平了。"温义向他筹借盘缠,来俊臣笑着说:"温二公子何言一个'借'字?看机会我把你送到重庆,然后派专人把你护送回云南,如何?"温义表示感谢,来老板说:"别急,还要看机会。"

如今来俊臣烟土集团的大本营在武汉,但他知道,武汉这地方守不住,于是计划着把存货运到宜昌附近的山里囤积起来,然后根据时局变化确定烟土的走向。如今长江上全是军船,在这节骨眼上运输烟土太过显眼,弄不好会撞枪口上。所以来俊臣希望温义主仆在武汉等几天,一旦开运就让他们跟着船队沿江而上,到了宜昌,去重庆就方便了。

来俊臣说政府内有人跟他说过,国民政府肯定落脚重庆,温义应该多留个心眼。

温义笑着说:"咱们是卖烟土的,政府不政府的跟咱们有什么关系?"

来俊臣拍着他的肩膀道:"老弟,朝里有人好赚钱,你还得学几年。"

四

烟馆不好再请老鸦挑膏了,温义没事可干便带着老鸦四处转悠。武汉号称江城,九省通衢,是个大去处。那天下午,他们参观了黄鹤楼的废墟,正在江边喝茶休息却听到有人用云南话骂人,不想竟是温正。温义欣喜若狂,立刻要拉着大哥去洛阳,用中央军的金字招牌吓唬吓唬罗主任,没想到却换来一顿臭骂。温义不服气,但大哥骂也就骂了,谁让他是哥哥呢。

温正没心思琢磨弟弟的女人，望着杂乱的江面，叹息道："上海守不住了，敌人的下一个目标必然是武汉，国之将破，你赶紧回家，我为国家卖命就够了。"

温义没好气说："当然回家，正等船呢。"

温正道："我沿江而上，如果能搞到船的话，把你捎到宜昌。"

温义询问他来武汉做什么。温正认为，组建机械化团算不得军事秘密，便把自己的困境说了。温义歪着脑袋想了一会儿："来俊臣手里有不少船，我帮你问问他？"温正清楚来俊臣的底细，温义便说："爱国商人，可爱国了。"

来俊臣早从云南方面证实了温义的身份，所以没有向温二公子隐瞒偷运烟土的计划。中国的商人大多是半个政治家，来俊臣非常关心时局变化，他担心押错了宝。如今日本人沿江而上，其海军东方无敌，武汉陷落是迟早的事。三峡是天堑，所以重庆才是国民政府的目标。他不愿意与日本人合作，但也担心陪都重庆早晚会对烟土行下手。于是来俊臣准备在枝江附近的山沟建立烟土周转中心，把四川和武汉的烟土都集中过去。北可上豫鲁，南可下黔湘，顺江可以照顾长江流域，更重要的是鄂西之地偏僻困顿，没有战略物资也没有战略要地，能躲开日本人和国民政府的双重威胁。筹建周转中心需要本钱，这家伙最大的本钱是一支庞大的船队，运力相当于中型船运公司。来俊臣曾和温义探讨过这个计划，温义认为这想法完全可行。但如今长江上下都是军用船只，来往盘查非常严格，在这个关口，没人敢明目张胆地运送烟土，一旦出事，政府必然会拿你开刀，杀鸡儆猴。抗战刚开始，国民政府正琢磨着弄几个头颅祭旗呢，山东的韩复榘就是例子。

温义替大哥出面找来俊臣商量，他可不敢让温正和人家直接接触。温正讨厌烟土商，为此，成年后的他对父亲只以大人相称。温义将兄长运送战车的事说了，来俊臣眨巴着眼睛："国民政府给我多少钱？一担烟土要交二百元的税，我对得起政府了，没义务替他们运战车。"

温义嘿嘿笑了："这里面的水分谁不知道？买卖十担烟土能上一担的税就不错。全上税了，烟土行早就倒闭了。反正我们温家帮是这么干的。我的意思是甲板上放着战车，私下里您爱运什么就运什么。"

来俊臣的拳头在空气中捶了几下："哎呀！我的二公子，一句话点醒梦中人。船是运战车的，谁敢查我？好，明天我就准备船只，让你哥哥马上将战车送到码头上。"

温义非常骄傲，如此一来，来俊臣运走了烟土，自己也就还了他一个人情。战车运到宜昌，大哥能交差了，他对自己也要刮目相看了。至于自己和老

33

鸦,完全可以借这机会尽快回云南。一举三得!

离开烟馆后他找到温正,声称爱国商人的爱国船已准备好了,战车明天就可以上船!温正得知一家私人企业能免费为国家运送战车,感动得什么似的:"民心如此,抗战何愁不胜啊?"

温义顺口说:"是啊,精诚团结,金石为开。"

第二天,温正在国防部办了手续,指挥着手下人,将三十二辆战车开到江边。战车队列浩浩荡荡地沿着武汉的大街前进,许多民众驻足观望,有些人情不自禁地叫起好来。所谓的战车,其实就是早期的轮式装甲车,车厢的关键部位安装了装甲护板,车脑袋上顶着门小炮,模样威猛异常。这在当时可说是中国军队里最先进的陆军兵器,难怪老百姓看得心花怒放。

车队开到武汉港,温正几乎兴奋得叫出来。十条大货船整整齐齐地排列在五个码头上,都是装备了发动机的机帆船。温正心道,民间运力如此雄厚,国防部那帮家伙竟找不到运战车的船?一群废物!

来俊臣有心结识这位中央军的中校,温义死活把来老板拦住了。他知道哥哥是死脑筋,惟恐来俊臣聊天时把底细露给他。他拉着来俊臣的手说:"世伯,一龙生九子,我哥哥是块当兵的料,好多事,他不明白。"

来俊臣笑着说:"当兵的我见得多了。我烟馆里的师长、军长能有一个排,司令还好几个呢。"

温义说:"他不是您那个排里的,就让他当兵吧。"

温义真担心节外生枝,万一哥哥知道真相,他敢把战车和烟土全扔进长江。温义的心思是赶紧回家,然后带着大把大把的银圆和成群的手下北上,能买就买,能抢就抢,一定要把罗敷弄到云南去。

码头上忙了一会儿,一辆辆崭新的战车开到了甲板上。温正让手下人盖上毡布,然后用绳索固定。没半天工夫,战车全部上了船。温正发现些问题,每条大船上只装了三辆车,按说装四辆也绰绰有余的。温义解释说:"大哥,我朋友担心误了国军大事,少装些,速度就快些,到了宜昌就完事了。"

温正点着头说:"等抗战结束,应该给你这位朋友发一枚勋章。"忽然他一转眼,发现船帮两侧吃水线下的一部分船体凸起来了,奇怪地问:"那是什么东西?难道这些船都打过补丁?"

温义不耐烦地说:"人家是船运公司,把船舱做得宽敞些,平时能多装些散货。行了,行了,赶紧上船。"

温正是枪林弹雨里滚出来的,他不愿意动心眼,但绝不是缺心眼。他明白,弟弟满脑子转轴，一肚子坏水，没准儿运战车夹杂着其他目的。现在他顾不得许多，期限之内一定要把战车送到指定地点，前线正等着呢。实际上温正下了决心，无论发生什么事，他都要睁一只眼闭一只眼，只要能把战车运到地方就万事大吉。后来他私下里命令士兵：只要船上的人不通敌，就当什么也没看见。

战车车体巨大，加盖毡布的进展有些慢，毡布也盖得马虎，几支炮口还露在外面。温正不满意，跳到船头，大呼小叫地指挥着。船老大也不愿意了：全都盖上毡布了，谁还知道我们是给国军运战车呢？温义上过军校，立刻骂道："你懂个屁，让日本人的飞机炸沉了，你就踏实了。"船老大立刻觉悟，马上命人盖好了毡布。这事说来也巧，刚刚把战车盖严实，空袭警报就响了。

四架日本飞机蝙蝠似的沿着江面冲过来，在旁边的码头下了几个蛋，正在装运大炮的船四分五裂，爆炸的碎屑倾泻到众人头上。接着飞机在他们的码头上盘旋起来，船老大和水手们"扑通扑通"地跳到江里，船上乱成一片。温正大怒，站在船头，拔出手枪，对着天上的飞机射击，嘴里高声喝骂着："有种你下来，有种你们就下来！"

温义吓坏了，拉着大哥往舱里拽："大哥，别暴露目标，你疯了？大哥，咱们是民用船只，日本人节约炸弹，不会炸咱们的……"

温正的疯狂举动没有引起日本飞行员的注意，但温义的推测很快就被证实了。日本飞机在上空转了几圈，见码头上没什么可炸的，扭脸飞向市区了。

温正提着手枪，眼珠子都红了："早晚老子让你们知道厉害。"

温义向江里的人使劲挥手，大声叫道："快回来，赶紧开船，赶紧走。"

船老大和水手们都吓破了胆，巴不得赶紧走。几分钟后，船队逃也似的离开了武汉。

五

武汉之上是荆江，万里长江上最容易决口的江段。水道仅有八十公里，浩瀚的长江如抽了风，连着拐了十几道弯儿，水流之险难以想象。一到雨季，荆江就成了湖北人的噩梦，时刻有垮堤的危险。有人说，荆江是悬在武汉人头上的大水缸，只要扣下来就全玩儿完。

入秋了，江面浩荡但水位已经落了下去。船队之间用铁锁连着，在江面上排成了一串。路过黄陵，船队碰上了第一个检查站，宪兵们发现船上装载的是威风凛凛的战车，立刻对温正肃然起敬。他们一个劲儿地向长官敬礼，

希望这些战车能教训日本人。温正非常激动:"兄弟们,你们就等着吧。"

宪兵走了,船老大拉着温家兄弟喝酒。温正担心日本人的飞机,要在甲板上亲自守着。温义拉不下面子,便跟着船老大去了。

西边出现了山影,夕阳挂在斑驳的天空上,如一颗咬了半口的蛋黄。江面上有雾,风里搀杂了扑面的水腥气。不时有船队从雾里钻出来,旋即又消失在苍茫的天水之间。温正站在船头,迎着风,军装里是飕飕的凉气,他的心也是冰凉的。卫兵拿来件大衣,温正拒绝了,他心里冷但血液却是沸腾的。

离开家乡十年,温正跑遍了大半个中国。当初他只身到广东,在救亡思想的感召下考进黄埔军校,没毕业北伐战争就开始了。温正补充到北伐部队中,一路打到湖北,还参加了收回九江租界的行动。当英国米字旗从庐山之巅降下来时,他的眼泪足足流了一盆。那年温正只有十九岁,他设想着北伐成功,革命成功,国家从此屹立于东方,自己也可以回家结婚了。当然,回家后还要劝父亲放弃烟土生意,开一家大工厂,做个正经生意人。谁也没有想到,就在北方的军阀们纷纷归顺中央政府后,南方又闹出个苏维埃来。温正没有参加对南方新政权的围剿,而是参加了中原大战,与晋绥军和西北军一起将河南搅了个昏天黑地。有人把那场战争称为烟土之战,中央军靠上海的银圆支持,冯玉祥和阎老西靠烟土。温正认为,无论怎么说银圆终归比烟土干净。中原大战刚刚结束,温正又接到命令,带着部队跑到北平之北的古北口,策应退入关内的东北军。在古北口,温正的部队和日本人面对面地打了一仗,战况之惨烈让他心惊肉跳,最后他们凭借西北军的大刀片,才勉强守住这个古老的长城关隘。在这次战斗中,温正见识了什么叫现代化军队。比起先进的日军,与北洋军阀的作战简直是儿戏。由此温正也明白了,振兴中华不是一天两天的事,更不是几个学生和什么主义能够实现的。现在国家当务之急是不能让日本人速胜,要拖住他们,拖到世界局势发生变化。对于最后这一点,温正和他的校长一样,心里没底。

江风越来越凛冽了,江面逐渐暗淡,船队开灯了。

蓝灰色的天空岿然不动,青灰色的江水滚滚而去,耳边的哗哗声连绵不绝。不知为什么温正忽然伤心起来,不禁叹了口气。

温正觉得身上一暖,肩膀上多了一件长衫。他没有回头,皱着眉问:"你不是喝酒去了?"

温义趴在船头上,打个呵欠,舒展着四肢说:"出于礼貌,咱们应该去应付一下。这船老大懂得挺多的,他说,由这里到秭归有野人出没。"

"无聊!"温正根本不看温义,他虎着脸说:"我问你,船上到底有什么东

西？"

温义愣了一下，脸上立刻出现了调皮的神情："嘿嘿，还以为你想不到呢，让你看出来了！"

温正在船头拍了一把："别嬉皮笑脸的，到底是什么？"

"无非是带了点儿烟土，他们借你的战车打掩护。这样一来，我能进四川了，你能交差了，烟土也到该到的地方了，多好的事！"温义自鸣得意，这计划绝对天衣无缝，鬼神莫测。

"用我的战车给烟土打掩护？"温正几乎叫了起来。简直是耻辱！但他不敢大声嚷嚷，嗓子里发出了野兽般的低吼。

"你叫什么叫什么？别嚷嚷，不怕你手下人听见？"温义拉着大哥的袖子，"不给烟土打掩护，你的战车走得了吗？能指望国防部那帮笨蛋吗？天知道他们到底在运什么。"此时两条灯火通明的快船超了过去，远远地能看到明亮的窗户中，映着女人弯曲扭动的轮廓，似乎还有音乐声，估计船上正举行舞会呢。温义指着快船说："国民政府的船真那么忙吗？忙也是忙着运姨太太，运家产呢。谁能记得你那几辆破战车？嘿嘿，我是看出来了，整个国民政府里，数你傻！"

温正恶狠狠地瞪了快船一眼："他们愿意当亡国奴，我不愿意。可你，你从小就没个正形儿，好不容易熬到军校毕业，你倒好，让人家除名了！"

"除了名我照样过日子！"温义忽然挑战似的看着他，"你说说，我什么地方错了？我哪一点对不起你那个中华民族？难道让我看着那个日本人耍威风？"

温正愤愤地转了一圈，总算找到几个词："日本人往湖里扔钱是他的不对，你应该据理力争。实在不行，打他个半死，也是男人之间的较量。你倒好，跟着人家一块儿扔钱，还教人家抽大烟，这叫什么事？"

温义"哼"了一声道："孔武之辈，我不愿意费那个劲。大哥，我的计划完全成功了，那个老日本自杀了，津井正雄成废人了。我脑子一转就干掉两个日本人。你们呢？在上海，咱们打光一个连，日本人才阵亡十七个！我一个人就相当于你们中央军的一个班了。"

"你……你！"温正尖着嗓子叫了半天，却找不到训斥弟弟的理由，最后他赌着气说："你就是不走正道，你呀，你呀你！"

温义学着他的样子，也叹了口气："你走正道？梅兰姐等了你好几年，快嫁不出去了。老家的人都说，你天生就是个无情无义的种，你还说我呢。"

温正骤然没话了，他眼望前方，眼睛如两盏小灯。

梅兰是温正青梅竹马的恋人,也是温家帮学校校长的女儿。按说他们早该结婚,但温正随着中央军东征西讨的,婚期一拖再拖。现在梅兰已经二十四岁了,在云南乡下,二十四岁而没有出嫁的姑娘,就等于半个老太太了。梅兰面对的压力可想而知,温正被众人咒骂自然天经地义。

温义觉得后面的话有点重,看到哥哥无语,有点后悔,便小声道:"哥,烟土的事你就别管了,看好你自己的战车就行了。"

温正跟这个弟弟没话了,也懒得说了。他安排了值班哨,就钻到舱里睡觉了。

温义捧着脸站了一会儿,又想起了罗敷。临分手时,她把大烟枪拿走了,也不知道现在怎么样了。想着想着,温义的眼眶湿了。

六

船队走了二百里,江上没出现可疑的情况,一路还算顺畅。

第二天傍晚船队停了下来。离宜昌还远着呢,温正急忙跑出来查看情况,原来船队已经抛锚了,岸上是一片密林,黑糊糊的。更让他奇怪的是船尾的岗哨不见了,温正正要大声呵斥,却发现温义和船老大站在船头上,二人神神秘秘地向树林里张望着。温正从后面摸上去,握着手枪柄:"哨兵呢?"

船老大一哆嗦,这家伙见了当官的害怕,不敢说话。温义指着下面说:"我让他们睡觉了,站了一整天了,当兵的挺可怜的。"

温正怒道:"他们就是干这个的。你们俩做什么呢?"

温义不耐烦地说:"大哥,你回舱里吧。放心,我还能卖了你?别让岸上的人看见船上有当兵的,晦气!"

温正清楚他们要卸货,本想踹他两脚,船老大却叫来几个水手,死拉活拽地把他给推到舱里去了。温正还是担心出事,他打开舱门,拎着手枪,把半个脑袋探到甲板上,观察甲板上的动静。

此时江边树林里有个光点在空中画了三个圈,是手电。船老大举着马灯在空中画了四个圈。温正心下一惊,这帮小子好像在向敌人的飞机发信号呢。转念一想又觉得不对,鬼子的飞机没有夜间飞行记录,这应该是接货的。温正决定看个究竟,不动声色地露着半个身子。

不一会儿,他听到了哗哗的水声。几条小船拖着些巨大的浮筒,小心翼翼地靠了过来。船老大一挥手,甲板上蹿出十几条大汉,大家沉默着,忙碌着,看样子都挺熟练。人们把小船带来的浮筒装到大船上,船身忽悠了几下,吃水线上涨了半米多高。船老大喊道:"快,把两边舱门打开。"温正彻底明白了,船两侧的凸起部分,肯定是暗舱。又过了一会儿,大汉们从暗舱里扛出了麻袋,手递手地向小船上传递起来。仅仅十分钟的工夫,一条小船就装满了。大汉们取下浮筒,又装到另一条船上。温正暗自叹息了一声:怪不得一条大船只能装三辆战车,船上的烟土就有上千斤。

他担心士兵们会对自己有看法,特地跑到舱里转了一圈,士兵们并没有表现出大惊小怪的样子,该吃的吃,该睡的睡。温正转到一个少尉身边,少尉揪了揪他的裤脚,赔着笑脸:"长官,能分上二两吗?平时都是一两,现在是战争时期,大家都不容易。"

温正冷冷地看着他:"以前你们也这么干过?"

少尉说:"长江上的官船都这么干,您怎么会不知道?"

大家以为运送烟土的活是长官联系的,温正咳嗽着说:"咱们是中央军,不是杂牌军,你们也想做双枪将?"

少尉说:"咱们中央军不许抽大烟,咱们可以卖呀,这东西在外面比银子都好使。"

温正为难了,如果士兵分不到烟土,他们一定认为是自己私藏了,自己在士兵中的威望就完了。可这事怎么向弟弟开口呢?

船老大他们忙到半夜,几万斤烟土终于卸下去了。完了事,温义兴冲冲地跑进船舱,扔给少尉一个包袱:"兄弟们,每人三两,够意思吧?"士兵们欢天喜地地分烟土。温正长出了口气,可心里就别提多难受了。

船队到了宜昌,接收战车的部队已经开拔了。长官留下命令,让温正把战车开到遵义,与大部队会合。

去遵义可走重庆的水路,也可以走鄂西的陆路。温正权衡再三,让装载了战车的货船穿越三峡太过危险,鄂西大多是石头路,可以通行,于是决定弃舟登岸,直奔鄂西。

船老大急着到重庆接货,温义希望跟着船队走。温正却拿出兄长的派头说:"跟着我去遵义,从贵阳进云南也很方便。"温义明白,哥哥不愿意自己和烟土商打交道,兄命难违,只得答应了。

温正为完成接收战车的任务,特地挑选了五十多名都会开车的士兵。他们从宜昌上岸,向西南方向进发。战车队威风凛凛,浩浩荡荡,颇有现代军队的气派。沿途老百姓发现中国军队居然也装备了钢铁怪物,纷纷站在路边鼓

掌看热闹。有一次他们在城里又受到热烈关注，温正刚好站在车头，一股豪气涌上来，他攥着拳头说："壮志饥餐胡虏肉，笑谈渴饮匈奴血！山河一定会重新收拾。"

身边的温义哈哈笑着："大哥，就指望这帮老百姓？"

温正满脸正气："少废话，人家正欢送咱们呢。"

温义指着路边的人群说："你仔细看看。"

路边站了很多人，大多面黄肌瘦，目光呆滞，不少家伙竟举着大烟枪高喊抗日口号。温正"哼"了一声，钻回车里去了。

鄂西是偏僻的山区，部队的补给总是断断续续。虽然困难重重，但战车队在温正的严厉督促下，全速前进。大约走了四天，车队过了恩施，离贵州不远了。此后山势越来越陡峭，为了尽快追上大部队，温正经常替代疲惫的士兵，亲自开车。车队几乎是昼夜兼程，士兵们多有怨言。温义也劝了大哥几次，说没必要如此卖命，又不是急着打仗。但温正全当耳边风，依旧故我。

温正这次把弟弟带上，还有另一个目的。他清楚弟弟对自己感情深厚，所以他要以身作则，立个榜样。他认为温义少时调皮捣蛋，现在玩世不恭，与成长环境有关。在自己身边熏陶一段时间，必然能影响弟弟的是非观，即使这小子不愿意为国家效力，也不至于黑着心发扬他们家的"光辉传统"。所以温正把拼命的劲头都拿了出来，就是想让弟弟看看，他这个大哥不是吹出来的气球。

鄂西是土家人的聚集区，到处是颤巍巍的吊脚楼，大包头的精瘦男子是这一带的独特风景。这里山多，与云南相似，所以也是烟土的主要产地。

前方就是咸丰，到城外时正是早上。少尉报告说油料不多了。温正查看了师里留下的联络单，咸丰县城里有个油站，就在县中学的操场后面。温正下令，进城加油。

上午九点多，车队开进咸丰县城。

影影绰绰的鼓楼坐落在正街中央，在晨雾中显得破败而凋敝。大街两侧全是店铺，街上却一片沉寂，轰隆隆的车队没有引起丝毫反响。温家兄弟和少尉都产生了丈二和尚的感觉，整个县城似乎沉睡未醒，人都跑到哪儿去了？

这时少尉向前方指了指，只见一个更夫歪歪斜斜地站在路边。温正、温义和少尉跳下车，走近了，温义险些笑出来。只见那更夫闭着眼睛敲锣，敲一声锣就喊一声："九点敲过了，该起床了。"温正也看到了，这家伙在不断打哈欠，鼻涕眼泪流了一脸，眼泡则红里发紫，活像个水蜜桃。没错，更夫是个烟鬼，看样子正犯烟瘾呢。

满大街只有这么一个活物,温正只得走上前,客客气气地说:"请问,中学怎么走?"

更夫呆呆地想了一会儿,嘟囔着:"中学?"

少尉大声说:"对,我们去中学。"

更夫懵懵懂懂地想了一会儿,然后慢镜头似的指了个方向:"中学呦,路口向左,啊不,向右,就到了。"

仅仅这几句话,更夫大约说了两分钟,温正和少尉急得直抓耳朵。等这家伙好不容易把话说完了,几个人不约而同地逃上车。温正下令,车队继续前行。少尉丧气地说:"这地方的人,脑子里都进水了?说句话都这么费劲,跟生孩子似的。"

温义看了哥哥一眼。温正也是大烟堆里长大的,铁青着脸道:"你没见过大烟鬼?脑子让大烟毁了,都这样。"

少尉摸着脑袋:"妈的,烟土到底有什么好啊?"

温义听得浑身痒痒,他特有欲望把老鸦叫出来,给少尉烤一泡,让他尝尝。

七

按照烟鬼更夫的指点,战车队总算找到中学了。

校园里同样呈现出死一般的沉寂,偌大的学校居然不见半个人影。少尉跑到门房,使劲砸了半天,好不容易才砸出个老头。老头见门口都是军人,只得打了个哈欠慢悠悠地开了门。少尉抓着他问道:"你们这儿的学生怎么不上课?是不是都跑啦?日本人远着呢。"

门房老头没想到这年轻人如此不明事理,嘟囔着:"哪个早晨不点两泡啊?"

少尉快气疯了:"啊?他妈的,这地方的老师都应该枪毙,没有大烟还教不了课啦?"

门房老头往门边一歪:反正门也开了,你们爱进不进。

战车队开进学校,并没有引起学生的围观,偌大的校园如同一座阴宅。按说装甲车在当时绝对是新鲜事物,当兵的都没几个人见过,为什么这地方的学生不稀罕呢?温义号称要找厕所,半路上却钻到宿舍楼里去了。温正指挥着车辆开到操场,找到了战备油站。

少尉踹开了值班士兵的房门,发现四名看守油站的士兵挤在一张大木

41

床上,头顶头地躺着,手里传递着一支大烟枪。少尉从来没见过这等场面,惊讶地问:"你们这是干什么?"

为首的上等兵有气无力地说:"冒一泡。"

少尉干笑着问:"四个人用一把枪?脏不脏啊?"

又有士兵说:"热枪,你不懂,轮流抽,有味儿。"

温正来到门口,向里看了一眼就全明白了。他怒不可遏,拔出手枪,红着眼睛就要杀人。少尉大叫道:"长官,长官!"

为首的上等兵看到温正的军衔了,赶紧跪下,举着手说:"长官,长官,我们错了,我们不应该在油站里抽大烟,这地方禁止烟火。"

温正骂道:"放你娘的臭屁!当兵的就不能抽大烟!我毙了你们这帮败类。"

少尉急忙拉住他:"长官,他们是黔军,不碍咱们的事。"

温正想了想,枪毙这些家伙的确不好向上峰交代。如今抗战刚开始,各路军阀都在观望,随便杀他们的人可能会引起不良后果。但他实在气不过,照着上等兵的脸上就是几个巴掌。其他士兵倒也知趣,赶紧拉着少尉去加油。

温正叉腰站在操场上,一股无名火在胸腔里转悠,似乎一张嘴,整个胸腔就会炸开。这一刻,他真盼着天上掉下几个日本兵来,拼拼刺刀放松放松。

温义提着裤子跑了过来,嘻嘻哈哈地说:"哥,我在宿舍楼里转了一圈。你猜怎么着?学生都躲在宿舍里抽大烟呢,抽得还挺像模像样。怪不得学校上午不开课呢,估计他们的老师也在家里抽呢。大哥,从烟具的品质上,我能判断出哪个学生家里有钱,哪个学生的爸爸是文人,品位绝对不一样。"

温正毫不客气地打断他:"学生抽大烟,你还挺高兴?"

"怎么啦?跟咱们有什么关系?"温义摊开双手,"父亲大人说过,鄂西是烟土销路最好的地方,这回我算见识了,这帮孩子都是咱们的财神爷。"

温正咽了几口唾沫,这个弟弟一脑子糨糊,居然连起码的是非观都没有!

温正本来计划在咸丰休整半天,但这座大烟城的气氛太过诡异,加完油,他下令立刻开拔。

离开了大烟城,车队又进山了。这一带山体巨大,山峰连绵不绝,乌云的阴影将山色弄得斑驳而肮脏。道路崎岖,全是碎石头,太阳偶尔一露面就被铺天盖地的山峦吞食了。车队在山路穿行,不时惊起无数飞鸟。温正的心情抑郁,没心思开车,于是把战车交给少尉,自己躺到车厢里休息。

无论在什么情况下，温义似乎都能保持好心情，如今这小子正靠着车帮哼小调呢。温正瞥了他一眼，坐到对面，双手抱着后脑勺，一脸沉思。

温义拘谨地坐直身子，笑着说："你还生气呢？父亲大人说过，这一带的城市都是这个样子。有一次他到贵州的县衙办事，看到十二个当差的，抽大烟的占了九个。你要是为了这种事生气，早晚得把你气死。"

温正仰着脸，两个手指头死死地撑住下巴："前几个月日本人把北平占领了，你知道日本人什么时候进的城吗？"温义摇了摇头，温正突然在装甲板上捶了一拳，指关节竟开始往外渗血："九月十八日，九点十八分！羞耻！日本人是成心羞辱咱们！可这些人呢？竟然躲在后方抽大烟！大烟真有那么香？"

温义捏着下巴，不敢说什么了。如今大哥的心在流血，整个人都在流血。温义也有点儿难受，主要是他觉得大哥心里不舒服，自己也不应该嘻嘻哈哈的。"大哥，这事跟咱们没关系。你不要把什么事都扯到自己身上好不好？责任不在你。我们是碰巧生在这个国家里，我们只是人间的过客而已。什么民族啊，祖国啊，祖先啊，那都是骗人的玩意儿，编造那些说辞不过是为了拉壮丁方便。"

"你少胡说，离经叛道，信口雌黄！你……你要是当了兵早晚得进军事法庭。"温正嘴里这么说，心里却萌生了另一个念头——如果弟弟的话成立，那自己的很多烦恼就真可以结束了，全没意义了。他马上调动所有神经，终于把这个怪异的念头赶了出去。虽纯粹是胡说，弟弟的理论却真的挺恐怖，他义正词严地说："我是想告诉你，咱们中国人应该争口气。"

"哪个中国人稀罕你这口气？你就是战死了，他们照样抽大烟。"温义又躺下了，他觉得大哥远不如想象中强大。"大哥，我一直琢磨一个问题。鸦片这东西古埃及就出现了，已经四千年了，怎么就唯独把中国人给毒害了？你想过没有？"

温正向来认为烟瘾完全是个人修养不够，意志不坚定、没有追求的人才容易沉湎。但让弟弟这么一问，他真有些迟疑了，总不能承认中国人集体是废物吧？温义说的是事实，考古证明，古埃及的法老时期鸦片就出现了，基本上是药用。这四千年中似乎只有中国人对其上了瘾，为这东西居然打了两场屈辱的战争。是啊，到底是为什么？他不愿意在弟弟面前认输，只得默不作声。

温义自顾自地说："外国人的事我说不明白，中国人的德行我算看明白了，他们脑子里就一件事——利益！为了利益，他们什么阴谋诡计都能使得出来，什么人都可以出卖，看看我们的史书，全是阴谋！这种人能有意志？这种人能抵御住大烟吗？一旦胜利欲望得到满足，他们必然要制造新的欲望，这样，

烟土就盛行了。你呀,这主义那主义的,全是样子货,又虚伪又没用。"

温正听明白了,冷笑道:"你是说,他们没有信念,没有理想,所以什么事都能成为他们的寄托,对吗?"

温义点头道:"对。"

温正叹息一声:"你天天和这些人为伍,怪不得你会这么想啊!还是回家吧,别当兵了,当了兵你也不是什么好兵。"

温义差点笑出声来:"我本来就没想当兵。"

两天后,车队抵达遵义。

遵义是黔北重镇,以茅台酒闻名天下。温正的部队驻扎在城北山脚下,车队没有进市区穿城而过,温义也迫不及待地与兄长分别了。当然他非常尊重哥哥,在他的意识中,家族就是整个世界。但他实在忍受不了哥哥的唠叨,大哥简直比西天路上的唐僧还讨厌。在城外,他向兄长告别,带着老鸦逃也似的跑了。

温正完成了护送战车的任务,中国的第一支机械化步兵团就此成立了。此时传来了上海失守、南京告急的消息,为此,温正难过得好几天没吃饭。

八

温义带着老鸦去了贵阳,准备取道安顺回云南。

贵州地处西南,民风与云南非常接近,温义感到一股莫名的兴奋。在贵阳,他公子哥的习性又发作了,让老鸦花大价钱租了辆小汽车,他要坐着小轿车回老家。据说这辆车是贵州某军阀的遗物,虽然破得有些不成样子,但在贵阳,这辆车仍是顶级奢靡的代表。当然,除此之外,再也找不到其他可以租用的车辆了。

温义认为自己是温家帮堂堂的二少爷,绝不能坐破烂长途车回云南,绝不能让乡亲们看到自己灰头土脸的样子,这不仅是自己的脸面,也是温家帮的面子。

破汽车跑长途必须事先保养,老鸦和司机约定,拾掇好机器,第三天早晨出发。由于一时也走不了,温义只得在贵阳住了两天,就当是休息了。

温义第一次来贵阳,闲来无事就带着老鸦四下溜达。贵阳城地处偏远,丝毫见不到战争的迹象。唯一不同的是黄包车上的人大多光鲜亮丽,衣着时髦,明显不是西南特产。温义琢磨着,那些家伙可能是东部地区逃来的难民,其中弄不好还有上海的富商巨贾呢。战乱时期,偏僻地区的经济往往会得到超常发展,有人研究说,战争有平衡发展、协调分配的作用,或许真是这么回事。

南明河贯穿贵阳市区,河堤高大,架秀楼附近开设了不少茶座,是个看风景的绝佳去处。当天下午温义带着老鸦去河边喝茶,喝到一半时,他起身到堤坝上看风景,忽然发现南明河的滩涂上开满了野花,整条河花团锦簇,如环绕城区的巨大花环。温义大喜,正要跑下去看个究竟,却听老鸦感慨地说:"该割浆喽。"温义"哼"了一声,这才看清原来都是些罂粟花。贵州人居然把大烟种到了市区的河滩上,可见他们对大烟的酷爱程度了。

老鸦对鸦片产业有着近乎崇拜的感情,他望着满眼的罂粟花说:"也不知道这里有没有好刀匠?"

割浆是收获大烟的关键一步,就是用小刀在鸦片果实上割出缺口,然后收集鸦片果中流出的膏状物质,这就是生烟土。刀匠就是负责割果取浆的掌刀手,刀匠的技术水平决定了整片大烟地的产量。好的刀匠,一块地往往能割上四五个轮次,产量能提高百分之五十。因此高水平的刀匠是抢手工种。为了能拿到更高的工钱,有些刀匠发展出了不同凡响的独门绝学,成了行业宗师,其手艺也是传子不传女的。

温义说:"贵州的烟土产量比云南高,自然有好刀匠。"

老鸦脸上出现了不屑的表情,撇着嘴说:"贵州的烟土不是货色,叫花子才抽他们的烟土呢。"

温义哈哈笑起来,老鸦有明显的本位主义倾向,在他看来,云南的东西都是天下第一等的物产,云南的人物都是人中龙凤。在北平时,旧京都的繁华和气派压抑了老鸦的尊严,他实在没有造次的本钱。但一到保定,老鸦就开始瞧不起当地人了:保定的东西永远是上不了场面的。如今到了贵州,这家伙的优越感就更加明显了。

温义正想挖苦他几句,忽然老鸦的眼睛直了。温义赶紧顺着他的目光看去,自己也有点儿不明所以了。旁边的桌子旁坐着个年轻人,那家伙分头锃亮,穿戴时髦,西装是双排扣的,显然是上海流行的最新款式。此时,这小子正小心翼翼地从一支香烟中往外掏烟丝呢,烟丝掏了一半,他便从一个小包里取出些白色粉末来,极其仔细地装进香烟里,然后,把香烟点燃了,猛吸一口就抽下了半支,接着他的眼珠子立刻翻到脑门子上去了,好久都没落下来。

老鸦小声说:"抽白面的。"

温义已经听说了，这两年市面上开始流行一种叫白粉的东西，也有叫白面的。据说白粉也是从烟土里提炼出来的，纯度非常高，抽上两三次就可以上瘾。今天他是第一次看见有人抽白粉，而且还是大庭广众之下，这事颇让他感觉新奇。

温义的好奇心强烈，凑过去搭讪："老兄，这东西哪儿有卖的？"

那家伙正闭目养神呢，没反应，过了好一会儿他才半睁开眼，心满意足地说："贵阳这个破地方，穷得连老鼠都要搬家了。这是我从上海带来的，不多了，不多了。"

温义又问了问价钱，让他奇怪的是，白粉的价格居然比烟土还要便宜些。无意中，他把这个问题问了出来。那上海人撇着嘴说："烟土叫什么东西，上海的小瘪三才抽烟土，烟土过气了。"老鸦的脸立刻气成了紫猪肝，烟土在他心目中具有崇高的位置，那一刻他竟产生了打人的欲望。温义赶紧改变话题，询问这东西一天要抽几次。那上海人说："我不多，三次就够了。"

温义和老鸦交换了一下眼色，又同时吐了吐舌头。抽烟土，一天最多也就是抽两次，但这上海人抽白粉，一天抽三次还号称是抽得少，如此算来，白粉的消费绝对比烟土厉害，想来白粉的败家速度也应该是惊人的。

回到旅馆，温义立刻给张快写了一封信。张快是他的同学，住在昆明，实际上是温家在昆明的眼线。这小子的表面职业是记者，私下里却代表温家与政府打交道，同时还负责搜集各种消息，协助温家帮的决策。温义在信中提出几条要求，希望张快尽快把调查结果传到温家帮，估计那时候自己应该回去了。

信发走了，天也黑了，二人决定养足精神，准备上路。

第二天一早，温义主仆来到花果园，那是老鸦与司机约定见面的地方。他们将从贵阳的花果园出发，经安顺、六盘水，然后进入云南。这条线路是温义亲自定的，据说，风景优美，烟田众多。

花果园位于贵阳城的西南郊区，有一片很大的空场，根本就见不到什么果园。温义主仆老早就到了，但约好的小汽车却一直没露面。老鸦说，这地方的人比较懒散，一般是不大守时的。日上三竿时，小汽车终于跟跟跄跄地开了过来。司机把小车停在他们身边，一脚踹开门人却没有下车。温义歪着脑袋往里面看了看，只见司机咣当一下倒在前座上，就跟要死一样。温义吓了一跳，这家伙不会是犯了什么病了吧？此时司机从座位下拎出烟灯，迅速点燃，又抽出一把大烟枪，对着烟灯就猛吸了几口，嗓子里发出了清晰的呵呵声。

这一来,温义他们放心了,抽烟的人都好对付。老鸦把随身物品装上车子,然后二人心平气和地等着这小子过烟瘾。十几分钟后,司机从车里滚了出来,一个劲儿鞠躬赔笑道:"先生,先生,真是对不起,来晚了,没耽误您的事吧?"

温义叉着腰说:"烟瘾过完啦?"司机笑着点头。温义一挥手:"上路吧。"

看样子司机的烟瘾不大,老鸦答应的路费也不低,车行了五六个小时,司机才停下来抽了第二次。一路无话。第三天他们抵达安顺了。司机向温义征求意见,往后的路可以走六盘水也可以走普安。老鸦建议说普安近些。司机有些担心,说普安要举行烟会了,规模空前,估计路上不大好走。温义他们家就是卖大烟的,对大烟的事儿都比较敏感,再加上温义天生爱凑热闹,于是决定走普安,看一看贵州的烟会与云南的烟会有什么区别。

烟会也叫烟场。北方人叫赶集,南方人叫赶场,烟场就是大烟收获季节的流通大会,参加烟会也叫赶烟场。烟会与一般集市贸易不同,烟会中的交易始终是围绕烟土展开的,一切唯烟土是瞻。

每到鸦片开刀割浆的季节,中国的西部、西南部以及广阔的北方地区就会出现无数的流动人口,他们如蜜蜂逐蜜一样,追寻着大烟土的味道。甚至大量的城市贫民也跑到大烟田里打短工,给烟民们卖命。虽然收割烟土的活计辛苦,但工资高,而且绝不拖欠,其中最著名最抢手的工种就是刀匠。

无数的小商小贩也备齐了各样货物,成群结队地跑到乡下烟场,用日用品换些烟土。说书的、唱戏的、算卦的、装水烟的、打泥娃娃的、唱快板的……各色人等,也纷纷下乡去赶烟会,规模大些的烟会往往能聚集十几万人。在当年,烟会几乎是农村的经济发动机。一到烟会时节,连地下的耗子都要紧急出动,唯恐误了好光景。

烟会上最为惹眼的是戏班子。那时的戏班子大多生活艰苦,沾一沾烟土的财气自然求之不得。烟会时,无数的戏班子跑到乡下,大肆演出,紧锣密鼓。晚上戏班子搭台演大戏,白天则化整为零地深入田间地头,吹吹拉拉,轻吟浅唱。那些满眼是粗手婆娘的农村汉子,哪里见过这等水灵的人儿?于是烟土还没有换成现钱呢,就装进了戏子的背囊。

其实烟会不仅能招惹蜜蜂,连马蜂都跟着来了。烟会期间也是当地政府官差衙役们最忙活的时节,他们纷纷下乡,多收捐税,也借机发点儿烟土财。庙里的和尚、观里的老道也看准了日子,专门在烟会期间跑来化缘。这时信徒们手里有钱,大多兴高采烈,出手往往比平时大方。

　　烟会是中国特殊历史背景下的特殊产物，完全迎合了古老的生活传统，烟土这个舶来品与中国的传统民俗结合得天衣无缝。烟会上的人形形色色，物品无奇不有，各色人等的表演精彩纷呈，人间的许多悲欢离合都跟着烟会的节奏聚集、散落，最后归于无声。在农村，一旦有了烟会，即使最为偏僻的乡镇也会顿时繁荣起来，一般来说，烟会比过年热闹。

第三章 烟帮·烟人

—

私奔,人生最伟大的理想破灭了,罗敷绝食了一周。她想起这事就心疼,人生能有几次私奔的机会?温义那小子倒是跑掉了,但他身上连十块银元都没有,怎么能跑得远呢?罗敷琢磨着,应该找个机会给温义送点钱,让他马上回云南,然后再想办法来把自己接走。罗主任对这个女儿是太了解了,她从小就不听管教,总梦想些不着边际的事儿,正因如此,女儿才中了温义的"大烟计"。他一不做二不休,干脆派了两个学生兵,天天在自家楼下守着,只要罗敷出现在门口,他就会立即得到消息。

家是关押罗敷的笼子,如今这笼子很快要被砸烂了,这个事真要感谢日本人。中央下了命令,为了保护军校,保定军校整体搬迁到河南洛阳。罗主任蚂蚁般地忙了起来。

原来国民政府担心北平的古迹遭到战火蹂躏,宣布北平为不设防城市。日军占领北平之后马上要南下,保定军校奉命搬迁到洛阳,继续为抗战培养人才。罗主任是军校搬迁的总负责人,他听说军校即将落户洛阳,大喜过望。他向来有些说文解字的本事,在教员大会上告诉大家:日本号称日出之国,而洛阳就是太阳即将落山之地。从本校的新址就可以看出,日本人是兔子的尾巴,长不了了。这番话传到校外,罗主任在学校门口遭遇了数百名崇拜者的顶礼,崇尚文字游戏的中国人把他当成了抗战英雄。

军校上下紧锣密鼓地筹备搬迁,罗敷却希望抓住一切机会,实施逃跑计划。因为她父亲与她母亲谈过,洛阳的城防副司令是他同学,人家为儿子来罗家提过亲。如果军校搬去了洛阳,就让他们尽快完婚,省得鸦片贩子的不

肖子占据女儿的心灵。

罗敷知道父亲也抽大烟后,曾当面质问他:"既然你也抽大烟,为什么还瞧不起温义他们家呢?买卖烟土又不犯法。"

罗主任跳着脚骂道:"如果不是万恶的奸商见利忘义,如果不是帝国主义成心毒害我们,我怎么会抽上大烟?咱们国家怎么会沦落到这个地步?这些家伙全都不得好死!"

父亲歇斯底里地咆哮了一个小时,他从鸦片战争一直骂到抗战,似乎所有的帝国主义和奸商都应该为他抽大烟负责。罗敷只得报以冷笑:谁也没拿枪逼着你抽,要骂你应该骂自己。

罗敷估计,搬迁的路上总有逃跑机会,于是把随身东西准备好,随时准备跑。罗主任与她这个年龄的人打了半辈子交道,当然看穿了她的心思,专门派来两个卫兵和一个女话务员,任务就是不能让女儿脱离他们的视线。搬迁途中,罗敷始终没有跑成,懊悔透了。她在心里咒骂温义是个小王八蛋,如果他能接应一下,没准儿早就逃走了。

军校到了洛阳,罗主任急着和准亲家见面,双方都觉得门当户对,号称要大张旗鼓地筹办婚事,为抗战添一把火。罗敷这叫一个气,自己结婚与抗战有什么关系?她咬着牙威胁说:"你不让我去找温义,我就死给你看!"

罗主任夫妇不信这个邪,特别是罗敷的母亲。平时母亲对她是百般宠爱,如今却放了狠话:你就是死了,我也不能让你嫁给倒卖烟土的小王八蛋。罗敷这才发觉,母亲对烟土的仇恨是如此强烈!实际上罗主任因为迷恋大烟,早就把夫人冷落了。罗夫人对烟土和烟贩子恨之入骨,她绝不能让女儿落到那个陷阱里。

罗敷不愿意死,那话是吓唬人的。现在她的确想不出办法,只好把同学冯娜找了来,希望老同学帮自己拿个主意。冯娜和罗敷同在燕大求学,后来北平危急,冯娜竟失踪了一年多。几月前两人才取得联系,原来冯娜进了洛阳的陆军工程学院。

两天后,冯娜来到罗家。两个小女子一阵唧唧喳喳,就把罗主任挤出去了。父亲一出门,罗敷立刻把自己的处境摆了出来,希望老同学指点迷津。冯娜也不含糊,即刻就想出个主意。她建议罗敷报考陆军工程学院。罗敷惊讶地说:"咱们是学哲学的,怎么能去工程学院?"冯娜跟推销员似的,指着自己的胸口:"我也是学哲学的,一样上了。"罗敷大惑不解,工程学院可都是培养工兵的地方。冯娜见四下无人,小声解释:"工程学院是幌子,让外人看的,其中有个系属于保密单位。"冯娜说了半天,罗敷终于明白了。工程学院里的保

密单位是特工学校,冯娜是刚被招收过去的女学员。也就是说,她是未来的女特务。

罗敷出了几口大气,早听说冯娜的哥哥是情报机关的,当年参加过戴笠的黑衣社,死在天津了。现在看来冯娜进特工学校,绝对是继承了家风。冯娜怕她误会,赶紧把实话说了。其实她不是想让罗敷当女特务,只要打出个为国出力的旗号,作为党国将军的罗主任,阻拦起来就没那么名正言顺了。如此就可以推迟婚期,将来一旦家里的管制有所放松,利用考试的机会没准儿就能跑了。

罗敷觉得这是个办法,于是向父母提出要报考特工学校。至于婚事,等把日本鬼子打跑了再说。匈奴不灭,何以为家?自己是将军的女儿,理当为国效力。罗主任知道女儿没憋着什么好心,当下冷笑道:"特工要接受魔鬼训练,你受得了吗?"

罗敷大义凛然地说:"谁说我吃不得苦?我参加过童子军。"

罗主任指着窗外的操场说:"你一口气跑二十圈来,我就同意。"

为了找到如意郎君,为了脱离父亲的控制,为了让父母炮制的婚事彻底泡汤,罗敷立刻上了操场。二十圈是八千米,罗敷咬着牙瞪着眼发着狠,跑到六千米的时候小腿抽筋了,她滑稽地用一条腿在操场上跳着,活像一只兔子,但硬是坚持到了终点。

看到女儿这副样子,罗主任心疼了。他拉着女儿说:"咱们家是正经人家,不能当女特务,有些事你不明白。这样,你写封信,如果温义他们家愿意放弃烟土生意,做正经生意人,而温义也能老老实实地当兵为国效力,至少混成个校官,我就同意你们的婚事。"

罗敷激动得眼泪横流,立刻把罗主任当成了天下最慈爱的父亲。

有些事从来都是神鬼莫测的,比如人的命运是如何规划的,比如明天这个世界是否还存在。命运这玩意儿不招人喜欢,就在罗主任给罗敷开出条件的晚上,他们家碰到了灭门之灾,差一点集体蒸发。

为了欢迎著名军校落户洛阳,洛阳市组织了欢迎宴会,罗主任夫妇也参加了。政府一来是欢迎军校,二来也是要借此告知各界人士,黄河防线固若金汤,日本人插上翅膀也过不了黄河。宴会进行得很顺利,眼看要曲终人散了,罗主任的烟瘾犯了,急着要回家,于是他带着夫人提前离席了。二人刚刚走出会场,酒店门口突然冲出个男子,举着手枪就是一顿乱打——罗主任夫妇当场被打死了。

刺客没跑了,那家伙是日本间谍,目的是扰乱中国的后方,刺杀高级将领和政府要员,不惜以武士道精神打乱中国的战略部署。刺客本来是希望多杀几个人的,但罗主任提前出来,刺客以为宴会结束了,他舍不得让这个将军漏网,于是罗主任替大家死了。审讯过程一波三折,刺客竟是地道的东北人,口口声声说自己是正德皇帝的忠臣,要誓死保卫满洲国免遭中国吞并,等等。这个事让审讯他的官员昏过去好几次,当场就下了狠手。

据说刺客先是被拔了牙,后被扒了皮,折磨了三天才咽气。审讯官员说他简直是茅坑里的石头,又臭又硬。

二

学校为罗主任举行了隆重的追悼会,这位在战争中未发一枪的将军成了民国英雄。会后,罗敷发现自己变成了孤儿,以前那些经常嘘寒问暖的叔叔阿姨们,骤然间都失踪了,似乎罗家有不祥之物。罗敷无法接受这种失落感,她冲到警备司令部,指着司令大人的鼻子,声称将军被害是他的渎职,应该法办他。警备司令摊着手说:"本来鬼子就和中国人一个模样,如今又蹦出个满洲国的拥趸,防不胜防。"司令和罗主任以及副司令都是老相识,不愿意难为罗敷,于是劝她赶紧嫁人了事,副司令的儿子还等着呢。

罗敷斩钉截铁地说:"父仇不报,何以为家!"

司令哭笑不得:"你一个女孩家,又能怎么样?"

罗敷立刻给冯娜打了电话,声称现在要加入特工学校,要亲手干掉几个日本人。冯娜听说她真的要当女特务,特地从学校跑出来,找到罗敷说:"我现在已经后悔了,要不你还是去找温义吧。"

罗敷说:"温义满脑子都是大烟的事,不愿意当兵。再说,他恨我爸爸,不能指望他给我们家报仇。"

冯娜在房间里转了几圈,压低声音说:"我原来以为当女间谍是浪漫的事,干了几个月,唉,我当初想错了。"

罗敷咬着牙:"不就是累点儿吗?不就是苦点儿吗?我受得了。"

冯娜死死盯着她的眼睛,嘴唇连续开合了好几次:"没有那么简单。当了女间谍,一切就都不是自己的了,包括女人的尊严。"

冯娜的表情说明了一切,罗敷眨巴着眼睛,许久没开口。

俗话说,淘气的孩子出好的。男孩子如此,女孩子也是如此,最可怕的孩子是那些烟不出火不进的滚刀肉,没人搞得明白他心里在想什么。这样的孩子往往表面上顺从,一旦成了人,要么是人精,要么是祸害。碰上这样的孩子,最好的办法是一棒子打死,省得将来费事。罗敷是个淘气的女孩子,所以她和温义臭味相投,这种人干不出太缺德的事,只是这样的孩子才有心思为父母报仇。

罗敷铁了心要当女特务,冯娜只得把实话说了:做特务要接受非人训练。罗敷险些笑出来,这不是骂人吗?冯娜认真地说:"不是骂人,是非人训练,那种训练一般人接受不了。教官要求我们忘记身份、性别、年龄,甚至所有学过的东西。我们根本就不是人,是任务的执行单位。跑步、射击、收发电报都是小事,还要陪教官上床呢。"

罗敷立刻跳了起来,大叫道:"到军法处告他们,这不是欺负人吗?"

冯娜拉住她:"女特务不是一般军人,这是锻炼的课程之一,女性是我们特有的优势。教材上规定,我们有责任把自己的优势发挥到最大限度。"

罗敷惊奇地说:"最大限度?"

反正已经说出口,冯娜也不在乎了:"就是床上的功夫要过硬,你能接受这个吗?"

罗敷歪着脑袋想了一会儿,忽然道:"那个事……还要练功夫?"

冯娜说:"你……你没那事吧?"

罗敷有点难为情,二十多岁的当代女性依然是处女,这事没什么可夸耀的。罗敷假装内行地说:"那个事一闭眼就完了,故弄玄虚!"

冯娜冷笑着说:"你别干这个了,嫁人吧。"

罗敷的决心被彻底击垮了。她在小说里看到过女特工靠身体换取情报的事,但那是小说,小说是小说家编出来的,现在看来,不仅是真的,而且真实得让她有点恶心。罗敷是将军的女儿,和人家拼命可以,但陪人上床绝对无法接受。如果上了床,再碰上温义怎么办?

冯娜斩钉截铁说:"你要么嫁给副司令的儿子,要么现在就去云南。如果那个温义真的爱你,你就让他去当兵,把日本人全干掉。如果他小子把你忘了,你就干脆宰了他。"

罗敷叹息着,从抽屉里拿出一支大烟枪来,湘妃竹的扦子是冷的,石榴石的嘴更凉。她抱着这个冰冷的玩意儿,泪水在面颊上肆意横流。

冯娜吃了一惊,一把将烟枪抢过来,急急地说:"有烟土没有?来一口。"

罗敷把烟枪夺了回来:"这是温义给我的。你……你也抽大烟?"

冯娜眼巴巴地盯着烟枪:"这是课程之一,要想获得情报,陪人抽大烟也

是一条途径。"

罗敷紧紧抱着大烟枪,眼泪吓得流到肚子里去了。

温义去贵阳了,温正的心情也逐渐平静了:这样的人不适合留在部队里。人的心眼太多,立场就不坚定,容易扰乱军心。

中国的第一个机械化团成立了,温正被任命为中校副团长,负责制定作战计划和日常训练。雄赳赳的战车队伍第一次在校场列队时,温正的眼圈红了。

昨天晚上部队里播放了新闻电影,是德国人拍的。日军以装甲车打头阵,耀武扬威地开进了南京城。堂堂的大国首都变成了人间地狱,据说被屠杀者数以十万计,很多人是被集体活埋的。电影还没有播完,几个少壮派的军官就梗着脖子喊了起来:"战车在武汉的仓库里放了两年,是不是真的?""为什么不早点儿发下来?""有人渎职,这事要上报委员长……"团长一脚把桌子踹翻了,喝骂道:"叫唤什么?谁能料到战局如此不利?谁能料到日本人连畜生都不如?现在咱们装备发下来了,都得给我好好训练,把这东西给整明白。明天就给我拉出去,实弹演习。让老百姓看看,咱中国军队也有机械化团了。"

少壮派军官们窝了一肚子气,今天都憋着想在战车上试试身手。为了检测战车性能,部队开到靶场。温正命令:步兵连在战车的掩护下,按预定程序向对面山头发动进攻。于是装甲车冲在前面,步兵在后,摆好了阵势。温正发布了进攻命令,大家嗷嗷叫着冲上去了。一时间战车轰鸣,杀声四起,场面蔚为壮观。部队接近山头,一股热血在温正脸上燃烧起来,后来他干脆跳上吉普车,跟着大家一起冲了上去。

战车队和步兵同时冲上山顶。温正心下佩服,山坡的倾斜角有三十度,装甲车一个加油就扑上来了,连个多余的屁都没放,苏联的东西又皮实又结实,真他妈的好用!

此时战车连上尉请示说:"副团长,下一个项目是什么?"

温正指着正前方的开阔地:"自由射击,检测机炮性能。"

上尉向开阔地看了一眼,龇着牙说:"长官,这地方以前是黔军的靶场,借给咱们用的。"

温正怒道:"什么黔军中央军的,都是中国人的军队。"忽然他发现上尉表情尴尬,似乎憋着话呢,"黔军的靶场怎么了?"

上尉苦着脸,斜着眼望向开阔地:"你仔细看看。"

温正不耐烦地看了几眼,发现开阔地上绿油油的,撇着嘴说:"怪不得他们没有战斗力,靶场上种庄稼,哼。"

上尉"啊"了一声:"长官,你再仔细看看。"

温正不得不举起望远镜,这一看不打紧,鼻子立刻就气歪了。什么庄稼?开阔地上种的全是罂粟秧子,马上要开花了。换了旁人,或许还要辨认一下,但温正对这东西太熟悉了。他放下望远镜,骂道:"妈的,怪不得共军在贵州几出几进,黔军都该杀,先杀了那个王家烈。"

"副团长,小点儿声。"上尉认为长官不过是讨个口头痛快,提醒道,"副团长,实弹演习就算了吧,要不等他们割了浆再说?"

"放屁,日本人也会等黔军的大烟割了浆?"温正挥动指挥旗,怒吼道,"射击!把这片烟田全给我炸平!"

上尉倒吸了一口冷气,但温正脸色铁青,随时都会发作,他只得说:"自由射击!放!"

十六辆装甲车上的机炮同时开火了,靶场上硝烟弥漫,爆炸声此起彼伏,大烟田笼罩在火光中,顷刻间灰飞烟灭。温正来了三次齐射,机炮的射程和威力检测出来了,烟田也烧成了一片灰炭。士兵们没见过此等厉害的武器,欢声雷动,高喊:"战车万岁。"温正非常欣慰,这一路颠簸没有白费,用这等武器对付小鬼了,日本人的身体绝不会比大烟秧子结实。

三

回到驻地,温正马不停蹄地写好了训练报告,内容是苏制战车的性能良好,比英国战车结实,操作简单,战场上可勘大用。他建议上峰尽量向苏联人多购进一些,如果能组建机械化师,必能弥补军队装甲防护和火力上的不足。另外他还在报告中建议学习欧洲装甲部队的战法,作战时要避开河道纵横的地区,以装甲部队为主力实施整体突击或者大范围迂回,必能取得奇效。温正是黄埔的高才生,又身经百战,这几年研究过不少经典战例,特别是苏军击溃日军的诺门坎之战。他认为,日本人国力不足,经不起消耗巨大的坦克战,未来陆军的战法很可能是钢铁战车之间的对决。可惜,中国的工业基础太落后,几时才能生产自己的战车?想到此,他无意中在报告结尾处,画了一个莫名其妙的问号。

如果在欧洲,温正对装甲兵作战的观念完全可以与一些战争奇才相提并论,可惜他在中国,这是他一生无法摆脱的悲哀。

午饭后他命令勤务兵把报告直接交给团长，希望能以团部的名义送上去。下午四点，团长来电话希望他过去一趟。温正一路小跑来到团长办公室。他认为，团长可能有关于机械化部队作战的其他建议，希望尽快落实到报告里。

那份报告在桌子上躺着呢，团长目光呆滞地望着窗外，温正进门时，这家伙居然没有发觉。温正不得不使劲喊了声"报告"，团长才缓过神来。温正眼盯着报告，满脸兴奋地说："团座，传唤卑职何事？"

团长是山西人，也是黄埔学生，比温正高两届。他指着对面的座位："先坐，我让伙房做了几个菜，咱俩喝两口。放心，我告诉他们多放辣椒少放醋。"团长苦笑了一下，他们俩口味不同，温正喜欢辣，团长喜欢酸。团长站起来，从柜子里拿出一瓶杏花村。

温正拎起那份报告，推到团长面前，笑着说："先谈谈报告，喝了酒就什么事都说不明白了。"

"报告？啊，放心，我会以你的名义上交司令部的。今天咱们就喝酒。"团长把报告放到了旁边。

温正有点儿失望："团座没有新的建议？你在德国学习了两年，听说德国已经组建了六个师的装甲部队。"

团长饶有兴致地观察了温正一会儿，似乎要确定什么："兄弟，部队上的事回头再说。今天这顿酒，算我给你送行。刚刚收到司令部的命令，要你马上去安庆前线，七十五师的四七八团正等着你呢，你当上团长了，高升了。"温正满脸错愕。他的确是盼着上前线，但机械化作战才是他的专长啊！难道让他温正带着一群步兵打冲锋？团长以为他害怕了，苦笑着说："国家兴亡，匹夫有责。咱们是黄埔学生，不成功则成仁，没什么可怕的。"

温正指着窗外校场上的装甲车："我不怕死，我希望能指挥装甲兵作战，我研究了好几年，一直盼着这一天，怎么能让我去步兵团？"

团长不高兴了："既然如此你为什么要炮轰烟田？"

温正明白了，鸦片的报复说来就来。他冷冷地说："咱们是中央军，难道还吃黔军的瘪？"

团长按着他的肩膀，轻轻拍了两下："老弟，抗战刚开始，中央军进入军阀的地盘是形势所迫，人家都瞪着眼睛盯着咱们，就怕咱们砸了人家的坛坛罐罐。黔军种大烟有什么新鲜的？你何必跟他们过不去？这不，王家烈向司令部抗议了，认为你有意破坏抗战期间的团结，置黔军弟兄的身家性命于不顾。"

温正倒在椅子里，颓然地说："这么说司令部把我牺牲了？"

"这是杜旅长对你的爱护，他没少为你说话。幸亏旅长是委员长的心腹

爱将,要不非治了你的罪不可。"团长口中的杜旅长就是杜聿明,他再次拉温正坐下,劝解道:"不管怎么说你现在是团长了,也算高升了一步。去前线就打出个样子来给他们看看。到时候,托人跟旅长说一声,看准机会再把你调回来。唉,这么做是为了给地方军阀一个面子。"团长长叹了口气,"旅长说了,现在不能和这些土皇帝翻脸,中央军在贵州立足未稳!"

团长开导了他一会儿,温正也觉得自己做事太过鲁莽,有辱党国栽培。当晚他们喝掉了两瓶杏花村,之后二人洒泪而别。

温正带着勤务兵,开了辆破吉普,千里奔袭,从遵义直接杀向安庆。

淞沪会战失败了,日本人炮制了南京大屠杀,正沿着长江杀奔武汉。温正唯恐误了战斗任务,一路上日夜兼程。抵达九江时,得到了台儿庄大捷的消息,温正兴奋得向长江里撒了一泡尿。当时他暗自发誓,自己是团长了,终于说了算了,一定要打出个样子来,让日本人尸横遍野!

过了九江,沿途景象越发凄惨了,各条大路都被难民堵死了,一整天也走不出三十里。温正在难民群里发现了不少士兵,他怒不可遏地冲下车子,挥舞着手枪,质问这些人为什么临阵逃跑。士兵们说:"长官不见了,我们不跑又能怎么办?"由于败兵太多,温正也不敢把他们怎么样。后来他灵机一动,询问七十五师四七八团的情况,没想到真碰上了几个四七八团的士兵。打听到这个团的团长一个月之前便活不见人死不见尸了,所以上峰让他来补缺。温正把车停在路边,向士兵们挥舞着委任状:"我现在是你们的团长,不许乱跑,都跟着我。"士兵们咧着嘴道:"咱们团散了,没人了。"温正用手枪点着他们的脑门:"娘的,你们不是人啊?"

就这样,温正一路走一路收容,到达湖口时,手下居然凑上了一百多人。其实温正的心早就滴血了,也彻底明白了,所谓的四七八团应该是不存在了,自己这团长比光杆司令强不了多少。他命令手下在湖口的散兵集结处立起了四七八团的牌子,继续收容人马,自己则马不停蹄地赶到指挥部。

安庆方向战况不明,国军只得在湖口一带布置防线。温正赶到前敌指挥部,正好传来了安庆失守的消息。如今湖口将面临日军的正面攻击,大战在即。温正发现担任前敌指挥的七十五师师长也是黄埔同学,顿时起了同仇敌忾的念头。师长拉着他的手说:"老弟总算来了,指挥你的团在套口一带布防,延缓敌人的进攻。鬼子过不了几天就到,一定要小心。"

温正急道:"我的团在哪儿呢?"

师长说:"赶紧去找啊,我也不知道。"

温正急得抓耳挠腮，不得不天天在集结处盯着，碰上败兵就要审问一番。五天之后，他们又收容了三四百人，集合在一起也颇像支队伍。温正再次找到师长，说自己的部队无法参加战斗。师长倒是早料到了："用不着去套口了，就在城东布置防线，任务是掩护大部队撤退。"

温正跳了起来："难道连湖口也要放弃？广播里说，委员长要在湖口组织大会战，把敌人消灭在鄱阳湖边。"

师长苦笑着："部队无法集中，哪里来的会战？那是说给老百姓听的。现在上头在九江江面上凿沉了一百多条船，江面被封锁了。国军准备在九江与敌人大干一场，你赶紧掩护主力撤退。"

温正这才舒了口气，守住九江敌人就不能直下武汉了。他想起自己的部队，又担心了："长官，我收容了五百多号人，武器装备丢了一大半，连弹药都没有，我怎么能掩护你们？敌人一冲锋，我们就得散。"

师长指着后院："装备？有，后院有三门榴弹炮，不知道是哪个部队扔下的。你拉走吧。"

温正大喜过望。三门榴弹炮，那是难得的家当，军级部队才会装备榴弹炮。他指挥手下的炮兵把大炮拉到城东去，手下人难过地说："团座，有炮没有炮弹又有什么用？"温正只得又去找师长，可师长已经跟着大部队撤退了。温正意识到敌人马上就到了，一不做二不休，包围了另一支即将撤走的部队，直到这支部队把弹药和油料全部交出来才放他们离去。

那支部队的长官指着温正的鼻子："你等着，军事法庭上见。"

温正大无畏地说："但愿能见。"

四

民国二十七年阳春，江西湖口。国民革命军七十五师四七八团团长温正领着一群乌合之众上战场了。

湖口北靠长江，南临鄱阳湖，东侧是河湖纵横的江南平原。城市东郊地势开阔，莫说温正的半个杂牌团，就是摆上两个师，也是泥牛入海。

进入阵地，温正就下了赴死的决心，心想无论如何也要和日本人干上一仗，就是死也要死得光明磊落。他在高地上修筑了步兵阵地，临时任命了几个连长，之后就专等日本人了。

说来也怪，他们整整待了一天，居然连个日本人的影子也没发现。温正连续派出哨兵刺探日本人的踪迹，傍晚时最后一伙哨兵跑了回来，老远就欣喜地说："团座，鬼子根本没走陆路，人家是坐着轮船从长江上过去的，明天就能追上师长他们了。"温正不信，哨兵说："要不您到江边看看去，全是鬼子的大火轮，都冒着烟呢。"

温正恼怒得直跺脚，打的这叫什么仗？连鬼子怎么来的都没弄清楚。连长们的意思是干脆咱们也跑吧。温正不答应，反而将部队开到江边，迅速占领了几处江边高地。他从高地上往下一看，魂魄险些掉到江里去。老天爷！江面上是黑压压的一层轮船，黑烟几乎把长江都熏黑了，隐隐约约的还有几艘高大威武的驱逐舰，军舰尾部的海军旗顺风飘摇着，尾炮的炮口傲慢地直指天空。温正看了一会儿，看来日本人的大部队过去了，这是运输给养的后续船队。

他没有时间考虑敌众我寡、寡不敌众之类的问题，亲自上阵，在高地上架好榴弹炮，装上弹药，乒乒乓乓就打了起来。

日本人没想到中国军队会从后面进攻，更没想到会遭到重型榴弹炮的攻击，仅仅打了几轮，三条运输船就冒烟起火了。温正亲自为炮兵运送炮弹，又是几轮过后，一艘驱逐舰的尾炮居然被他们打掉了。温正大喜，下令机枪、步枪一起开火，把所有的火力都倾泻到江面上。

一时间长江上炮声隆隆，杀声四起，日军船队几乎被打散了。日本军舰进入中国以来没碰上过这种事，立刻红了眼，十几门大口径舰炮向高地开火，温正只觉得大地一阵颤动，眼前顷刻间就黑成了一片。

当时日军的内部战报声称后勤部队路过湖口，遭支那师级部队背后突袭。皇军为避免两面受敌之境遇，倾全力进攻岸上之守军。敌顽抗数小时，直至全歼！

普安是贵州西部的一座小县城，温义他们原计划只在普安逗留两个时辰，但一股如鱼得水的感觉让他流连忘返，这地方简直就是小云南。

普安市容凋敝，街面肮脏破旧，路上肥水横流，到处是打扮怪异的侗族人。由于烟场开启，如今的普安出现了一股变态了的繁华，狭窄的街道人头攒动，挥汗如雨，简直与北平的大栅栏有一拼了。空气中弥漫着烟土特有的臭气，大烟壳几乎堵塞了下水沟。温义和老鸦在城里东游西荡，不时被小贩们围住，颇有些囤积商的做派。他们没有忘记本行，到处询问烟土的收购价格。

一般来说，中国城市都是从南北主街辐射而来的，普安城也不例外，主要的烟土交易便集中在这条街上。一路上司机介绍说，普安有十几万亩的大烟

田,在黔西烟土产量最大,烟场规模第一,其他县的生烟土都会集中过来。温义发现普安的确是名不虚传,街边的店铺里摆着小山似的生烟土,摊位上全是与大烟有关的器具,光割浆的刀具就有十几种,绝对应有尽有。老鸦在刀具摊位上转了一会儿,无话可说,因其刀具品种之繁多比云南有过之无不及。

除了货物,就是询价侃价、查看货色的客商流,随处可见背着整箩筐烟土的小贩,到处是嘹亮的叫卖声。如此偏远的小街上可以听到各地的口音,两湖的、四川的、广西的,温义甚至在往来客商中听到了河南口音。他特地关注了几次交易过程,发现贵州烟场的交易基本杜绝了银圆,所有的物品价格一律折算成生烟土。温义笑着对老鸦说:"咱们到这儿就成穷人了,手里只有银圆。"老鸦不大服气,又想不出什么挖苦贵州人的理由。司机插嘴道:"收烟土是要用银圆的。"

温义从小就在这类烟场上转悠,并不新鲜。但在北方待久了,看什么都觉得挺亲切。他们在主街上溜达了半里地,温义忽然停下来,面前是家很有规模的店铺,挺气派的门脸上竟挂了专收杂料的牌子。这事让他产生了几分不解,所谓的杂料就是下等生烟土,即使加工成熟烟土也值不了几个钱,所以有实力的客商不收杂料,连种植鸦片的农民也不把杂料当回事,大多都自己抽了,也有扔的。如此规模的店面居然收购杂料,这里面有什么名堂?

温义仔细观察了一会儿,估计这家铺子的生意还不错,不时有人扛着成包的杂料来出售,柜台后都是堆积如山的小麻袋,看样子已经收了上千斤了。温义禁不住好奇,收购这么多杂料能派上什么用场?由于他衣着光鲜,一般人都会把他当成烟贩子,于是温义干脆走进店铺,抓住伙计问:"杂料怎么卖?"

老板赶紧站了起来:"先生,一麻袋十五块大洋。"

温义"哼"了一声,鼻凹眼角里全是蔑视。几年前这东西连三块大洋都卖不了,十五块?这家伙是把自己当成傻子了。

店铺老板不知趣地说:"您要是提货就赶紧拿,没准儿明天就涨价了。"

老鸦终于发现贵州人的不是了,冲上前骂道:"放你娘的屁,杂料有什么用?叫花子才抽这玩意儿呢。"

老板嘿嘿笑着说:"先生,现在杂料是好东西了,一麻袋杂料能出三十两的白粉,上等生烟土不过出四十两。抽烟土的自然要抽好烟土,抽白粉的谁也不在乎这个。"

老鸦还要说什么,温义赶紧拦住他,小声说:"收杂料的多吗?"

老板说:"多!原来都是武汉的客人,听说武汉要打仗,这些人都跑到长沙去了。"

60

温义笑了笑说:"你等着,我和搭伴的商量商量。"

走出店铺,老鸦回头骂了几句脏话。温义不耐烦地说:"你懂什么,收杂料是为了做白面,成本低。市面上白面可吃香了,比烟土的销量好。"

老鸦浑身瞧不起:"那也是杂料做的,体面人怎么能抽那玩意儿?白粉没什么意思,一口气就没了,烟土才是正宗!这东西就得烤着,倒着,有女人配着,有香茶伺候着……"

温义知道老鸦是个认死理的,没必要跟他废话。

又转了半个时辰,温义兴味索然了,天下的烟场也就这点玩意儿。温义决定继续赶路,他让老鸦赶紧把司机找回来,估计这小子又找地方抽大烟了。不一会儿司机回来了,身上背着好几只小麻袋,一提鼻子就知道那是生烟土。温义皱着眉说:"这是生烟土,抽起来呛死人。"

司机高兴得眉飞色舞,手舞足蹈:"便宜,嘿嘿,我自己会挑膏,嘿嘿,加上点儿桂花粉,那味道可香了。"

老鸦"切"了一声:"那是窑姐儿抽的!"

司机不服气了,大叫道:"窑姐儿怎么了?反正是香!"

温义不耐烦地说:"上路,争取明天进云南。"说着他径直向城外走去。

五

出城的路要经过文庙,文庙前总有个小广场,那里往往是旧式城市里最热闹的所在。温义他们走到小广场,见文庙门口停了一辆骡车,几个穿制服的警察站在车边维持秩序。一个身穿黑色中山装、头戴礼帽的家伙在车厢里颤巍巍地站了起来,他举着面小锣,使劲敲了几下。

温义差点笑出声来,打把式卖艺的要穿中山装,耍猴的需要警察站岗,这地方真有意思。他拉住卖烟土的老太太询问缘由,老太太白了他一眼:"什么卖艺的?他是县长,我们的父母官。"这一来温义摸不着头脑了,县长跑到烟会上干什么?居然还敲着锣,明明就是要耍猴嘛。

锣声越来越急促,眼看着聚过来的人越来越多了,县长放下铜锣,拢着嗓子喊:"乡亲们,父老兄弟们,大家听我说,都听我的。省主席让我给大家带个好,大家辛苦了!主席大人说,他知道乡亲们收点烟土不容易,卖几个钱也很艰难。可现在是抗战时期,物资难为,希望乡亲们不要像往年似的见着我们就跑路,大家要为国家承担些困难!"

有年轻人嚷嚷道:"打不打仗跟我们有啥关系？远着呢。"还有人叫道:"抗战是城里人的事,我们是山里人,日本人不会进山的,他们又没喝多。"

县长拍着大腿,痛心疾首地说:"乡亲们,你们是不知道啊,日本人见了男人就杀,见了女人就抢啊,比中央军还坏。我听说日本人四条腿,爬山比咱们快,所以中央军打不过人家。我再告诉大家一个消息,上个月日本人占了南京,一口气杀了三十多万人!乡亲们,咱们都是两条腿的,能让人家这么杀吗？"

广场上嗡嗡嗡地乱了起来,不少人开始骂娘了。温义头一次听到南京大屠杀的消息,有点儿将信将疑:按说日本人的教育挺高的,怎么能做这种丧尽天良的事？后来哥哥告诉他,事是真的。至于人的品质,温正进一步解释说:教育水平和人品没关系,关键是这个人是什么思想教育出来的,专制的灭绝人性的教育方法只能培养畜生和奴才。

县长见演讲产生了反响,非常高兴,因势利导:"往年我们也向大家征税,其实鄙人心里特别难受,有愧于乡亲们,收了你们的钱,也没干什么让你们开心的事。今年就不一样了,真不一样了,我求求大家,一两烟土就是一发子弹,十两烟土就是一颗炮弹,要让小日本知道知道咱们的厉害,知道知道咱中国人不是好欺负的。我替党国求求大家,为了抗战大局,为了咱们自己的大烟地,有大洋的出大洋,有烟土的出烟土。你们还不知道吧？前几天遵义的烟田让鬼子的飞机炸了,几百亩的大烟地眼看就要割浆了,全让鬼子糟蹋了,多可惜呀!"

温义认为这事不大可信,日本人没事炸烟田干什么？难道炸弹富余啦？其实轰炸大烟田的事是温正干的,但中央军不承认,消息传到普安就没人知道真相,于是县长明火执仗地把责任推给日本鬼子了。小广场上的人大部分是烟农,平素把烟田看得比生命都重要,听说日本人炸了烟田,立刻就群情激昂了。有人高声骂:"小鬼子连烟田都炸了,丧尽天良!"还有人说:"小鬼子不让咱们种大烟,咱们就跟他们拼个你死我活。"

县长见火候差不多了,振臂高呼道:"蒋委员长说,战端一起,地不分东西,人无分南北,一律有抗战守土之责。委员长的意思是,不管地上种的是什么,都是咱中国人的庄稼,绝不能让小鬼子抢了去。"警察们也跟着起哄:"有大洋的出大洋,有大烟的出大烟,不能让小鬼子炸了咱们的烟田。"

众人亢奋起来,纷纷抓起生烟土向车上扔去,一时间烟土块雨点般落在骡车上。县长从车上跳下来,一个劲儿地给众人作揖,警察们则拉着骡车满街收烟土。

温义站在街头,好久没说出话来:蒋委员长的话不是这意思吧？他虽然出生在烟土世家,但从来没有想到,烟土这东西肩负着抗战守土的职责。此时骡车走到他们面前,车上的烟土已经装有小半车了。温义身上没有烟土,只好往车上扔了几块大洋。警察们颇为鄙夷地看了他几眼,似乎全县城百姓中只有温义没有真心支持抗战。温义让人家看得脸都红了,只好拉着老鸦和司机飞快地往城外跑。

回到车上,司机竖着大拇指说:"县长真是好样的,这回他们县的财政肯定富裕了,没准儿还真能为抗战做点儿贡献呢。"

老鸦说:"平时他们不交税？"

司机笑道:"山里人都是亲戚套亲戚的,县里的头头都是外地人,把烟贩子们逼急了,没准儿早就把他们给做了。"

温义点了点头,指着前方道:"走,咱们去云南,我让你看看我们云南的烟贩子是什么样。"

当时在云南人的心目中,滇西北是个乌托邦,其吸引力和富裕程度远远超过了昆明。

乌托邦的主人是温长生,当地人称之为帮主。在云南,温长生和龙主席是黑白双雄,他们互不来往,相互仇视。温长生是温家帮的掌门人,手下死士无数。龙云是云南省主席,统辖着十万滇军。

云南各地都出烟土,由于气候特殊,云土是远东最为驰名的鸦片品牌。但能够把烟土生意做得有声有色,做得光明正大,做得光照后人的,那只有温家帮了。温家祖上靠种大烟起家,积累了广袤的田产。当初,鸦片种植大多处在半地下状态,所以温家的大烟田集中在滇西北的崇山峻岭里。他们家是田产过多,便逐渐形成了以温家为中心的势力,温家人活像个封建领主,外人便称之为温家帮。

到了温长生这一代,温家帮不再满足于种植鸦片,温长生开办了熬制烟膏的工厂,制造熟烟土,并开创了机械化生产烟土的先河。之后他又参与了数条烟路的开发,不仅打通了北上成都、重庆的烟路,还亲自开辟了从云南到广西北海的线路。在云南烟商心目中,温长生是行业的泰山北斗。当然,由于民国政府对烟土行业时禁时放的政策,温家帮的产业就时而公开经营,时而转入地下。但他们家在行业中的地位,无人可以撼动。

所有云南人都清楚,温家帮的人万万招惹不得,他们是属马蜂的,惹了一个往往会冲出一群,而且还特别抱团儿,个个都敢拼老命。其实温家帮有

老少数千人,姓温的只有温长生一家,帮众的团结程度却远远超过了大部分同姓家族。这一点要归功于温长生的经营理念,他把温家的田产和工厂分成了三股,自家占一股,管理层的人分一股,所有的温家帮帮众占了另一股,帮众们全有股份,每个家庭每年都可以拿到红利。温长生每年都要向大家公开账目,有了大事则召开全体会议,由所有帮众决策,所以温家帮的人的确是把温家帮当成了自己的家。数千人的团体被温长生打造得似铁桶一般,针插不进,风吹不出。

温家帮树大根深,势力庞大,其烟土销售的网络遍及西南甚至东南亚。但他家行事低调,一般也不大与外人来往。

几年前,昆明有个小报记者不信邪,偷偷跑到温家帮当了半年卧底,回昆明后他写了篇文章,大意是温家帮是传说中的乌托邦。温家帮的财产名义上是温家人的,实际上所有温家帮的成员都是股东。他们内部实行了按需分配的原则,每个人生下来就有自己的口粮份和布份,按月领取。红利不算,每人都有一份份子钱,一年一清,如果家中有事还可提前支取。另外,孩子都有上学的权利,也必须上学,一律免费。还有,温家帮养着十几名内外科的大夫,所有的帮众都可以获得免费的医疗服务。所以温家帮的人一旦碰上什么事往往特别齐心,实际上他们是为自己而战,就是死了,家人也可以获得优厚的补偿。这篇文章在昆明引起了巨大轰动,深居简出的温长生也成了云南最神秘的人物。

记者并没有夸大其辞,这些规定都是温长生亲手制定的,他的理想就是要把温家帮塑造成一个小王国。另外他还对这三四千人进行了严密分工,有专门种大烟的,有在厂子里熬膏的,还有跑贩运的。跑贩运的被称为押运队,都是精壮的小伙子,实际上就是温家的武装力量。

这个小王国的基础是烟土。烟土贸易往往意味着风险,贩运队伍能否扛得住风险,决定了温家帮的生死。他们不仅要保证温家帮的安全,还要及时地把熟烟土运出去。走官道太显眼,滇西北的深山老林里经常能看到一支数百人的马帮,马背上是烟土,肩膀上是步枪,骡子背上驮着迫击炮。一般来说,那都是温家帮的人。

六

雨季的怒江是一条暴躁的河,白水滔天,浪声滚滚,几十里外就能听到

那雷鸣般的呐喊。怒江也是一条偏僻的河流,山高林密,水流湍急,由于落差太大毫无航运价值,所以这一带人口稀少,河流也如未经人事的女人。

马吉位于怒江东岸,是滇西北少有的大集镇,大约有数百人。镇上最显眼的建筑是学校,在西南边陲这是匪夷所思的事。学校主楼三层,带有明显的法式风格。梅兰是这里唯一的女老师,主教国文和英语。校长就是梅兰的父亲,实际上这所学校只有两个老师,再有就是看门人了。

十几年前,温家帮决定出资兴建学校,为温家帮培养有文化的接班人。梅校长是温长生从昆明半骗半请来的,谁让他是温帮主的同学呢?五年前梅兰学业完成,本想回昆明任教,温长生的一纸聘书和温正希望她帮助温家帮远离恶习的嘱托,又把梅兰骗了来。其实当地人对上学没兴趣,学生也不多,让梅校长自豪的学生只有两个——温正和温义。这对兄弟在没有父亲帮忙的情况下,先后考上了军校,那时军校的学历比大学还吃香呢。

教学楼坐落在江边,那条白水从学校门前汹涌而过,有山洪时江水甚至能冲到岸上来。由于担心学生们失足,温长生在附近的江岸上修建了铁护栏。温家帮有钱,即使是银护栏他们也修得起。

梅兰喜欢这条大江,她喜欢那江水纯洁的白色。但她实在想不明白,山里的水一到平原怎么就污浊了呢?

这天中午,梅兰和父亲坐在江边喝咖啡,温家的小厮狗子匆匆地跑了来,指明点姓地请梅兰到温府去一趟。梅校长问他有什么事,狗子说府上来了英国人,帮主请小姐去做翻译。梅校长皱了皱眉:英国人跑到马吉干什么?难道有人把烟土倒卖到缅甸去了?

温家帮靠近缅甸,缅甸是英国殖民地。英国人多疑,对中缅交往多有敏感,连中国出产的烟土也不愿意轻易放过。去年温家帮与英国代表私下达成协议,温家帮的烟土不能通过缅甸进入市场。由于协议带有强迫性质,温家帮的人一直讨厌英国人。这次英国派来个叫方敦的代表,一见面就鼻子不是鼻子脸不是脸的,很不友好。其他人只得忍着,温长生咽不下这口气,怒火已经撞到顶梁了。

温长生宽额朗目,身量高大,平时性情还算温和,最近却肝火旺盛,动不动就摔盆砸碗,周围人只得躲着他走。任何人都无法回避战争的影响,连温长生也不例外。如今两个儿子都不知去向,当父亲的能不急眼儿吗?

温正是现役军人,找不到人影尚可以理解。前几天狗子从保定万里迢迢跑了回来,说保定军校搬家了,城池归日本人了,二公子被开除了,现在不知下落。温长生心烦气躁,急火攻心。他琢磨着,如果英国人敢说出什么不敬的

话，就把他的舌头割下来喂狗。

梅兰来了，温长生弄明白了英国人的来意。原来近期缅甸出现了一批来历不明的云土，据知情人士透露，烟土是温家帮的产品。英国人是来兴师问罪的。温长生一听就火了，指着梅兰叫道："梅姑娘，难道你不知道？卢比在咱们这儿不好使，我向来不喜欢破纸币，烟土是要换成银圆的！"梅兰哭笑不得，虽然话是从她嘴里说出来的，但温长生不应该把自己当成英国人的同伙。

方敦看出来了，这个温帮主没说什么好话，他机警地盯着梅兰道："小姐，这家伙在说什么？是不是辱骂我们大英帝国？这是绝对不能允许的。"

梅兰只好硬着头皮解释："帮主说，卢比在我们这里不通用，我们不稀罕。而且我们一直遵守协议，没有向缅甸贩运鸦片的计划。"

方敦满脸鄙夷，翘着大鼻子和二郎腿："那缅甸市场上的云土怎么来的？我们不允许中国烟土进入缅甸，主要是担心冲击了缅甸经济，影响缅甸人的生活。"

温长生冷笑着说："没准儿是英国人自己运过去的，跟我们有什么关系？"

方敦的傲慢是有理由的，他带着英国当局的最后通牒呢。这家伙马上指出如果温家帮不立刻采取行动，制止事态发展，英国当局就要采取报复行动了。温长生面目狰狞地向客厅门口看了一眼，门后埋伏着十几个手下，只要他一声令下，英国人的舌头就要和嘴巴说再见了。此时温长生已经动了杀机：宰了你个兔崽子又能怎么样？难道英国人有本事打过怒江？大英帝国的实力他早就摸清楚了，在缅甸的英国人大多是些中看不中用的公子哥，绝不是温家帮的对手，枪一响他们就会尿裤子。

温长生正要下命令，客厅的大门开了。温长生还没有看清来人的模样，梅兰失声叫了出来："温义，你怎么回来了？"狗子险些直接跪下："二公子，你总算回来了！帮主快急疯了。"

温长生的脑袋如钻进无数蜜蜂，一股天旋地转的感觉使他不得不扶着桌子。几个月了，温长生没有睡过一个好觉，二儿子是个惹事的根苗，如今兵荒马乱，他才不会老老实实的呢。如今二儿子从天而降，温长生几乎就要撑不住了。但英国人在场，他只得硬撑着。温义天生戴着副微笑的面具，永远是嬉皮笑脸的表情。他先给父亲请了安，然后与梅兰打了招呼。英国人瞪着俩大眼看着他们，大家不好再问长问短。

这英国人已经不耐烦了，他希望温长生赶快给个答复。温长生满心高兴，立刻就要下令抓人。温义似乎明白父亲的心思，赶紧向门外挥着手说："快抬上来。"温长生一惊，这小子要干什么？

几个帮众抬着个大托盘走进来，托盘上是几封银圆和一套精致的红木银饰烟具。温义指着托盘说:"方敦先生,请转告您的长官,烟土的事是误会,我们从来没有向缅甸走私烟土的计划。如果缅甸市场上出现了温家帮的烟土,估计是从其他渠道过去的,我们一定彻底调查。"

面对这种冠冕堂皇的外交辞令,英国人颇为受用,微笑着说:"估计阁下是受过高等教育的,的确和普通中国人不一样。"

温义笑得更灿烂了:"这是六百银圆,算是给你们弥补些损失。"

方敦有点不好意思,急忙摆着手说:"我是英国人,不能要你们的钱。"

温义笑道:"这些钱不过是给你们补偿损失而已,千万不要多想,您可以自己留着,也可以交给长官。"这句话起了作用,方敦认为这是对方讨好和服软的表现,自己完全可以交差了,于是便收下了。面对那盘烟具,这家伙还是有些踟蹰不决。温义接着说:"这不是烟具,这是艺术品。"说着他拿起大烟枪,端端正正地摆到方敦面前:"你看,烟嘴是青玉的,产自中国东北。这上面的字是篆字,这种字体有两千多年的历史了,认识这种字的人已经不多了。"

方敦惊讶地说:"难道你们两千年前就抽大烟了?"

温义迟疑了几秒钟,假装生气地说:"你这个英国人太无知了。这样吧,我以温家帮的名义邀请你在马吉住几天,我让你看一看,中国的文化是如何博大精深。狗子,打扫房间,带方敦先生休息,准备酒宴。"方敦本来不想住在温家帮,但温义勾肩搭背的,故做亲密,硬是把这小子留下了。

温义带着英国人出去了,梅兰和温长生呆呆地立在客厅里。由于温义一直和方敦讲英语,温长生一句都没有听明白。他吃惊地琢磨着:难道温义与这个英国人是朋友?怎么这么熟啊?梅兰的惊讶比温长生更甚。几年的光景,小温义居然变成老油条了!他为什么巴结英国人?难道他真想把烟土卖到缅甸不成?温长生利用这个机会,让狗子把老鸦叫了来,他想弄明白,二儿子这段时间跑到哪儿去了。

七

两个小时前,载着温义和老鸦的轿车开进了温家帮的卡子。年轻的帮众们立刻把二少爷围上了,七嘴八舌地问长问短。最后,二少爷的裤了都差点被扒下来,因为大家想看看,吃面食长大的人,那东西与吃米饭的有什么不同。

温家帮的财富让所有人浮想联翩,他们不得不在道路上设了卡子,修工事。这东西能防土匪,也能防政府军。烟土押运队的小头目虎豹正在这个卡子上值班,他和温义是从小的玩伴儿,关系亲密。虎豹好不容易把温义从众人的包围中解救出来,神色紧张地拉到角落里,哀求着说:"二少爷,幸亏你回来了。有个事你不能见死不救,你得帮帮我。"温义大是奇怪,虎豹是年轻帮众的表率,能打能拼,给帮里立过不少功劳,谁能找他的麻烦?虎豹苦着脸说:"外面打仗了,广西全是中央军,烟土根本运不出去。我琢磨着,咱们温家帮就要饿肚子啦,所以就偷偷把一批烟土倒给缅甸人了。他妈的英国人的耳朵还挺长,找上门了,正和老爷谈判呢。我估计是为了这个事,你得想个办法。"

温义知道父亲不愿意惹麻烦,去年与英国人签了协议,不向缅甸倒卖烟土。温家帮有章程,决策时所有人都可以发表意见。但命令一出,令行禁止,违反者将面临严厉的处罚。虎豹私下里与缅甸人做生意,这个事非同小可,挨上几十鞭子是小事,弄不好会被赶出帮去。温义一直把缅甸当成半个家,本来就不同意那个协议,于是他小声问:"你小子没有从中渔利吧?"

虎豹险些哭出来:"我要是拿了一分钱,老天爷打雷把我劈了。"

温义大大方方地说:"那就行,这事交给我。烟土卖到缅甸又怎么了?英国人的钱也是钱。"

之后,温义与老鸦火速赶往马吉。进了家门,温义吓了一跳,老爹已摆上鸿门宴了——十几个帮众提着武器,堵在客厅门口,专等动手。他立刻让众人撤下,然后命令手下准备些礼物。在温长生即将动手时,温义适时地出现了。

方敦面对重礼,没什么咒念了,被狗子拉去休息。温长生怒火中烧,他估计缅甸的烟土可能就是温家帮的,否则儿子没必要又送礼又赔笑脸。这事有些难缠,温家帮向来以信誉著称,总不能自己抽自己的嘴巴吧!他马上想到了嫌疑人,决定先把虎豹抓过来,这事一定与这小子有关。

温义送走方敦,回到客厅就听说父亲要抓虎豹,笑着说:"爸,我让他藏起来了,您一时找不着了。"

温长生火冒三丈,这儿子从小就一肚子鬼主意,刚回来就与自己对着干。他按着桌子就要发作,梅兰马上走到二人之间,柔声道:"温叔叔,听听小义怎么说,或许他有道理。"温家早把梅兰当成了半个儿媳妇,所以她的话有些分量。

温长生特喜欢梅兰,这姑娘为人大方,温和孝顺,也没有一般读书人的矫揉造作。可恨的是温正,前后折腾了快十年,连婚事都耽误了。温长生见梅兰有意缓和气氛,只得挑着眉毛道:"让他说,说不出个道理来,连他一起打。"

温义向梅兰做了个鬼脸，一本正经地说："爸，虎豹把烟土运到缅甸，是歪打正着了。如今战局不利，武汉以东的烟路难以保证，北方的市场基本完了。广西同样风雨飘摇，日本人必然在广西登陆。如果不把缅甸市场培养起来，以后咱们的烟土卖给谁去？印度烟土口味太冲，南洋才是咱们的出路。"

"胡闹！"温长生喊了出来，跳着脚在客厅里转了一圈，"两个月前你大哥来信了，他说几百万国军都有誓死的决心，用不了一年就能把敌人扫到海里去。咱们和英国人是有协议的，怎么能背信弃义呢？"

温义"哼"了一声，大哥把政府的宣传工作都做到家里来了。他冷笑着："我大哥跟我可不是这么说的。"

梅兰长吸了一口气，冲上前一步："碰上你大哥了？"

"啊，我们俩在一起待了半个月呢。梅姐，回头我再把实情告诉你。"温义继续开导父亲，"爸，我大哥说，能挡住日本人的只有三峡天险，东部地区必将不保。也就是说烟土市场至少要萎缩一半，除非咱们愿意跟汉奸合作，您敢吗？一旦销路萎缩，温家帮靠什么支持？"

温长生颓然叹了口气，其实他也不相信温正的鼓噪。烟土当然是要卖的，卖给谁都一样。但运到缅甸，就违背与英国人的协议。他讨厌腆胸叠肚的英国人，不愿意和他们打交道，所以想都没想就在协议上签了字，可现在该怎么办？"卖到缅甸容易，运到印度也不难，可咱们和英国人的协议呢？"温长生有点泄气。

温义哈哈一笑："爸，现在的英国人不是一百年前的英国人了。一百年前的英国人喜欢打仗，喜欢征服，一百多人就把印度灭了。现在他们喜欢玩平衡玩权术，这个民族没落了。"

温长生不愿意听这些不着边际的话，晃着脑袋说："说那些没用，协议生效了，如果英国人不同意，弄不好就得动手。"

温义正色道："何必要动手？勾结起来不成吗？咱们和英国人勾结起来，什么问题解决不了？如果生意做得顺利，没准儿咱们温家帮的烟土能进伦敦城呢。爸，生意，就是勾结。"

温长生听得云里雾里的，这小子的这些想法是从哪儿冒出来的？梅兰则皱着眉头说："小义，你在军校里就学了这些？"

温义吊儿郎当地说："军校里教的东西没用，这是我自己想出来的。"

当夜，温义让父亲休息，他亲自为方敦举行了盛大、隆重、近乎奢侈的欢迎宴会。美酒佳肴堆积如山,场面奢华,超乎想象。另外他还准备了歌舞表演,七八个半裸美女围着方敦这么一转,英国人连英国在哪儿都不知道了。方敦是个上尉,几时见过此等奢靡的场面?温义、老鸦、虎豹、狗子等人轮流敬酒,前后没一个时辰,这家伙就酒醉如泥,满嘴胡话,连伦敦胡同的旧时典故都唠叨出来了。

温长生没休息,他在观察儿子的举动,看在眼里,怒在心头,但又不能破坏了儿子精心设计的圈套。宴会结束后,温义一直忙活到后半夜,似乎明天还有更大的节目。温长生不知道儿子有何打算,不禁起了好奇之心,他倒要看看温义的葫芦里卖的什么药。

第二天,温义来到方敦的房间,这家伙正呼呼大睡呢。两个小丫鬟守着香炉,轻挥羽扇,有气无力地将袅袅香烟扇向方敦一侧。温义咳嗽了一声,小丫鬟把香炉灭了,香炉里点的是烟膏。丫鬟在方敦多毛的胸脯上拍打几下,方敦半睁开眼睛,满脸茫然。温义笑着说:"方敦先生,上午我的人领你参观怒江大峡谷,少有的美景。下午温家帮的武装力量为您举行欢迎仪式,请您以军人的身份指正。"

方敦腾地坐了起来:"武装力量?"

温义说:"是,您是军人,当然要以军人的礼节欢迎您。"

方敦"哼"了一声,小小的烟帮号称拥有武装力量,简直滑稽透顶。温义闲聊了几句便走了。老鸦来了,他伺候方敦更衣,然后叫来滑竿,抬着方敦去怒江大峡谷。

方敦在滑竿上觉得挺美,在英国他可享受不到被人抬着的待遇。但进了峡谷,他说什么也要自己走了。这地方险峻得让人目旋,方敦担心滑竿一歪,自己就会落入那不见底的深渊。崖壁上的小路宽不足两尺,下面就是数百米的悬崖,悬崖之下则是声势惊人的滔滔江水,这条路是怎么开出来的?出于军人的敏感,方敦清楚这种地形叫天堑,一夫当关,多少人也过不去。老鸦不失时机地介绍说,烟田就在悬崖之后的深山里,当年滇军的一个师打了三个月都没进去。方敦半晌未语,实际上他的舌头已经不会转了。

中午回到马吉,温义在学校里准备了宴会。方敦再一次表示惊讶,如此偏远的地区居然有如此正规的学校,看来对方是文明的野蛮人。温义看穿了他的心思,一本正经地说:"大家都是文明人,我们要以文明人的方式交往。"

方敦冷笑着:"你们是搞鸦片贸易的。"

温义有一搭无一搭地说:"当年你们也是干这个的,你们是老师。"这一来方敦没话了,他无法否认英国曾推动了全球的鸦片贸易。温义不希望他们

之间刚刚建立的关系出现裂痕，再一次拿出招牌似的微笑："大家都是文明人，我们的目标就是把野蛮人的贵金属变成我们的。"

方敦又问："到底谁是野蛮人？"

温义想都没想："谁抽大烟谁就是野蛮人。"

方敦半张着嘴想了好一会儿，这才反应过来，原来温家帮里是禁止抽大烟的——这群人的可怕程度远远超出了他的想象。

八

宴会上，方敦百般推诿，撒泼耍赖，终于躲过了劝酒的。酒宴进行到一半，方敦正式向温义提出，希望尽快回缅甸交差。温义说："放心，明天就送你回去。另外我父亲还有一封澄清误会的亲笔信，希望你能转交豆敦先生。"说着，温义自顾自地哈哈笑起来。豆敦是英国当局掌管缅北事务的总督，一言九鼎，辖数万之众。温义之所以笑，是因为他觉得豆敦、方敦的名字太好玩儿，京戏里有个窦儿敦，估计这哥仨是亲兄弟。

酒足饭饱，温义一声令下，学校前的小广场上演了所谓的检阅仪式。温长生也跑了出来，他想看看，儿子一夜之间到底变出了什么花样。

方敦见识了温家帮的天堑和财力，也看到了温家帮管理上的能力。一个鸦片世家不允许帮众抽大烟，光这一点就非常耐人寻味。但他对温家帮所谓的武装力量却嗤之以鼻。烟帮有些武器可以理解，但"武装力量"这个词不是什么人都可以用的，那可是响当当的实力！

检阅开始了。

第一个方队过来了，方敦惊得站了起来。这是烟帮吗？那是一群干瘦的西南汉子，又干净又利落——这就是温家帮所谓的武装力量——押运队。押运队员统一着装，短衣襟，小打扮，头戴包头，腰挎子弹夹，肩扛捷克式步枪。他们威风凛凛地从学校门前走过去，目不斜视，气宇轩昂。方敦勉强咽了口唾沫，心想：这是一支威武之师，与他们比起来，自己手下的英缅军不过是群散兵游勇。第一个方队刚刚过去，第二个方队出现了，那是个重武器方阵。队员们抬着十二挺轻重机枪，枪管上系着红飘带，如刽子手的大刀。第三个方队是一支骡子队，骡子们驮着八门六零迫击炮。方敦惊得手心冒汗，中国的正规军也没有如此精良的装备！再之后又是一个步兵方队。此后，一个方队接着一个方队走过去，弄不清温家帮到底养了多少武装。莫说方敦，连温长生的脑袋都

大了。温家帮押运队的确装备精良,人员精干,但统共只有几百人,算上外出的、卡子上留守的,马吉的兵力不会超过两百人。如今从学校门口走过去的都五百多人了,这些人是怎么变出来的?温长生一个劲儿地揉眼睛,最后他终于看明白了。原来第四个方队竟然就是第一个方队,走在最前面的是虎豹。温长生拍了拍脑门,原来这些家伙围着学校转了一圈,现在又转回来了。温帮主尴尬不已:温义这孩子简直是胡闹,要是让英国人看出来,就太丢人了!

忽然,方敦纵身从领操台上跳了下来,大声说:"停一停!"梅兰没办法,只得照实翻译。温长生和温义对视一眼,老子心道:完了,让人家看出来了,我看你小子怎么收场。温义也有点紧张,只得跟了上去。

方敦冲到方队前,伸手就从一名押运队员的肩膀上把步枪摘了下来。他本来想看看步枪的保养状况如何,没想到押运队员猛然就翻脸了。方敦的手刚刚摸到枪托,十几个乌洞洞的枪口就对准了他的胸脯。方敦"啊"了一声,呆在原地。温义赶紧跑过来,大叫道:"不许开枪。"丢了枪的押运队员委屈透顶,带着哭腔说:"他敢拿我的枪,我就敢跟他拼命。"

原来温家帮有规矩,押运队员丢了命可以,丢了枪就要被赶出温家帮。方敦不清楚这一点,但他的震惊却是实实在在的——这些矮小的中国人竟如此彪悍!

温义郑重地把步枪还给队员,大声问:"枪是什么?"所有接受检阅的队员立正喊道:"枪是我们的第二生命。"温义又问:"如何保养武器?"队员大声道:"睡觉抱着,过河顶着。"温义接着问:"你们的枪保养得好吗?"

被拿走枪的押运队员二话没说,举起步枪照着怒江对岸就是一枪,砰的一声,枪口冒出一股白烟。温义看了方敦一眼,没再说什么。方敦是上尉,从枪声中可以断定,这把枪的保养状况非常好。温义向检阅台方向指了指:"方敦先生,回去吧。"说完,他向领队的虎豹使了个眼色,方队又开始行进了。走在最前面的虎豹忽然喊起口号来:"佃房卖地,将金逐利,谁要拦着……"队员们同声喊道:"人头落地。"

口号盖过了怒江的浪涛声,回音阵阵,声动山谷。

梅兰把队员们的口号逐字翻译了,方敦的脸一会儿红一会儿白,连呼吸都不那么畅快了。

温长生的惊讶与英国人差不多,有些招术他是清楚的,但有些口号连他这个帮主都是第一次听到。其实关于步枪的对白,是温义昨天晚上教给队员的,这是中央军里标准的官兵对话,是程式化语言。"人头落地"的威胁则是押运队走山路时,喊给土匪们听的。烟帮的运烟队都有自己的号子,各有特点,要说起玩命精神,数温家帮的号子最为血腥。

　　方敦魂飞魄散,这个温家帮不能招惹,这是些亡命之徒。另外温义还炫耀似的告诉他,你今天看到的只是温家帮武装力量的四分之一。民国二十年,政府希望把温家帮的烟田收为国有,进行了一次武装镇压。滇军出动过一个师外加一个旅,结果被打得屁滚尿流,回到昆明时部队只剩了一半。

　　第二天,方敦带着礼物和温长生的信回了缅甸。临走时,他诚惶诚恐地希望与温义做朋友。温义神秘地说:"有钱大家赚,朋友就好做了。"

　　方敦前脚刚走,温长生就指着温义的鼻子骂道:"你这个小子,为了吓唬英国人你就让押运队围着学校转圈儿玩,你就不怕人家看出来?"

　　温义认真地说:"爸,我在北平认识一个美国人,那家伙说,在他们眼里,咱们黄种人都一个模样。"

　　温长生使劲晃了下脑袋:"不对,不对,我觉得他们才是一个模样呢。"

　　一轮明月被山峰削去了一半,远远看去,山峰如同生了一只明亮的犄角。梅兰扶着江边的铁栏杆,眼睛在江面上搜索着。实际上她什么也看不到,她脑子里是空白的,耳边只有滔滔江水拍打岩石的声音。

　　梅兰从温义口中打听清楚了,温正如今在遵义。她查了查地图,遵义离云南边境并不远,或许十几天就到了。

　　温正比梅兰大两岁,他们都是梅校长的学生,青梅竹马,两小无猜。梅兰喜欢这个男人,依赖这个男人,她的生命中流淌着这个男人的血液和梦想。每每做梦,梦中都是温正凛然的眼神。每次梦醒,她就打冷战,似乎那个男人死了。十年间,他们见过两次面,一次是在黄埔军校,一次是在河南前线,都是梅兰自己偷偷跑去的。在广州时,温正是意气风发的学生,他们在一起谈人生谈理想,谈国家兴衰。在河南,温正是指挥若定的军官,正与西北军打仗。战壕里,温正对着月色发誓,一旦革命有了眉目,立刻回老家成亲,还要彻底铲除温家帮种植鸦片的恶习。三年前温正来信说:共军被困于陕西一隅,国内局势不日将趋于稳定,届时必定回来筹办婚事。现在好了,陕西的局势的确大变了,日本人也进来了,看来等温正回家结婚是没指望了。

　　梅兰想到了自己的年龄,不禁叹了口气。

　　月亮升起来了,庞大的山峰消失在夜的阴影里,连轮廓都消失了。

九

　　背后传来拖沓的脚步声,梅兰没回头,她知道那人是谁。

"梅姐,想我大哥呢?"温义也趴在铁栏杆上。

"别胡说。"梅兰瞪了他一眼。温义回来才几天,温家帮上下已经在盛传,说二公子是孔明转世,谈笑间,英国人就给温家帮行了三拜九叩大礼。在梅兰心目中,温义和自己的亲弟弟一样,现在弟弟长大了,她却觉得陌生了。

温义嘿嘿笑着:"梅姐,张快把你的诗寄给我了,写得真好,可惜我大哥看不到。他天天打仗,他这人就喜欢打仗。"

梅兰垂着眼皮,神色里有几分扭捏。她时常写些小诗,温义为了讨好未来的嫂子,让她把诗寄给张快。张快身在报社,帮她发表了不少诗作,如今梅兰是云南当地小有名气的女诗人。梅兰不愿意谈自己的事,她拉着温义坐下来,和蔼地说:"这次回来,你有什么打算?"

温义破天荒地叹了口气,把自己和罗敷的遭遇说了。梅兰就跟听天书似的,时而唏嘘,时而感慨,听到后来震惊不已,这两个人居然要私奔!私奔了怎么向父母交代呀?她颤巍巍地说:"罗姑娘现在怎么样了?"

温义信心满怀:"我也不知道。不过呢,她绝不会嫁给别人的,她老子打她也没用。我在路上就想好了,回来把钱带足,再带上几个人一起去洛阳,花钱能办就花钱,实在不成,偷也要把罗敷偷出来。"

梅兰无奈地望向山坡,山坡上有一座灯光闪烁的小楼,那就是温家。梅兰颇为感慨,温义胡作非为、无所顾忌,却是个情种。温正志向远大,兢兢业业,却不知变通。这兄弟二人怎么就不能调和一下呢?

温义的眼睫毛是空的,什么都看得明白,他笑着说:"梅姐,我有办法能让大哥立刻就回来。"

梅兰本想训斥他几句,嘴里却急着问:"什么办法?"

温义说:"你给我大哥写一封信,说梅伯伯逼着你结婚。他不回来,你就只能嫁给别人了。"

梅兰苦笑了一声:"这叫什么主意?你大哥把国家民族看得比什么都重,我就是真和别人结婚了,如果走不开,他一样不回来。"

温义脸上挂着坏笑:"你就说,那个人是你同学,要去南京谋差事,顺手就把婚事办了。"

梅兰"啊"了一声:"去南京谋职?那不是汉奸吗?你让我嫁给汉奸?"

温义胸有成竹地说:"如果你要嫁给汉奸,他肯定回来,我大哥就怕这个,他得气疯了。"

"你脑子里到底都是什么呀?"梅兰也快疯了。

温义撅着嘴道:"要让他回来,只有这个办法。"

梅兰不愿意听他胡说，便没好气地说："你想想自己的事，去洛阳，你爸爸能答应吗？"

温义在胸口上拍了一巴掌："我去抢女人，我爸爸能拦着我抢媳妇吗？那是帮他抢孙子呢。"

梅兰没心思和他说话，她清楚事情绝没有温义想得那么简单，温家兄弟平时很少在家，而温长生也不是喝大酒骂大街的年龄了。这几年温帮主越发稳重，人一老就不愿意惹事了。梅兰的疑虑是有道理的。刚才温义向父亲提过，希望带一万大洋和二十个精干的押运队员，北上洛阳，把心爱的女人抢回来。温长生立时怒了，拍着桌子叫道："大洋无所谓，人也无所谓。但为了个女人千里迢迢去战区，值当吗？万一死在那儿怎么办？在云南，什么样的女人找不到啊？不就是少将的女儿吗？顶多是个师长。我托朋友，向安康省主席给你提亲。"

温义毫不领情："我喜欢罗敷，我们俩说好了，我一定要去接她。"

温长生叹息一声："那样的女人能过日子吗？早晚得把咱们家祸害喽。再说，如今洛阳城在日本人枪口下，你万一出了事……"温帮主使劲挥了挥手，似乎要把嘴里跑出的晦气赶出去，"大丈夫何患无妻？女人是衣服，随穿随脱。你挺明白的孩子，怎么连这一点儿都想不通？"

温义的伶牙俐齿立刻作废了，女人衣服论是温长生的一贯论调，任何人都无法改变。梅兰之所以在温帮主心目中有特殊位置，完全是因为他把梅兰当成半个女儿。另外温长生与梅校长是好朋友，本来就有点娃娃亲的倾向。至于其他女人，在温长生眼里都可以忽略，都是些没什么区别的肉体。后来，温义徒劳地哀求了半天，温长生仍是死活不答应。温义无奈之下来怒江边琢磨主意，这才碰上梅兰。

听到这儿，梅兰叹了口气，黑暗中，她看到温义的眼睛忽闪忽闪地盯着自己，似乎非常兴奋。梅兰赶紧说："你是不是有主意了？"

温义贼似的左右看了几眼："梅姐，我爸爸同意，我去；我爸爸不同意，我照样去。"

"你们之间的爱太炙热，一旦热情消退，还能持续吗？"梅兰认为自己有责任给他泼些冷水。

温义急得转了一圈："你们这些文人就是想法太多，八百个想法，哪一个都没落到实处。不热烈能叫爱情吗？那叫交换。我不琢磨别的，我就要把属于我的女人抢回来，全养在我家里。"

梅兰叫道："什么？全都养在家里？"

温义凛然地说:"反正是越多越好,罗敷是头一个。"

梅兰恶狠狠地瞪着他:"我要是你大哥,就先揍你一顿。"说完,梅兰气呼呼地走了。

温义在江边站了一会儿,他的确是把梅兰当姐姐看的,原来他们挺谈得来的,岁数一大反倒经常闹不开心了。温义不会顾及梅兰的想法,站了一会儿,所有的计划就盘算得差不多了。

第二天早晨,温义照常给父亲请了安,不再提去洛阳的事。但转过脸他找到虎豹,让他带二十个身手出色的队员,在卡子上等自己。虎豹兴冲冲地问:"带枪吗?"温义心道,几千里路带着枪实在危险,弄不好会被当成日本特务。他说:"除了枪,什么都可以带。"之后他找到梅校长,让他把温家帮在昆明银行里的账号给自己。实际上梅校长不光是校长,还是温家帮的首席财务主管。梅校长清楚,温长生对于儿子花钱从不吝惜,他认为能花就能挣。另外,温家帮的大部分资产都是银子,存在山里的秘密金库中,银行里不过是些散碎资金。所以梅校长二话没说就给了他。

温义跑到卡子上,拉上虎豹和二十个手下当天就跑了。温义没带老鸦,一来老鸦上了年纪,行动不那么方便;二来老鸦对温长生太过忠心,他唯恐这老东西坏了自己的计划。虎豹这些人就不一样了,他们是从小穿一条裤子长大的,喜欢跟着他干些不着调的事。

一行二十来人,骑着骡子一路狂奔,几天后便到了昆明。温义从银行里取出一万大洋,又和张快见了一面。张快歉疚地说:"你信里说的事,我帮你问过了,工厂的设备可以买到,但没有技术人员,即使把设备组装起来也没人会用。"原来温义曾给他写过信,让他在昆明筹备建立白粉厂,先要解决设备和技术问题。温义的市场嗅觉灵敏,他断定随着白粉的流行,烟土必将走向没落。温家帮如果不介入白粉生意,其命运就等于拴在了一条破船上。温义说:"你先留意着,找到懂技术的立刻给我按住,我现在顾不上这事。"接着他把北上抢人的计划说了,张快听得手舞足蹈:"妈的,现在流行北上抗日,你呢,是北上抢女人。"温义笑了:"咱们是烟帮,万一国民政府战败了,咱们就惯着日本人抽大烟,用不了几年,日本人就不战自溃了。"张快使劲点头:"应该把你这个计划告诉委员长,对付日本人,你比他有经验。"

二人说笑了一阵,温义急着赶路,租了几辆卡车,去四川了。

蜀道难,从云南进四川的路最为艰险。好在温义要人有人,要钱有钱,所

以一路上还算顺利。一个月之后,他们穿越秦岭,抵达陕西了。

温义手下这些人是第一次来北方,看什么都觉得新鲜,有人居然在面馆里想把面条缠在腰上。幸好有温义和虎豹拼命约束着,这些家伙才没闹出什么事端来。他们在宝鸡乘上火车,刚出临潼,气氛就紧张了,空气中可以闻到硝烟味。

洛阳是第五战区的长官公署所在地,战区司令长官是卫立煌,整个战区统辖着晋陕豫三省的国军。此时日本人已经过了黄河,双方交战正酣。

温义心里一直在打鼓,军校几乎处在最前线,罗敷可千万别出什么事。

在渭南车站,温义碰上了一个军校同学,这家伙要到西安的部队报到。温义向他打听军校的情况,同学说,军校差不多散了,学生们都进部队了。那个罗主任的命不好,在洛阳被间谍打死了。温义窃喜了一下,又追问罗敷的下落。同学摇着头说:"罗主任一死,就没人知道她的下落了,没准儿还在洛阳呢。"温义越发担心了,立刻要去洛阳。同学劝阻道:"现在最好别去,洛阳守备司令刚被罢职,日本人一定会乘虚而入,洛阳危矣。"温义想不明白,听说守备洛阳的是名将,在中央军的将领中威望颇高,怎么会罢职呢?同学说:"好像他和共产党的关系说不清楚,军统的人告了黑状,委员长他老人家就讨厌这种事。"

同学走了,温义更坐不住了。万一洛阳失守,罗敷落到日本人手里就真麻烦了。一路上,到处都在传日军的暴行,耳朵都起茧子了。虽然温义对国家民族没兴趣,但大家都是人,欺负人的事他是不能容忍的。

之后,温义向随行人员散发了罗敷的照片,每人一张,列出了罗敷可能出没的场所。他命令,一旦进了洛阳城,就按地址分组寻找。谁找到这个女人或者发现其下落,就给他一千块大洋。虎豹叫道:"二少爷,您这是看不起我们。咱们温家帮天生一体,铁打一块,您的事就是我们的事,您找女人就等于我们找自己的女人。"众人纷纷应和。温义脸上有点儿发烧,离家太久了,怎么把帮里的规矩都忘了。

从渭南到洛阳只有二百公里,但火车开了两天。

日本人果然不远了,洛阳城内乱作一团,到处是即将西逃的人群。据说日军趁着卫长官被罢职、洛阳空虚的机会发动了大规模进攻。如今兵锋距洛阳城不到一百公里,国军就剩逃跑的本事了。

进了城,温义吩咐众人分组寻找,自己直接去了军校留守处。

第四章 天南地北一袋烟

一

温正命大,带着几十人从湖口逃了出来。

四七八团的散兵游勇,从敌人背后发动了几近自杀的进攻,日军在江上的两个师团张皇失措。他们以为中国军队在湖口与九江之间准备了一个大口袋,正要收口。另外日军对中国军队的装备水平早就研究透了,榴弹炮是中央军师级部队的标志。日本人顾不得进攻九江,一门心思要把背后的敌人消灭掉,其实他们是想突围。

温正的阵地设在江边一处悬崖上,易守难攻。他指挥三门榴弹炮拼命向敌人倾泻炮弹,江面上黑烟滚滚,也不清楚打中了几艘船。日军舰队掉头扑回来,巨大的舰炮给悬崖扣上了一顶烟火帽子,但如此一来更摸不清炮兵阵的位置了。打了半天,三门榴弹炮居然还有两门完好无损。日军慌了,到底来了多少中国部队?温正比日本人更紧张,一旦日军登陆,自己手下这点人马立刻就得报销。后来他发现悬崖的西侧有个小水坝,水坝后是一个小湖,湖的水位与江面形成了十几米落差,出水口距主水道只有一千多米的距离。他一不做二不休,命人在水坝上装上炸药,专等日军的登陆部队。

两个小时后,装满日兵的登陆船向阵地两侧靠了过来,日步兵登陆了。温正看准时机,下令起爆,惊天动地一声响,水坝垮了。

一道几米高的水柱冲了下去,顷刻间几十条登陆船全部倾覆,江面上飘起了许多小脑袋,那些人拼命挣扎着,甚至能听到他们垂死的哀号声。

几个月后,温正在广西听到了一个惊人的消息:蒋委员长为阻止日军

西进,炸开了花园口大坝,两个旅团的日本兵成了水鬼。当时他的部下纷纷惊呼起来,大家一致认为,蒋委员长是吸取了湖口的战斗经验,属于活学活用。

当时,温正拼命督促手下向水里射击,争取把那些小脑袋全部打开瓢。日军的第一拨进攻就这么结束了,江水染成了红色。负责观察的军官打来电话说,有些日本兵在水里呼救,到底管不管。温正大觉诧异,自开战以来还从没听说日本人服软的事,今天的太阳从西边出来了。温正马上命令救上几个来,问问情况。不一会儿,士兵们押着几个日本俘虏过来了。那些俘虏个个点头哈腰,满脸是死海余生的庆幸表情,丝毫看不出被俘获的沮丧。

俘虏们自动站成一排,温正背着手站在他们面前,严肃地问:"你们属于哪支部队?"

一个军曹抢着说:"长官,我们是大阪师团的,我们是皇军的精锐。"

温正几乎要笑出声来:"精锐怎么被俘虏了?"

俘虏们脸上还是不见丝毫的惭愧,军曹接着说:"长官,精锐也是人,赔点钱可以,不能赔了性命啊。"

温正简直不敢相信自己的耳朵了:"你们的武士道精神呢?"

一些俘虏面露鄙夷之色:"那是乡下人想出来的,我们是大阪人。"

温正拍了下脑门,想起来了,温义曾告诉过他,大阪师团是日军中最爱好和平的部队,这些人为了逃避上战场,宁可集体泡病号,丝毫不把皇军的气节当回事。他们的理想是做生意赚钱,绝不拼命,士兵们满嘴都是赔赚之类的话题。温正欣喜不已,大阪师团果然名不虚传,自己初上战场竟碰上了软柿子!

温正向手下的士兵喊道:"弟兄们,他们是大阪师团的,他们怕死,我们一定要把日本人打到江里去。"

日本军曹皱着眉说:"不必拼命!你们一开枪他们就跑了。"

此后,中央军逐渐把大阪师团的传说神话了,只要碰上硬仗,军官便会给部下们打气:"放心,对面是大阪师团,一打就跑。"士兵们只要听说是大阪师团,立刻就来了精神,往往能打出像样的战绩。

估计日军将领也清楚大阪师团徒有其表,两次冲锋后便改用舰炮轰击。舰炮威力强劲,不久,悬崖几乎要被炸塌了。此时,日本的登陆船也开了过来,温正把那个日本军曹喊叫到身边,指着登陆船问:"是你的兄弟吗?"

军曹拿着望远镜看了一会儿:"太好了,是戍原旅团的,用不着我们大阪人打冲锋啦。"

温正仔细看了看这个日本人,不知为什么,这家伙身上竟然有温义的影子,难道弟弟天生是个商人?

日军更换了进攻部队,战况越来越激烈了。温正率领部下死守阵地,并一再要求师部增援。战斗一直进行到深夜,榴弹炮成了废铁,阵地成了废墟。温正琢磨着,大部队就是爬也爬到九江了,便萌生了撤出战斗的念头。

日本军曹死活要见见他,温正把他叫过来。军曹说:"长官,别打了,你们快死光了,死了就什么都没了。你们向西南方向撤,东、南方向都有我们的部队。"

军曹的建议与温正的估计差不多,他打量着军曹说:"你什么意思?"

军曹说:"你们撤退,干脆把我们也放了,留着我们也没用。长官放心,我们不喜欢杀人。"

温正相信他的话,叹息说:"如果日本人都像你们,这仗就打不起来了。"

军曹说:"山里人爱打仗,他们穷,不打仗他们就得穷死。"

温正不愿意听这家伙发泄对穷人的不满,让手下人把他们放了,然后带领部队,向西南方向突围。

随温正跑出来的只有几十人,大家征用了民用车辆,连夜赶往九江。在九江,温正费了九牛二虎之力,终于找到了七十五师的部队。师长万万没想到,温正带着几百人抄了日军的后路,还打得有声有色。他大加赞赏,之后悄悄告诉温正:"我向上峰给你请功了,过几天青天白日勋章就到了。"

温正有气无力地说:"我的团打光了,我需要补充。"

师长说:"部队马上要赶往黄石,补充的事以后再说。"

温正急得跺脚:"九江呢?"

师长向外面指了指:"日本人又扑过来了,上峰命令,撤到黄石。"

温正明白,即使在黄石与日本人开战,自己也干不成什么了,他这个团长名存实亡了。抵达黄石后,国民政府做出了誓死保卫大武汉的架势,黄石云集了十几万大军。大战在即,温正只能当个看客,好不郁闷。好在苦闷没有维持多久,抵达黄石的第三天,他接到了调令,老部队希望他回去报到。

战争既可以毁灭梦想,也可以提供表演的舞台。仅仅几个月,杜旅长已经是师长了,师长大人希望调几个得力军官充实队伍,温正在名单上位列第一名。温正兴冲冲地跑到衡阳,见到了老上司。杜师长拍着他的肩膀说:"老弟,听说你在九江打得不错!鹞子迟早要回巢,二○○师就是你的巢。"温正

热泪盈眶,自己总算回到老部队了,总算又能见到心爱的装甲车了。

二〇〇师是中国的第一支机械化师,杜师长是首任师长,温正当上了五九七团的副团长兼参谋长。再一次见到战车,温正恍如隔世。

温正刚上任便传来武汉失守的消息,杜师长召集全体军官训话,张嘴就骂娘,他嚷嚷道:"前线那帮家伙都是饭桶!如果让我们师打头阵,半个月就能把武汉夺回来,娘的,全是白吃饭的。"

温正胸中热血沸腾着,他大叫道:"向委座请战!"

师长赞许地看了他一眼:"我给委座发电了,要求尽快把我们师调到前线,一定要打出二〇〇师的威风。"众人欢声雷动,大家声称回去就做战前动员。

战争是门艺术,下层军官难以领略艺术的奥妙。日军攻下武汉后就有了鞭长莫及的感觉,在宜昌附近连碰了几个钉子后,再也无力西进了。老婆是别人的好,孩子是自己的好,既然战线稳定了,蒋委员长当然不愿让精锐的二〇〇师和敌人硬拼。整整半年光景,二〇〇师除了日常操练之外,就没听到过枪炮声。

二

民国二十八年,冬天。日军在北部湾实施了登陆作战,目标南宁。日军企图截断国民政府的后路,彻底切断越南到广西的海上补给线。

登陆部队是日本陆军第五师团,号称钢铁之师。他们一路高歌猛进,浩浩荡荡地杀向南宁。温正的二〇〇师是中央军第五军的基干力量,他是装甲团的中校副团长,专门负责拟订战斗计划和实施战斗任务。日军登陆后他预感到大战迫在眉睫,于是事先做好了周密的安排。

不久,命令传来了,让他们从全州出发,驰援南宁。温正很是兴奋,作战指令与他估计的一模一样。此刻的温副团长兴奋莫名,终于可以开着战车上战场了。那时,杜师长刚被任命为第五军的军长,他发誓要带着大家打出个样子来。

在南宁南郊,部队与日军遭遇了。日军的第五师团早在日俄战争中就打出了名气,而第五军被杜军长自诩为铁军。这回是钢军碰铁军,火星撞地球。双方在高峰隘附近展开激战,打得是昏天黑地,血流成河。

战斗是温正的部队率先打响的,他指挥十几辆T26坦克和步兵,一碰面就给日军来了一个集团冲锋。

日军在中国战场上没碰上过机械化部队，面对迎面冲来的钢铁怪物，顿时乱了方寸。温正率部猛冲猛打，到后来居然发现周围一个日本兵都没了。他赶紧询问情况，这才知道坦克推进速度太快，步兵没跟上来，部队冲到日军后面了。温正骂了几句脏话想：这群不争气的步兵！他担心正面冲回去会遭遇日军的炮火，只得绕路返回阵地。温正刚带领坦克部队回到阵地，守在高峰隘的部队突然撤了下来。原来师长接到命令，要他们放弃高峰隘，退守昆仑关。

温正大怒，敌人没有装甲部队，一鼓作气就可以拿下来。师长在电话里说："地方军跑了，侧翼暴露了。"

温正只得跟着部队往后撤，南宁城失守了。

昆仑关是桂北门户，从这里可以直接进攻四川南部，也可以打进湖南。早在宋朝，大将军狄青就是在这一带消灭了南蛮的主力。

部队赶到昆仑关时，师长一屁股坐进路边泥潭里，好半天都没站起来。原来关上站着日本人，退路没了。部队只得在当地人的带领下，费了好大力气，绕到关口北侧的山地上，与日军展开对峙。

温正又泄气又窝火，拳打脚踢地赶走了几个勤务兵。当初他指挥杂牌军，从湖口跑到九江，从九江退到黄石，一路吃败仗，现在好不容易回了中央军，怎么还是到处吃瘪？日本人没有那么厉害，为什么要一退再退？

十二月三日，杜军长召开了前敌会议，温正也参加了。军长说："王八蛋的桂军满脑子是如何保存实力，他们出工不出力，怎么办？"上百名军官低头不语，场面好不沉闷。大家本希望保卫南宁，建立功勋，没想到一路退却，稀里糊涂地连昆仑关都丢了，再退下去就要进四川，连大后方都危险了。杜军长突然拍着桌子骂道："都给我抬起头来，我不愿意看你们的脓包相，说！咱们怎么办？"

温正挺身而出，含着眼泪说："抗战以来我没有和日本人打过一场痛快仗，退却，退却，退却，我够了。我不明白，为什么我连阵亡的资格都没有？这次如果再退却，我就不当兵了，我就是当土匪也要和日本人打上几仗。"

军长厉声骂道："什么混账话，胡说些什么？"杜军长嘴里是骂人，脸上却满是赞赏。他踌躇满志地在众人面前转悠了几步："昆仑关是兵家必争之地，不能落在日本人手里，大家都给我精神点儿。今天我给校长发电报。"

军官们都是一个心思：委座能听你的吗？委座他老人家能拿自己的亲军和日本人硬碰吗？这一次军官们算计错了，昆仑关的战略价值无法忽视，包

括蒋委员长。几天后,中央政府的军令部出台了全面进攻的计划,目标:拿下昆仑关。担任主攻任务的正是温正的部队。

温正亲自勘测了地形,当着团长的面指着山峰间的一处关口说:"日军会在附近高地布下重兵,以火力阻挡我军。但关口的正面开阔,适合装甲部队作战。我带着一营坦克正面强攻,步兵佯攻高地,分散敌人火力。"

团长叫道:"胡折腾!正面进攻?日本人能让你长驱直入?"

温正说:"他们断定我们没这个胆子,所以正面火力不会很强大。装甲部队干的就是强攻的活儿,难道让坦克和战车钻山沟?"

团长想了想,说:"万一把坦克打光了怎么办?"

温正指着自己的脑袋:"打光了我就不回来了。"

民国二十八年十二月十八日,昆仑关战役正式打响了。

总攻从炮兵开始,第五军的炮兵团率先开火,两个基数的炮弹全部倾泻到敌人阵地上。温正趁着硝烟未散,率领坦克营就冲了上去。

温家兄弟都聪明绝顶,温义碰上麻烦能想出歪点子,温正的才智只能通过战争检验,他是真正的将才。日本人根据经验,断定中国军队没有胆量正面强攻,所以把注意力都放到外围据点上,正面火力异常薄弱。另外日本人也没有估计到,对面的中国部队具备发动大规模坦克战的能力。所以坦克部队的一个冲锋就把敌人的阵地给冲垮了,坦克上的机枪就跟割麦子似的,一层层的日本人被扫倒了。温正的部队一口气杀进了昆仑关,几乎没碰上有效的抵抗。

温正占领城门之后,立刻用步话机向团长告捷。团长却在步话机里惊慌失措地喊道:"赶紧出来!快点儿出来!我命令你出来!"

温正不明所以,大好的战局为什么要出来?但他不敢违抗军令,只得命令坦克营往回开。刚刚退出城门,一股日军就从城外冲了回来。温正断定,敌人的增援部队到了。

回到阵地,温正冲团长喊道:"敌人的增援部队怎么进来的?"

团长说:"六十五团把五塘的阵地丢了,日本人的增援部队就进来了。幸亏我果断,要不你和你的坦克就出不来了。

又是被别人拖了后腿!温正在坦克的钢板上狠狠捶了一拳,打了敌人一个出其不意,可惜煮熟的鸭子却飞了。

早在昆仑关大战之前,罗敷的命运就出现了戏剧性的改变。

洛阳的陷落只是时间问题,罗敷做了最后一件事——给冯娜下葬。

日军占领了开封后,气势汹汹地向西杀过来。冯娜接到命令,要她买通开封的汉奸,确定日军的进攻方向。实际上军方有两个判断:敌人或者西下潼关,进入陕西;或者打通南阳,从东北方向威胁重庆。由于无法确定,任务便落到了女特务身上。

冯娜天生是干间谍的材料,她钱逼色诱,终于把日军的进军路线拿到了手里。冯娜给总部发报时,被汉奸撞上。据说双方展开了枪战,冯娜中了一枪,不知所终,估计是死在开封了。上司拿到情报,女特务的死活便没人关心了,只寄了张阵亡通知书了事。军方根据冯娜传回的情报,炸开了花园口大坝。汹涌的黄河水自天而降,不仅把日军的两个旅团变成了土王八,也让中原大地的数十万百姓遭了殃,一时间赤地千里,白骨露于野。

估计连冯娜本人都没有料到,自己的情报决定着几十万人的生死。即使她不死,万千鬼魂的诅咒也会让她不得安宁。

冯娜家里已经没人了,留给上司的地址是罗敷的,所以阵亡通知书落到了罗敷手上。罗敷只有这么一个好朋友,得知此讯,她立刻哭成了泪人。其实罗敷不仅在哭冯娜,也是哭自己。温义这个小冤家到底跑哪儿去了,怎么连个影子都没有了?万一日本人来了,自己又该去哪儿呢?

冯娜曾经和她商量过,如果为国捐躯,希望葬在老家安徽,她觉得自家祖坟风水好。如今冯娜的尸体都找不到,何谈运回安徽?罗敷希望给朋友一个交代,免得她成游魂野鬼,便托人在城北怀化寺附近买了一块地,为她立了座衣冠冢。

三

父亲去世一个月了,每每想到温义,罗敷的情绪由愤怒渐渐转成了失望。患难见人心,兵灾战乱的年代,谁还记得起远方孤苦伶仃的小女子?温义这个坏蛋,早晚不得好死!

城防司令以长辈的名义找到罗敷,进一步传达了副司令的美意。社会上风传,罗主任死了便失去了利用价值,副司令一家有意悔婚,另攀高枝云云。副司令担心坏名声对未来的升迁产生影响,于是请司令传话,尽快了结这件事。罗敷无路可走,思虑再三,只得同意了。

那时被日军称为支那虎将的卫立煌镇守洛阳,这位将军谨慎而严厉,治

军颇有一套,日军的几次西进都被挡了回去。正因如此,当时洛阳的局势还算稳定。副司令一家得了罗敷的准信后便开始积极筹备婚事,罗敷则天天盼着温义突然钻出来,所谓的婚事最好能当空蒸发。

副司令的儿子来过几次,立刻就爱上了她,展开了猛烈的追求攻势。准新郎是个令人作呕的奶油小生,罗敷奓拉着眼角都没瞧上他,但这家伙张嘴妈妈闭嘴母亲的,明显是个老实头。罗敷琢磨着,万一温义不见踪迹,嫁给他,以后也就有人可以随便欺负了。

一个月后,婚礼筹备得差不多了,罗敷的心也快死了。

婚礼的日期越来越近,温义依然不见踪影。罗敷产生了报复心理:你小子再不出现,我就抱着市长的公子不撒手,我气死你。

婚礼来了,副司令大办喜事,广邀宾客,在家门口挂出了迎娶烈士遗孤的横幅。罗敷听说后,心里老大不舒服,迎娶遗孤值得这家伙大张旗鼓地宣传吗?她明白,她就是副司令抗战期间官运亨通的吉祥物。

迎亲的车队来了,罗敷在楼上观望了许久。温义没有从天而降的迹象,看来神话永远是神话。后来新郎的玫瑰花送了上来,罗敷只得流着眼泪上了车,众人全当她在追忆父母。

命运这东西是个顽皮的孩童,有张不可琢磨的脸。张灯结彩的迎亲车队刚刚抵达酒店,日本人的飞机就跑来凑热闹了,巧的是防空警报失灵了。飞机老远看见了车队,兴冲冲地下了几个蛋,全部落在了婚礼现场。副司令和新郎当场被炸成了肉饼,罗敷兴奋地哭了起来,婚礼果然当空蒸发了。

婚礼让日本人搅和了,新郎的死让她暗自庆幸,但转念一琢磨,罗敷的火气又冒了起来,自己稀里糊涂地由遗孤变成了遗孀,今后的日子还怎么过呀?

生活总要继续,有些人的未来靠自己规划,有些人则是别人安排的。婚礼没完成,但名义上罗敷已是副司令的儿媳妇。副司令死了,但他老婆还健在,法律上她是罗敷的婆婆。在葬礼上罗敷见到了这位婆婆,那女人一对三角眼,满脸死灰色,站在丈夫的牌位前,眼睛怒视前方,似乎与每一个参加葬礼的人都有仇。罗敷在市政府为军校举行的欢迎宴会上,见过这个老女人。当时她并没发觉老女人的面目如此狰狞,可能是老公和儿子一死,女人的相貌自动变了。罗敷不敢与之对视,但老女人的目光无时无刻不在追随着她,令她感到浑身冰凉。

第一锹黄土落到棺材上,老女人哭叫着扑了下去,几名大汉合力才把她拉上来。那时罗敷就盼着,干脆把这老女人也埋了吧,埋了省心。此后坟地上空回荡起老女人高一声低一声的悲鸣,哭声凄惨,连附近树林里的乌鸦也全

都飞走了。

葬礼完毕,出于礼貌,罗敷跑到副司令家道别。她信口说,燕京大学与其他学校在昆明成立了西南联大,自己要南下去昆明,完成学业。其实她去云南的目的是为了寻找温义,即使不能破镜重圆也要啐他一脸唾沫。

"女人上学有什么用?"老女人端坐在堂屋中央,如一尊泥胎。那堂屋异常高大,说话都带着回声,"你应该搬到家里住。"

罗敷奇怪地说:"我现在就是住在家里。"

老女人"哼"了一声:"那是你的娘家,你现在是有婆家的人,你是我们家的儿媳妇。"罗敷端详着那张鱼皮似的老脸,她真想把这张面孔撕下来。老女人似乎明白罗敷的心思,冷笑着说:"为了娶你,我丈夫、儿子全死了,难道你就没有责任吗?"

罗敷冷冷地说:"他们是日本人炸死的。"

老女人好像没听见,不阴不阳地说:"听说你父母被打死的时候,你也在场。真奇怪,你的命怎么那么好?"

罗敷的眼睛里快喷出火来,她咬牙切齿地说:"难道日本人是我引来的?把我炸死你就高兴啦?"

"怎么说话呢?没规矩。"老女人瞪了她一眼,"昨天找了一个和尚,算了算你的生辰八字,原来你是一只白虎,天生的克父克夫,我怎么早没想……算了,你呀,碰上谁,谁倒霉,跟着我过吧,我看也没人敢要你了。"罗敷冷笑一声,转身就要走。两个肥壮的女人蹿了上来,一边站了一个,把她按住了。老女人道:"仆人去你家了,你的东西一会儿就运过来,伺候我,没你的亏吃。"

罗敷冷笑着说:"你就不怕我把你也克了?"

老女人似乎有答非所问的怪癖,她望着天花板:"在洛阳,我们家说了算。"

罗敷本能地想把老女人的脸抓成西瓜皮,然后再踩上几脚。其实她早听说了,副司令家三百年来一直是洛阳的名门望族。副司令死了,但他弟弟依然是保安旅旅长,还有个亲戚是法官。如果自己真的动了手,弄不好要吃眼前亏。

就这样,罗敷几乎是被婆家人扣了下来。她被几个人拉进婆家的后院,进了后院的门她就傻眼了。罗敷他们家有西化倾向,虽然父亲保守些,但家庭气氛还是比较民主的。婆家是三百年来的当地豪门,后院跟监狱差不多,就差铁丝网了。婆家的大院是前后三进的院子,十几名仆人,男仆人像打手,女仆们也生得虎背熊腰,估计是专门挑选的。这些家伙身量魁梧,胆子却

出奇的小,一水儿的低眉顺目,走起路来都像妖精,来无影去无踪。这情景让罗敷想起了《家》中的场面,作家笔下的大家族的确如此!

可能老女人年轻时被其婆婆压抑得太久了,如今她性格乖张,不可理喻。罗敷被押进婆家的当天,她命令儿媳妇在厨房里吃饭。罗敷大声抗议,老女人说:"这是我们家的规矩,吃饭时女人不许上桌。"罗敷来了个不抵抗运动,饭菜一口未动。晚上,女仆端来一盆热水,让罗敷给老女人送过去。罗敷不是吃素的,当场就把洗脚水泼到了院子里。老女人没有料到这个儿媳妇如此强硬,她干脆让人把罗敷反锁在房间,饿了三天。到了第三天头上,罗敷大白天里都能看见星星了。她暗自庆幸,幸亏副司令和准新郎让日本人给收拾了,否则进了这家,自己还能有活路吗?罗敷当然与这家没什么关系,她早设计好了,一旦有机会就逃出去,宁可做女特务,也不能死在这个坑里。

第四天晚上,老女人让仆人把罗敷放出来:"蹾蹾你的性儿,服了没有?"

罗敷垂着眉毛说:"服了。"

老女人这才允许她吃饭。吃饱后,女仆把罗敷带到堂屋里。老女人半躺在软榻上,手里举着一杆大烟枪。一见这杆大烟枪,罗敷的眼睛都红了,那是温义送给她的烟枪,怎么落到这老女人手里了?老女人让仆人走开,端着烟枪,欣赏着:"是个好物件!他们把你的东西送来了,没想到还有这么个玩意儿呢,是你父亲的吧?"

罗敷咬着牙,牙缝里发出咝咝的声音。这个万恶的老女人!日本飞机怎么没把你炸死?你要是敢用这支大烟枪,我就要了你的命。不知为什么,罗敷产生了一种即将被强奸的感觉,她浑身紧张,汗毛孔都张开了。

大烟枪在老女人手里陀螺似的转了几圈,然后指着烟灯说:"给我点上。"罗敷没动地方。老女人有些恼怒:"你爸爸抽烟的时候,你不伺候?没规矩。"说着她亲自剪下一条烟土,用烟扦子挑着,举到罗敷面前:"不许烤糊了。"

罗敷没抽过大烟,抽大烟的细节全是温义告诉她的。她左右看了几眼,房间里没别人,连门口都挺清净的。罗敷接过烟膏,在烟灯上转着圈地烤起来。老女人脸上是胜利的笑容,撇着嘴说:"我是老寡妇,你是小寡妇,以后啊,咱们的日子还长着呢。"

罗敷没心思搭理老女人,烟膏烤得差不多了,她把烟膏按在烟斗里,然后将大烟枪举到老女人面前。老女人半闭着眼睛,张着嘴,样子颇是受用。罗敷的手有点哆嗦,突然她眉毛一扬,手上一使劲,烟枪嘴直直地插进了老女人的嘴里。由于用力过猛,整支烟枪竟插进了三分之一。老女人的眼睛立刻鼓了出来,连耳朵都立了起来。她双手在自己胸口上乱抓着,却叫不出一个

字。罗敷手上不停地加着力,一个劲儿地往下戳。老女人嗓子里迸发出咕噜咕噜的声音,眼珠子开始充血,她甚至在自己脑门上狠狠拍了几把。

罗敷咬牙切齿地说:"我让你死个明白,这把烟枪是我的小冤家送给我的,不是你儿子。"说着,她又把烟枪杆插进了几分。

老女人左右摇晃着脑袋,身子突然就软了。

罗敷等了一会儿,见老女人再无动静,这才想起把烟枪拔出来。由于烟枪插得太深,罗敷费了好大力气,最后不得不单脚蹬住老女人的肩膀,使劲往下踹了几脚。随着烟枪脱离口腔,老女人的口鼻汩汩地往外冒血,估计是死了。罗敷想了想,干脆举起烟灯把帷幔和窗帘都点燃了,然后拎着大烟枪偷偷溜出院子,消失在茫茫夜色中。

四

温义把洛阳城翻了个底朝天,得到了不少杂乱无章的消息,最后温义都蒙了。有人说罗敷结婚了,也有人说罗敷在婚礼现场被日本飞机炸死了,还有人说婚后罗敷搬到婆家去了,但婆家发生了火灾,婆婆和罗敷一块儿烧死了。但也有人说罗敷去了西南联大,要完成学业,等等。温义的脑袋塞满了棉花,他努力寻找有用的线索。有一点他是坚信不疑的:罗敷没死!她敢死!

又过了几天,洛阳城越发混乱了,据说日军攻到了几十里之外。虎豹慌慌张张地跑回来,希望温义马上离开洛阳。温义发现虎豹腰里塞得鼓鼓囊囊的,奇怪地问:"你哪儿来的手枪?"

虎豹说:"买的,街上到处都是败兵,两块大洋就买一支手枪。"

温义点了点头,天知道会碰上什么事,有枪终归保险。温义下令,所有人都配上手枪,手枪难买,步枪也可以,配备齐全后到城北的怀化寺集合。

虎豹奇怪:"去庙里做什么?"

温义说:"我碰上军校的门房了,他说最后一次见到罗敷就在怀化寺,这是最后一条线索了。"

当天下午,温义带着手下人出了城。此时,他们已经全副武装,但洛阳城却是缴械了。据说温义前脚刚出城,日军就从南门杀了进来。

说不清怀化寺修建于哪个年代,天下的寺庙大同小异。由于战火迫近,和尚全跑光了,佛爷面前的香烛也灭了。温义带人搜寻了好半天,终于在后

殿找到个断了腿的老和尚。老和尚身有残疾,逃跑不便,徒弟们便把他扔下了。温义询问最近是否有姓罗的女施主前来,老和尚说:"前几天确是来了个女施主,在后山拜祭了朋友,还花钱挖了一个小坑。"温义欣喜若狂,给了老和尚十几块大洋,立刻带着人上了后山。

后山是片光秃秃的丘陵,几百座点缀其间的大小坟茔,如同脸上的青春痘。在来怀化寺之前,温义已不抱什么希望,但千里迢迢地来了,总得带回些线索,也算是给自己一个交代。众人在坟茔群里转悠了一会儿,虎豹叫道:"二少爷,这儿有个罗敷!"温义的心哆嗦了几下,他茫然地冲到虎豹身旁。果然有座新坟,碑文清晰:友冯娜之墓 罗敷立。温义在胸口上拍了几下,是罗敷给朋友立的,这么说她还活着。突然另一个手下大声道:"二少爷,这里还有个罗敷。"温义差点给他一脚,罗敷又不是开殡仪馆的,胡说什么?他从冯娜的坟边转过去,猛然发现冯娜坟头的后面立着个小坟头,巴掌大的小坟头前是块小木牌。牌子上赫然写着:罗敷葬于此地。温义的脑袋一阵晕旋,难道罗敷真的死了?人死了,居然埋在这么个小坟头里,也太寒酸了!虎豹伸手把温义扶住,小声说:"二少爷,天下哪哪都是女人,你要想开些呀。"

温义深深地吸了几口气:"这么小的坟头?这是闹着玩儿呢!"

虎豹嘿嘿笑道:"埋条狗也比这个坟头体面,要不……要不……"他忽然担心起来,动动嘴不敢再往下说了。

温义知道他要说什么,指着小坟头说:"挖开,我不怕报应。"

众人犹豫了一会儿,见温义决心已定,便七手八脚地干了起来。挖了一尺多深,坑里出现了一个锦盒。虎豹好奇心大起:"二少爷,坟里没人,这是什么玩意儿?"温义拾起锦盒,抽开一看,立刻就愣住了。锦盒里是一杆精致的大烟枪,就是自己送给罗敷的那支,烟斗上还拴着一条红绳。红绳颜色鲜艳,显然是刚埋下不久。

虎豹认识这杆烟枪,他似笑非笑地看着二少爷:原来那女人把你甩啦,连信物都不要了。温义呆呆地站了十分钟,他实在想不通,罗敷为什么把大烟枪埋在这儿,她人呢?女人的心,海底针,纵然温义聪明绝顶,也摸不透女人的心思。罗敷到底在玩什么把戏?

一个手下从坟地另一端跑过来,小声喊:"二少爷,膏药旗来了。"

温义吃了一惊,日本人来坟地干什么?

温家帮的年轻人向来不怕死,日本人来了,温义的手下不仅没有惊慌失措,反而想看看传说中的鬼子到底是什么鸟样。想当年几十名押运队员在山里和滇军的保安团碰上了,保安团见财起意,双方动了手。这一仗打了七天七夜,保安团死伤百人,硬是奈何不了他们。后来温家帮的援军到了,龙主席为了避免保安团被全歼,请土司出面讲和。温家帮出了一千两银子,算是给了省主席一个面子。

此时,大家跑到山边,躲在坟头后面观察动静。

夕阳挂在树梢上,天地间呈现出深浅不一的土黄色。远方山路上走来一群人,大约有五六百,统统是垂头丧气的样子。温义看得清楚,那些人穿着蓝灰制服,戴着圆顶军帽,是国军。国军的四周是几个身材矮小的日本兵,刺刀上挑着膏药旗,张牙舞爪的,能听见他们狗一样的吆喝声。这是支押送俘虏的队伍,看来洛阳城真的失陷了。虎豹在坟头上拍了一巴掌:"涮坛子,七八个人押着五六百人,撒泡尿也能把小鬼子淹死。这些个北方佬,看着高高大大的,全是吃奶的!"

温义并不奇怪,这种事他听得太多了。据说在南京,七个日本兵押着七千名中国俘虏去活埋,照样没人反抗。刺刀架在脖子上中国人也不见得敢还手,这是皇上太多的结果,皇军也带皇。

虎豹将手枪拔出来,跃跃欲试地就要冲过去。温义冷着眼说:"跟咱们没关系。走。"说完,他拎着大烟枪走了,众人只得跟着。

从后山下来要经过怀化寺的庙门。此时天色趋于暗淡,一行人在朦朦胧胧的暮色中摸下山。前方不远处就是庙门了,隐隐约约中有人影在庙门附近晃着。虎豹机警地挥了下手,众人立刻隐蔽起来。温义躲在一棵大树后面,露着半只眼观察。庙门开了,两个脚蹬马靴、身穿白衬衫的日本兵拖着个人出来了。温义还没看明白那人是谁呢,只见一个日本兵手起刀落,噗嗤一声那人就瘫在地上了。温义嗓子里咕噜了几声,是老和尚!老和尚的脑袋滚了过来。

"妈的,他们连和尚都……"虎豹闷哼一声,拎着手枪就要冲过去。温义死死拉住他的腰带,用眼色制止这家伙的鲁莽。那两个日本兵嘻嘻哈哈地掸了掸衣服,提着军刀走了。虎豹怒道:"我宰了他们!我一定宰了他们,我拿他们的脑袋当虎子(夜壶)。"

温义不动声色地说:"天黑了再动手。"说着他招手将狗子叫过来。狗子身手灵活,爬上十几丈高的大树跟玩儿一样。温义小声叮嘱他:"去看看,庙里有多少个日本人,都在干什么。"狗子应声而去。

虎豹呼哧呼哧地喘气,温义心里堵得慌,他不得不坐下,双手在胸口上揉着。

天黑后,狗子回来了。他说庙里有七八个日本兵,都在大殿上,没防备。温义满腔怒火,当初不是日本人津井川捣乱,没准儿自己和罗敷早结婚了。如果不是日本人一门心思要打仗,军校不会搬家,自己也犯不着大江南北地

瞎转悠。这回倒好，日本人连老和尚的脑袋都砍，对付这样的人只有一个字——杀。他将手下人分做两队，如果第一队出了问题，第二队马上接应。之后，他带着第一梯队，神不知鬼不觉地摸进了怀化寺。

<h1 style="text-align:center">五</h1>

　　暮色苍茫，大雄宝殿的阴影里泛着阴森的鬼气，飞檐下凹凸不一的木檩子活像干枯的腿骨。殿前的基座上坐着个日本兵，正抱着步枪打瞌睡。虎豹悄悄绕过去，一掌击在日本兵的后脖子上。日本兵翻了翻白眼，向后倒下，虎豹唯恐他摔出动静来，不得不用手托着，像放孩子似的把这家伙平放在台阶上。温义带着人蹑手蹑脚地上来，大殿基座上交叉立着十几支步枪。温义气得鼻子里直哼哼，这帮日本人太过骄横了！连枪都不要了！

　　他们溜到大殿门口，听得大殿里传出了男人高一声低一声的叫喊，细听还有女人的呻吟声。虎豹的脸都变成灰的了："奶奶的，当着佛爷的面干女人，这群畜生！"虎豹控制不住了，一脚把大门踹开，端着双枪就冲了进去。温义担心虎豹吃亏，向众人一挥手，大家呐喊着蜂拥而入。

　　大殿里坐卧着七八个衣衫不整的日本人，面对突然出现的十几支枪口，一律大眼瞪小眼，全蒙了。佛像前拉着两张白布帐子，帐子抖动得厉害，估计里面有人。虎豹不由分说，三把两把就把帐子扯开了。众人又是一惊，两个帐子里都放着行军床，床上坐着两个光着下身的妇女。有个日本军官一手提着裤子，另一手拎着把军刀。这家伙发现有人扯开帐子，顾不得裤子了，举起军刀嗷嗷叫着扑了过来。虎豹抬手一枪，军官的头颅就如焰火一样，噗的一下就喷出了红花。

　　此时，其他日本兵突然醒过神来，他们抓起能抓住的物件，凶神恶煞般冲上来拼命。几个押运队员立刻被扑倒了，其他人哪里见过如此不要命的物种？都有些不知所措。温义大叫道："别手软！开枪。"说着他砰砰砰地点射起来，其他人如梦方醒，这才想起手里还有枪呢。

　　日本人再凶悍也敌不过横飞的子弹，不一会儿，七八个日本兵就命丧黄泉，但三个押运队员也受了伤。战斗即将结束时，最让温义惊讶的一幕发生了，那两个光着下身的女人竟张着胳膊，跳跃着扑过来厮打，其中一个女人跃到虎豹的肩膀上，在他脖子上狠狠咬了一口。虎豹大叫一声，一抡胳膊，女人横着身子撞到佛像上。他怒不可遏地追上去，照着女人的脑袋跺了几脚，

女人立刻昏了过去。另一个女人则向温义扑过来,温义只得照她肚子上来了一脚,她捂着下身蹲在那儿,脸扭曲成了小包子。

虽然开了枪,但大殿里空旷,庙宇偏远,外面的人也听不到。收拾了日本兵,温义把那个女人拉过来,女人脸上惊恐,眼睛里都是仇恨。温义说:"日本兵强奸你们,我们是来救你们的,你们怎么连我们都咬啊?"

虎豹的脖子还在流血:"你们也就是女的,要不我把你们剁碎了喂狗。"

两个女人抱在一起,哇啦哇啦地说了不少鸟语。温义肚子里叫唤了几声:她们是日本女人?日本人怎么连自己人也强奸?

这时统领第二梯队的狗子跑进来:"二少爷,好像又有日本人来了。"

女人似乎听明白了,哇哇叫了几声,站起来就要往外跑。虎豹怒极,给了她们每人一拳,两女人当场昏了过去。虎豹说:"二少爷,怎么办?"

温义仰脸看了看佛像,鄙夷地说:"放火,咱们走。"

虎豹大叫道:"二少爷,这是庙,有佛爷。"

温义看了看黑暗中的佛像:"假的,全烧了吧。"

虎豹指着地面:"这俩女的呢?"

温义叹息一声:"一起烧,活着就该多嘴了。"

火烧了起来,顷刻间怀化寺笼罩在一片火海里,温义他们从另一条路跑了。跑了几里路,后面传来了枪声。好在他们惯走山路,转了几圈就把日本人甩了。

罗敷生死不明,温义他们不明不白地和日本人干了一仗。两年后,温义随着中央军到了缅甸,直到那时他才彻底搞清楚,日本女人都是有名分的,她们的学名叫做慰安妇,是代表天皇伺候日本兵的。后来他在缅甸战场也碰上过慰安妇,那些女人竟也嗷嗷叫着向中央军扔手榴弹,还炸死了不少人。

洛阳回不去了,他们只得一路南下,几天后到了南阳,不久传来了黄河决堤的消息。再找罗敷已经不现实了,温义公布了回乡路线,他们决定从南阳转道重庆,尽快回云南。温义不相信女朋友有生命危险,以罗敷的性格,绝不会坐以待毙,没准儿早就跑了。但她为什么把大烟枪埋在怀化寺里?似乎代表了恩断义绝。温义思虑良久,自己到底什么地方把她得罪了?

北上给虎豹蒙上了心理阴影,他是温家帮里最不怕死的,但他无法理解日本鬼子,一有时间他就拉着温义追问:"日本人为什么不怕死?咱们手里拿着枪他们还敢往上冲,日本鬼子的脑袋里全是烟土不成?"

温义几次试图向他解释武士道的含义,这家伙却根本听不懂。温义只得

说："武士道就是他们的烟土！他们的脑子里都是烟土。见了他们就开枪，什么也别想，明白了没有？"

虎豹愣愣地说："再碰上日本女人呢？"

温义说："女人一样能宰了你。"

虎豹摸着脖子上的伤口，猛然醒悟："我怎么忘了？女人也是人。"

重庆是陪都，云集了各色人等。大街永远如沸腾的红油火锅，动不动就会出现大打出手的场面。

随遇而安的人少不了朋友，温义到了重庆就听说来俊臣发了大财，于是派狗子送了张帖子，说温二公子求见来先生。两小时后，一辆德国轿车专程来接温义，司机特地给他的手下带来了犒劳品——儿大坛泸州老酒。

朝天门是重庆的水陆码头，汇集了当地最有名的馆子。来俊臣挑选了一家最豪华的酒楼，亲自在楼下恭候。温义从小车里钻出来，来俊臣迫不及待地拍着他的肩膀说："贤弟，天涯若比邻，我一直念着你呢。"

温义笑着说："听说您老富可敌国了，党国要员排着队拍您的马屁，我怎么敢不来？"

来俊臣在他肚子上来了一拳："发了财就变成腊肉了，苍蝇、蚂蚁、小虫子，哪一样都不会放过你。你们家也是块烂肉，想必比我更艰难吧？"

二人说说笑笑地进了饭店，偌大的厅堂却没有几个人，估计来俊臣把饭店包下了。

落座后，温义说："老兄果然有眼光，幸亏没把货底砸到武汉。"

来俊臣"哼"了一声："我开的烟馆是赔钱生意，主顾们都是些头面人物，我早知道这群废物守不住武汉。多亏老弟足智多谋，否则，我的货没准儿全归日本人了。"近几月，来俊臣利用他在枝江建立的烟土周转中心调配烟土买卖，现在完全控制了长江中游的烟土贸易。当初那些留在武汉观望的烟土商，大多也跟着大武汉一起陷落了。日本人也清楚烟土等于现金，他们干得绝，一律没收。

二人闲扯了些趣闻，跑堂的将热腾腾的火锅端上来。重庆火锅独步天下，除了人肉什么都可以扔到锅里。面对着一大锅翻滚的红汤，温义竟有些胆寒。来俊臣笑着说："你是西南人，还怕吃辣？"

温义说："我在北方的时间长，口味杂了。"

来俊臣道："重庆这地方太潮湿，辣嘴不辣心。"

二人吃了一会儿，话题落到自家的生意上。来俊臣忧心忡忡地说："东边

的生意不好做,云南情况如何?"

温义说:"别家我不清楚,温家帮的市场萎缩了一半。好在我们家离缅甸近,缅甸是我们的退路。"

来俊臣喝了一口酒:"英国人能答应吗?"

温义得意地笑了:"英国人最喜欢做生意。家父和英国总督联系紧密,嘿嘿,有朝一日我要把烟土运到伦敦去。"

来俊臣拍了下桌子:"好,有志气。"

六

来俊臣请温义住到了他家里,对温义的手下也是好吃好喝好招待。由于来俊臣盛情挽留,温义在重庆住了几天。虎豹在此如鱼得水,天天拉着弟兄们逛窑子。温义并不干涉,武人好淫,自古使然。来俊臣是真喜欢温义,他撇开生意不做,天天陪着温二少爷游览山城风物,吃尽巴蜀名食。后来温义执意要回云南,来俊臣又在朝天门的饭店为小兄弟饯行。

饯行酒总有几分伤感,好在他们都是豁达的人,喝到一半,兴致又起来了。日头西下,酒过六巡,来俊臣忽然说:"贤弟,如果当初不是你帮忙,我的生意可能陷在武汉了,现在我要还你个人情。"

温义说:"咱们之间还讲什么人情不人情的。"

来俊臣一个劲地摆手:"生意讲的是有来有往,有个事我必须得告诉你。嘿嘿,因为你要回云南我才敢透露的。如果你留在重庆发展,我还不敢说。"温义知道此时最好不要插嘴,索性便不言语。来俊臣压低了声音:"烟土税要涨到七百一担。"

温义叫了出来:"原来是二百,这不是明抢吗?"

来俊臣赶紧示意他小点声,说:"战事正酣,政府首要任务是筹集军费。烟土这东西比盐的利润高,他们自然要拿烟土行开刀。不过还好,这个事下个月才公布。如果咱们预交明年的税款,至少能省下几十万。纳税就是交保护费,交了保护费他们就不找麻烦了。这次咱们来个先交钱,把他们的嘴堵上。"

温义思索着说:"提高税率是政府机密,老兄如何知晓?"

"云南有云南的好,重庆有重庆的妙。"来俊臣对他并不忌讳,索性全说了,"朝中有人生意旺,禁烟局局长是我结拜兄弟。我预交了八十万的税款,正琢磨着是不是把后年的也交了呢。你现在马上通知你们家,现在交税,省钱啊。"

温义非常感动,来俊臣够意思,这条消息至少值几十万大洋。他当下把虎豹叫来,命他以最快的速度赶回云南,把消息传给父亲。

虎豹走后,宴席结束了。二人转到阳台上喝茶闲聊,阳台对面是雾色凝重的大江,星星点点的船灯穿梭往来着。江风寒冷,悲凉的川江号子时隐时现。温义心道:重庆的生活节奏太快,天都黑了还要行船,估计是战争闹的。

来俊臣喝了一口茶:"老弟,你们家干了几十年的烟土,没想过干别的?"

温义说:"我们家只会做烟土生意。"

来俊臣饶有兴致地看着他:"你是青年才俊,按说不应该,嘿嘿。"忽然他指着前方说:"看,那就是嘉陵江和长江汇合的地方。"

温义凭栏而望,依稀可以看出滔滔大水中有一条隐约的界线,一侧清澄,一侧混沌。船只在界线上漂来漂去的,浑然未觉。来俊臣走到他身旁,指着两江交汇处说:"清澄的是嘉陵江,浑浊的是川江,两条江的界线随便一跨就过去了。"

温义觉得他有意转行:"看来您不甘心?"

来俊臣说:"干这一行的,有几个甘心的?"

温义自豪地说:"我甘心,我们家也甘心。我父亲说,干什么都差不多,都是从别人手里抢钱,没什么不一样。"

来俊臣差点笑出来:"没错,咱们都是抢钱的。我想,时机一旦成熟,应该给自己披张羊皮。"

当时温义没理解来俊臣的意思,全当是说笑,不久便告辞了。几年后,他们再次相聚时,来俊臣退出烟土行,在新加坡创办了一家像模像样的公司,成了东南亚的华人楷模。

由于担心温家帮的经济蒙受损失,温义火速赶回云南。抵达昆明时梅校长正在张快家等他,梅校长是与虎豹等人一起来的。几人密谈了一个晚上,梅校长拼命追问涨税的消息是否确凿,来源是否可靠。温义拍着胸脯:"保证错不了,我和来俊臣是老关系,他交税的单子我都看了。"

张快说:"这人名声不错,没有必要骗咱们,税款也落不到他的口袋里。但涨税是大事,泄露了是杀头的罪名。如果咱们预先交,别人产生怀疑怎么办?"

"国家存在的意义就在于征税,早交得交,晚交也得交。咱们先把税交了没准儿能落个人情。如果观望,没准儿就要多出几十万了。"温义轻蔑地说,"人嘴两张皮,他们愿意怎么说就怎么说,把钱省下是最重要的。"

梅校长同意他的看法:"温帮主也有这意思。我把钱带来了,咱们明天拜

会张局长,顺便你们也交个朋友,将来或许有用。"

梅校长德高望重,他说话了,基本上就定了。

张局长是云南省禁烟局局长,禁烟局是专门向烟商征税的机构。温家帮与省政府关系紧张,但禁烟局却是中央的下属单位,与省政府没有隶属关系。梅校长、温长生和张局长是老相识了,关系还算融洽。温义在路上打探局长为人如何,张快笑着说:"快人快语,特别健谈。"

梅校长是张府常客,几人在仆人的带领下直接进了客厅。在门口温义看见一个大白胖子正躺在罗汉床上吞云吐雾,床中央是张红木小桌,桌子上放着烟盘子、烟膏,烟灯燃得正旺。大胖子四脚朝天,烟雾几乎把整个人都罩住了。温义心道:这家伙就是禁烟局局长?居然这么明目张胆地抽大烟?梅校长上前,哈哈笑道:"张局长,好安逸哟!"

张局长双手伸向天空,使劲在空气里抓了几把。仆人赶紧跑过来,用肩膀死死顶住他的后背,局长大人才勉强坐了起来,捧着肚子喘息:"老梅,哪股香风把你吹来啦?"他看到梅校长身后的年轻人,眨着眼睛问:"这位是?"

梅校长坐到罗汉床的另一侧,亲热地说:"温家帮的二东家,刚从北方回来。"

"原来是二公子,好,好!"张局长上下打量着温义,赞叹着说,"真年轻!你们温家帮后继有人了。来,大家抽一口,有桂花香的,也有茉莉花香的,原味的也有,这种烟土是你们温家帮的。"

梅校长哈哈笑道:"局长知道我们温家帮的规矩,种茶叶的人舍不得喝茶,我们也舍不得抽。"

"好,好,温家帮向来不同凡响,在云南,你们是头一把交椅。哈哈。"张局长叹了口气,语重心长地说,"看到你们,本人万分欣慰。我何尝不知,烟毒百害,吸食上瘾,时间一长就必成废人。"温义睁大了眼睛,这家伙难道要宣传戒烟?张局长挥舞着烟枪,慢悠悠地吸了一口,"但是呢,利害相循,福祸相倚啊。最坏的事,往往也有好处。嘿嘿,烟的功用啊,我倒总结了几个字,你们看看是否在理?"梅校长和温义立刻做出副聆听教诲的样子,张局长高兴了:"也没什么,只有九个字:祛小病,伴寂寞,助思考。"

梅校长似笑非笑,不知道该如何应对。温义担心破坏了局长的兴致,赶紧说:"哦?请局长大人明示,这九字做何解释?"

局长爽朗地笑了:"多用脑筋,年轻人,你想想,一旦患了伤风之类的小病,吸上几口烟,立时可愈,根本就用不着吃药。闲极无聊时,心思苦闷,尤其是风雨之夕,故人不来,也只有挑灯作伴了,就当是美人吧。另外我们这些做官的,是要治人的,人这东西最难整治,为官者最耗脑力。我发现,研究问题

时,思想一旦滞涩,吸上几口烟立即心花怒放,左右逢源,可助思维,什么样的困难都能迎刃而解。当然,烟土的功用终归还是很小很小的,害处不能忽视,我们应该把它彻底禁绝,收税就是调剂手段。"说着,局长大人指了指温义,"特别是年轻人,千万不能沉湎于此啊。"

温义半躬着身子:"局长教导,焉敢不铭记在心。"

众人又说笑了一会儿,梅校长提出了预交税款的事。张局长听得目瞪口呆,把大烟枪都放下了:"往常你们是能拖就拖,能不交就不交,今年如此积极,为何?八十万的税,即使温家帮富可敌国,这也……这也太……"

梅校长顿时语塞,温义脸不变色地说:"局长,今年情况与往年不一样。国难当头,匹夫也不能无动于衷。我刚从北方回来,其景象不忍目睹啊。虽然我们是烟帮,但有责任为国家尽一份力。我哥哥是中央军,在前线浴血杀敌。我们在后方的人,向国家多交些税,多买些武器,支援抗战,尽爱国之情啊。"

梅校长不得不多看了他几眼,他心里跟明镜似的。温义是个小滑头,这些全是胡说八道。但这些话冠冕堂皇,天衣无缝,还大义凛然。多收税总是好事,张局长立刻答应:"好,那就交。我在上司面前给你们说好话,精神可嘉!"

离开张公馆,温义笑着说:"这家伙真能装蒜,抽大烟还能抽出理论来。"梅校长说:"做官的人都有这个本事,其实你本事也不小。"温义哈哈地笑起来:"我是您的学生。"

温家帮交了八十万大洋的税款,云南禁烟局认为这是爱国烟商支持抗战的壮举,就把这个事捅上了报纸。报社大肆宣扬,一时间温家帮又成了昆明人议论的中心,大家说温家帮不是卖大烟的,他们是在自己的地界发现银矿了。

七

温义在昆明歇息了两天,一来想让父亲消消气,二来也想看看烟土税到底涨不涨。张快报告说,昆明找不到制造白粉的技术人员,据说上海租界里有这样的人。温义说:"请,只要技术过关,条件随他提。"张快想不明白为什么他对白粉的事如此感兴趣,他们家的烟土销路不是很好吗?温义说:"长江后浪推前浪,前浪是一定要死的。烟土迟早会被白粉淘汰,现在不下手,难道等着别人来杀?"

在昆明等了几天,并没有烟税要上涨的传闻,温义留下虎豹继续打探消

息,自己和梅校长回温家帮了。

云南是个大省,从昆明到温家帮的势力范围要走七八百公里,全是山路。他们从昆明出发,西走大理,然后折而向北。快到洱源时,虎豹快马加鞭地追了上来。见到温义,这家伙乐得嘴都合不上了:"二少爷,你为咱们温家帮立了大功。"大家停下来询问原因,虎豹眉飞色舞地说:"你们走了没三天,重庆的通知就下来了——即日起,烟土税每担二百块涨到七百块。"

众人拍手相庆,梅校长问:"帮主知道了吗?"

虎豹说:"张记者给帮主发了电报,估计咱温家帮正准备欢迎仪式,给二少爷庆功呢。"

温义赶紧表示谦虚,对梅校长说:"我把二十个弟兄带北方去了,父亲不骂我,我就知足了。"

梅校长掐指算了算:"你这一去为温家帮节省了二百万,怎么说都是好事。"

众人不自觉地加快了行程,几天后,一行人进入了温家帮的地界。温家帮最南端的卡子设在怒江峡谷的入口,离马吉三十里地。峡谷两侧悬崖林立,山壁如同刀削,峡谷中是咆哮奔腾的江水。怒江与山崖之间是一座石头关口,远远望去,颇有雄关如铁的气魄。温义的马队刚冲进峡谷,梅校长勒马停住了,他指着远处的关口,满面疑惑地问:"怎么?"温义等人同时向关口望去,只见城楼的飞檐挑了一条长长的白绫子。众人心下一沉,这是给谁挂的孝呢?

关上的人看到了他们,有个押运队员挥着胳膊叫道:"二少爷回来啦,是二少爷。"关门大开,帮众们风风火火地跑了出来,为首的人手托白绫子,一路狂奔着,有几次差点摔下江去。

温义迷迷糊糊地下了马,念叨着:"谁呀?谁?"

此时帮众冲到近前,手托白绫子的人是老鸦。他咧着嘴道:"二少爷,赶紧戴上。"说着他把白绫子系在了温义腰上。

温义揪住老鸦的腕子,心惊肉跳地问:"谁?到底是谁?"

老鸦苦着脸:"是大少爷!"

温义一抖胳膊,老鸦让他甩了个趔趄:"放屁,我大哥比牛都结实,你怎么敢咒他?"

老鸦急得直跳脚:"我怎么敢咒大少爷?我怎么敢咒大少爷?"

梅校长的身体在颤抖,嘴唇也在颤抖:"你……你……你把话说清楚,温正到底怎么了?"

老鸦抹了把眼泪说:"昨天县衙门送来阵亡通知书,咱家大少爷在广西昆仑关战死了。惨,还不到三十岁呀！"

扑通,扑通,温义和梅校长同时栽倒了。温义四肢僵硬,眼珠不转了,大哥怎么会死呢？他也太不小心了！梅校长纯粹是心疼女儿,他趴在地上大哭起来:"我的女儿,怎么等了个死鬼？命苦啊！你真命苦……"

虎豹等人还算清醒,急忙把二人扶了起来。老鸦顺手把麻袋片给温义披上了,温正没子女,戴孝的事只能弟弟代劳。温义心思恍惚,愣愣地问:"什么昆仑关？我怎么没听说过？"

老鸦说:"好像在广西。二少爷,老爷两天水米没进,八个女人轮流看着梅小姐,就怕她寻短见。这关口你一定要挺住,上上下下都看着你呢。"

温义不得不马上整理了情绪,尽量让自己稳定下来。梅校长突然跳了起来,翻身上马,口中叫道:"不行,我就这一个女儿,就这一个……"话音拖出长调,马已经飞出去了。

大家不敢耽搁,纷纷上了马,一溜烟冲向马吉。

温家的庄园建在马吉之外的半山腰上,独立而威严,如今房子罩上了白纱,又多了一层诡异。

众人冲进温家庄园,客厅已经布置成了灵堂,温正的军官照装点在百花丛中,照片上方是一个巨大的"奠"字。一群仆人张皇地站在大门两侧,没人哭,也没人敢说话。

温家没女眷,温夫人去世多年,温长生不缺女人也不愿意续弦。此时他端坐在灵堂门前的台阶上,视线之下是奔腾的怒江水,背后是白纱飘舞的灵堂。温长生的心情正如这滔滔江水,咆哮无尽,愤怒不止。据说他在这里枯坐了两天,自从拿到阵亡通知书,他就一直这么坐着。灵堂是老鸦等人安排布置的,大家曾想给帮主铺块垫子,但谁也不敢开口。老鸦他们不敢走近,只得远远守着。后来他觉得有必要迎一迎二少爷,于是就去了关口。

温长生表面平静,但一刻也没有停止思考。他想不通,战争离云南远着呢,儿子又是高级军官,高级军官为什么还要冲锋陷阵？他是厉害的角色,根本不相信战争那东西胆敢自己找上门来。但如今阵亡通知书来了,战争似乎一下子就打到了温家帮门口。温长生对两个儿子的感情是不一样的,对于温义,他完全是溺爱,也没指望他能怎么样,由着他折腾。对于温正,他向来严厉而苛刻。大儿子是家族的希望,温家帮的将来担在温正的肩膀上,包括他弟弟温义的前途。这些年来他一心想把大儿子塑造成铮铮铁汉,结果大儿子的确成了汉子,但这条汉子并不愿意为温家帮卖命。

灵堂里传出了女人的哭声,温家没有女人,肯定是梅兰。这孩子终于哭了出来,哭出来就好。想起梅兰,温长生更难受了,怎么向这个孩子交代呢?人家苦等了十年,难道就是在等一张废纸吗?想来想去,温长生觉得党国和日本人完全是一丘之貉,都应该踹进怒江,让他们直接滚进大海。

马吉的正路上传来一阵喧嚣声,十几匹快马跑了过来。温长生没动声色,他估摸着,应该是温义回来了,梅校长也回来了。

马已经吐白沫了,几乎要摔倒。梅校长从马上滚下来,三步并两步地冲向山坡。温长生只得站起来迎接,梅校长揪着他的袖子道:"梅兰呢?"

温长生向灵堂看了一眼:"你快去劝劝,我不知道该说什么。"

梅校长叹息一声,甩着手进了灵堂。随后温义也到了,他扑倒在父亲面前,痛哭失声:"爸,没准儿他们搞错了,我琢磨着我哥哥没死,他死不了。他们不是连尸首都没找到吗?要不,我去昆仑关看看。"

温长生突然暴怒起来,抬腿把小儿子踹翻了,骂道:"胡说八道,那是战场,你也想找死吗?"

温义依然不信:"我大哥是开坦克的,哪儿那么容易死啊?"

温长生无奈地将小儿子拉起来:"他们说,你大哥的坦克从悬崖上掉下去,直接掉到江里了,炸了,那还能有个活吗?你,赶紧给你哥哥烧几张纸,今天晚上,你守灵堂。你得好好想一想,好好想一想。"

温义哽咽着点头,却不知道父亲希望自己想什么。此时灵堂中又冲出来一帮下人,他们七手八脚地为他戴上白帽子,穿上白裤子,不一会儿温义就变成了一副孝子装扮。

八

梅校长把女儿拉进后堂,估计是要说些开解的话。温义在老鸦的指点下,烧纸、焚香,又哇哇地大哭了一阵子。哭到中途,他忽然觉得照片上的温正活过来了,那模样正是得知弟弟用战车掩护烟土运输时的尴尬,温正瞪着他,一脸无可奈何,眉宇间还有几分委屈。温义忽然觉得有点可笑,大哥从来都是一本正经的,连阵亡都亡得毫无情趣,他这辈子呀!

老鸦把温正的遗物都拿了过来,遗物里有两枚没有佩带过的青天白日勋章。据说温正在昆仑关不仅身先士卒,还曾指挥手下打死了一个日军少将旅团长,是国军的骄傲。温义抚摸着哥哥留下的东西,心里想,骄傲又怎么

样,还不是死了。如果你当初跟着我回温家帮,什么事都没有,大家一起做生意,多好啊。

当天晚上温义强忍着悲痛,将昆明税款的事禀告父亲。温长生沉浸在白发人送黑发人的悲痛中,仰面叹息:"什么党国,什么民族,胡扯蛋!你哥哥要是把心思放在家业上,有了你们两个,咱们温家帮必定兴旺发达。"

温义撇着嘴说:"我还是想去昆仑关,我不信。"

"不信什么?"温长生又把脚抬起来了。实际上他从来没打过温义,挨打的都是温正,今天他真想把小儿子狠狠揍一顿:"从现在开始,不许你离开温家帮半步,咱们温家不能断子绝孙。另外,等给你哥哥办完了丧事,你就和梅兰结婚。"

"什么?"温义的头发立了起来,和梅姐结婚?难道父亲是伤心过度,神志不清啦?自己没听错吧?

"我再说一遍,你和梅兰结婚。"温长生一字一顿,面色如铁,看不出任何商量的余地。

"可,她是我姐姐。"温义又哭了出来,他一直把梅兰当姐姐看待,父亲的决定他实在不能接受。

温长生垂着眉毛,口气没那么严厉了:"她不是你的亲姐姐,咱们温家欠梅家的太多,只能让你来弥补。"说完,温长生又看了看灵堂上的照片,转身进了后堂。

温义愣愣地站在当地,他来弥补?拿什么弥补?

温家并不是土生土长的云南人,最早是江苏人。但二百年前,他们家是从缅甸悄悄溜回来的。再早,温家是永历皇帝的坚定追随者,一心要恢复大明的天下。后来永历皇帝让吴三桂勒死了,温家卧薪尝胆,逐渐成了缅甸的权贵。再后来缅甸发生动乱,温家也卷了进去,险些被灭门。动乱之后他们不得不又跑回云南。温家的祖上看透了世态炎凉,明白国家这东西是万万招惹不得的,招惹了就倒霉,于是祖上规定,温家人不做官,只赚钱。

由于身世离奇,他们家特别重视教育,唯恐被人算计。所以温长生的文化程度颇高,梅校长是他在昆明求学时的同窗好友。后来温长生开始执掌温家帮,梅校长则当上昆明一所中学的校长,在云南的教育界前途无量。温长生一心要在温家帮普及教育,就找到了老同学。梅校长本不愿意来,但温长生又是答应给股份又是套交情,后来半拉半骗地把梅校长弄到了滇西北这个荒蛮之地。所以温长生对梅家一直心存歉疚,总想找个机会报答。好在梅校长来了不久,竟然把这里当成了世外桃源,几年后干脆把家人都接了来,落地生根。温长生的心理压力这才有所缓解，他干脆让梅校长参与了温家帮的日常事务，实际上让他主管着温家帮的财务，是温家帮的二当家。

至于温正和梅兰的关系，一方面是他们情投意合，另一方面也有温长生竭力撮合的功劳。现在温正阵亡了，温长生没办法向梅校长父女交代，特别是他的确喜欢梅兰这孩子，想来想去，最后决定让温义顶替哥哥，绝不能亏待了梅家。

在他看来，梅兰岁数大些更好，岁数大的女人知道疼人，岁数大的女人稳重。另外他实在找不到其他的补偿办法。唉，都怪大儿子命短，不，都怪他不听自己的话。

军方没有把温正的灵柩送回来，据说坦克坠下山崖时发生了爆炸，温家只得为温正立了一座衣冠冢。出殡当天，梅兰在山路拐弯处一头冲了下去，下面就是悬崖。多亏了虎豹等人在温长生的安排下，事先在悬崖下布了网，梅兰落到了网里。温长生拉着梅校长再三叮嘱，不能带梅兰去墓地，让他一定要以父亲的身份看住女儿。梅校长说："我死，也不能让她死。"

路上，温义扛着哭丧棒，发着狠说："爸，我不能和梅姐结婚，我心里别扭，这事不行。"

温长生说："你不是没找着你那个女人吗？弄不好早死了。"

温义说："这事和罗敷没关系，我是觉得对不起我哥哥。"

温长生摇了摇头："傻孩子，梅兰死了就真是对不起你哥哥了。咱们家要给梅兰一个交代，你哥哥不会怪你的。你梅姐这十年来又伺候我，又伺候她爸爸，多不容易啊，你要好好待她。"

温义不敢和父亲吵架，只得翻了翻白眼。

丧事办完了，温长生请梅校长喝酒，想把自己的计划挑明。酒菜刚刚摆上来，温长生和梅校长还没有落座，老鸦匆匆跑了进来："老爷，二少爷不见了。"梅校长一惊，温义这孩子总有出人意料的举动，他又干什么去了？

温长生冷笑一声："不要理他，早料到他有这一手。老梅，咱俩喝酒。"说完，他拉着梅校长坐下。

老鸦满心疑惑，二少爷是温帮主的心尖儿，他怎么不着急呢？

喝了几杯酒，温长生把自己的计划摆到了桌面上。梅校长连忙摆手道："使不得，他们俩是姐弟相称，梅兰心里只有温正。"

温长生跳着脚嚷嚷："现在温正阵亡了，死啦，难道你想让女儿守一辈子活寡？"

梅校长自然明白他的心思，他终于清楚温义为何要逃跑了。梅校长苦笑着说："我何尝不愿意？难道我愿意女儿远嫁他乡，找一个不知底细的人？留在温家帮自然最好，但婚姻的事，父母不能独专。如果孩子不同意，你我就只能靠边站了。这不，温义跑了吧？老兄，这个事再说吧。"

温长生坐直了身子，胸有成竹地说："跑？我看他能跑到哪儿去？"

他的话音未落，客厅的门就开了，虎豹和几个押运队的人员抬着温义进来了。温义被人绑在担架上，众人把担架往地上一扔，温义被摔得直翻白眼，嘴里一个劲儿地骂人。梅校长吓了一跳，跳起来就要给温义松绑，温义嘴里不依不饶的："好你个虎豹，你小子等着，你等着。"

虎豹歪着嘴说："二少爷，是老爷让我们在半道等着你的，你不能怪我。"

"怪我。"温长生将梅校长拉回来，然后背着手走到温义面前，"想跑？跑了你就别再认我这个爹了。"

温义说："爸，梅姐是我姐，我不能和她结婚。梅叔叔，您劝劝我爸。"

梅校长尴尬透顶，真想一走了之，这叫什么事啊？温长生铁青着脸，靴子尖顶在小儿子的脑袋上："温家、梅家，世代交好！从现在开始，温家帮要筹备婚事，这个事我说了算，不能拖。谁要是不同意，我就死给他看。"说着，温长生猛然转身，把挂在墙上的一杆大烟枪抓了下来，咔吧一声撅成两段，扔到温义面前："看见没有？想让你老子活着，就得听你老子的。"

没人敢说话了，温义的额头在地板上狠狠撞了几下。

抗战进入了所谓的相持阶段，温家帮的多事之秋也开始了。大公子的葬礼刚刚结束，数千帮众又忙着筹备二公子的婚事。帮众无论如何也提不起精神，一股迷茫的情绪笼罩着马吉。

温正离家太久，大家对阵亡的大公子没多少印象。温义平时没有少爷架子，出手也大方，最近在他的谋划下，温家帮已经打通了缅甸的烟路，又节省了不少税款，所以温家帮上下对温义的感情深厚，都盼着他顺利接班。当然，作为嫡长子的大少爷终归是死了，怎么说都是温家帮的损失。

说到缅甸烟路，温长生接受了二儿子的观点，温家父子几经筹划，几次入缅，缅北的英国当局几乎全被他们收买了。如今温家帮的烟土能一路畅通地进入缅甸，英国人不仅采取了不闻不问的态度，甚至还暗中帮忙。由于战争的关系，温家帮在东部和北方遭受了严重损失，正是由于开通了缅甸烟路，其损失远比其他烟帮轻。

几天后，温长生收到了张快的电报。有人把温家帮预交税款的事捅上了报纸，如今昆明城上下一片喊打声。人们群情激昂，认为温家帮以不法的手

段窃取了国家的税收政策,大量逃税,是挖抗战的墙角。张快希望帮里想办法平息这事。温长生将电报摔在桌子上,怒骂道:"妈的,前一阵子报纸说咱们是爱国商人,说咱们预交税款是为抗战添砖加瓦,怎么没几天咱们就成挖墙角的了?"

虽然温义不赞同婚事,但帮里的事他不能不问:"何必跟小市民计较?报纸上说什么,他们就信什么,我们全当没那回事。"

梅校长不大同意,他认为舆论的力量不能小视,或许是某些行动的信号也说不定:"应该让张快买通几个写手,买些报纸版面,替咱们辩解。如果咱们不出声,就等于默认了。"

梅兰恰巧也在客厅,皱着眉说:"难道咱们真的事先得了消息?"

温义明白,父亲和梅校长不希望梅兰知晓实情,立刻说:"重庆要涨税,咱们在云南如何得知?不要说咱们,就是云南省禁烟局局长也不见得清楚这事。当初父亲先交税,无非是为了省事。"

温长生和梅校长长地出了口气,梅兰满脸严肃地说:"这还差不多,你大哥要是知道你们成心逃税,一定会生气的。"

温义咽了口唾沫,在梅兰面前,他始终有股抬不起头的感觉,好像自己是个逼婚的无赖。至于梅兰是怎么想的,谁也说不清楚。自从梅兰得知父亲和温帮主把自己许配给了温义,居然没有任何表示。

九

当天夜里,温义忐忑不安地在学校附近转了半天,却始终不见梅兰露面。后来他索性跑到楼上,敲开了梅兰的房间。

见了面,温义便气急败坏地说:"梅姐,我是一直把你当姐姐的,结婚不是我的意思。"

梅兰无声地走到楼道门廊边,下面就是夜幕中的怒江水。温义亦步亦趋地跟着,活像个小学生。梅兰背对着他说:"你不是喜欢罗敷吗?"温义在黑暗中点了点头,梅兰仰望天空,幽幽地说:"或许她也在找你呢。"

"我找了,找不到。"温义喉头有点酸。

"如果她死了呢?"梅兰的眼睛闪闪发光。

温义仔细想了想:"她要是死了,我会伤心。但我还要活下去,我不能让我爸再伤心。"

"你哥哥本来有机会回头,可他不肯。"梅兰忽然笑了一下,"你哥哥心里的头等大事是国事,你呢,是家事。你们俩可真是亲兄弟。我一直怀疑,即使我真的嫁给汉奸,你哥哥也不会回来的。"

"他保证回来,你就是不听我的。"温义说。

"他一定会在未来的审判中出庭作证,看着我被枪毙,然后永远地生活在痛苦中。"梅兰眼望远方,似乎她说的一切都已经发生了,她自己正面临着被枪毙的命运。温义不由得哆嗦了一下,梅兰摇了摇头:"你们兄弟,都不把女人当回事。"

温义没心思胡扯那些乱七八糟的,他揪着梅兰的袖子说:"梅姐,你得答应我一件事。"梅兰不说话,温义不顾一切地说:"跟我成亲吧,千万别寻了短见。我爸爸和你爸爸都看着咱们呢,他们都那么大岁数了。"

"成了亲,又当如何?"哇的一声,梅兰趴在栏杆上哭了起来,长发在江风中扑散开来,如一面旗帜。温义的眉毛哆嗦了几下,梅姐一直没断了这个心思啊!他走过去,把手放在梅兰肩膀上:"梅姐,乱世莫诉儿女情。如今是乱世,咱们什么也改变不了。我哥哥死了,我的女朋友又找不到了,咱们都别太认真了。"

"人生如戏!"梅兰忽然笑了出来。

此后几天,筹备婚事成了温家帮的头等大事。帮众们走马灯似的穿梭于滇西北各地,温长生要广邀宾客,大肆操办。他不仅邀请了西南地区的所有烟帮和土司,还邀请了远在缅甸的豆敦。

这天上午,一辆汽车开到了温家帮的南部关口,车中人要见温长生。由于帮内的道路不适合汽车行走,车上人不得不弃车上路。关上的守卫们用滑竿把那几个家伙抬到了马吉。温长生得到消息,顿时吃了一惊,立刻将儿子和梅校长等人请了来。大家在温府客厅碰了面,温长生上来就说:"张局长来了,这是怎么回事?"温义和梅校长相互看了一眼,心想这家伙怎么跑到温家帮来了?

局长大人来者不善,三人只得在温家干等着。半小时后,虎豹跑进来,温长生询问局长大人何在。

虎豹说:"犯烟瘾了,半路上正抽着呢。"

温义又问:"你没有打听一下,这家伙来干什么?"

虎豹"哼"了一声:"我倒是问了。局长说好久没见温老板了,顺路来看看。"

"放他娘的屁!"温长生的脸立刻拉了下来。温家帮北面是藏区,东部是深山,西面没多远就出国了,顺路怎么可能顺到温家帮?虽然他和张局长是

老相识，但所有商人都知道和现任官员成为朋友，不过是狼狈为奸的幌子。

梅校长捻着胡须道："黄鼠狼给鸡拜年，不会有什么好心。估计咱们没有把握住左右舆论的时机，没准儿是兴师问罪的。"

虎豹梗着脖子，喊口号似的说："溪流归大海，屎尿进茅坑，谁敢把咱们温家帮怎么样？大不了捏死他。"

温长生和温义在心里同时叫了声"好"，梅校长的眉头却锁成了疙瘩。温长生说："老梅，万一谈翻了脸也不怕。上次在保山，一支押运队打跑了一个团的滇军。如今在咱们温家帮的老窝里，他滇军就是派来两个师，也不见得能讨了便宜。"温长生从不吹牛，温家帮的部队不仅装备精良，士气高昂，而且马吉附近到处都是悬崖峭壁、堡垒机关，外人插了翅膀也飞不进来。温义也说："梅叔叔，您就放心吧。我是军校毕业的，最近一直在抓训练，押运队的枪法比我的同学还准呢。"

温长生扭脸冲虎豹说："你知道就行了，不许对人家无礼。"

梅校长不便再说什么，小小的禁烟局在温家眼里的确算不得什么东西，温家帮连云南省主席的账都不买，何况是他们。

众人谋划了一会儿，有人报告说张局长一行人快到学校大门了。无论怎么说，人家是政府官员，民不与官斗，温长生决定率领大家迎接，他们刚出温家，就看见张局长一行人气喘吁吁地上来了。

温长生急忙上前，拱着手说："局长大人，不是来游山玩水的吧？"

张局长捧着硕大的肚子，一个劲地摇头晃脑，汗珠子甩了一前胸："温老板啊，这路太难走了，哎呀，幸亏是温家帮的烟土好啊，我半路上抽了几口，质量和南土不相上下，否则我还真上不来。"

温长生赔着笑说："有您这样的烟客，我们怎么敢懈怠？来，在舍下，我让全云南最好的挑膏匠伺候您，保证让您舒服了。"

张局长脸上又冒油了："好，好，早听说温家帮的挑膏匠赫赫有名，一定要试试。"

众人陆陆续续地进了温府。温义在随行人员里发现了一名军人，那家伙是个少校，面目阴森，嘴角一个劲儿地往下撇。

张局长烟瘾颇大，进了客厅，立刻脱鞋倒在榻上喷吐一番。老鸦亲自为他挑膏烧泡，张局长抽得赞不绝口，简直把温家帮说成了天上人间。温义一直在偷偷观察那个少校，这个人的神态似曾相识，但他就是想不起在哪里见过。年轻的少校似乎没将这帮行尸走肉放在眼里，眼睛只挂在张局长脸上，神情中有几分不耐烦。局长大人过足了烟瘾，温家帮的酒席也摆好了。

温长生说:"局长大人旅途劳苦,尝一尝温家帮的农家菜。"

张局长笑道:"讨扰,讨扰。"

众人进了餐厅,分宾主落了座,温家帮方面是温家父子和梅校长,政府方面是张局长和少校。温义这才发觉,那少校的身份应该比较特殊,估计是代表军方的立场。张局长介绍说年轻人叫石成,是云南第四师的作战参谋,以前在中央军干过。温家帮的人有些诧异。第四师如今驻守保山,是龙主席的嫡系。

三巡酒后,张局长放下酒杯,坐直身子:"温老板,咱们是老朋友了,说实话,这次来温家帮,我们是来求你老兄帮忙的。"

温长生更谦虚了:"您是局长,在下不过一介草民,能帮您什么?"

张局长说:"老兄,昆明城开锅了。"

温长生假装糊涂:"有龙主席坐镇,谁敢在昆明闹事?"

张局长清了清嗓子:"你是真不知道还是假不知道?如今昆明上下民怨沸腾。大家都在议论,你们预交税款是因为事先得了消息,有意逃避国家税收,挖抗战的墙角。如今我们禁烟局的压力非常大,不瞒你说,我专程来,就是为了这个事。"

温长生翻着眼皮,目光吊在天花板上。温义笑嘻嘻地说:"局长,我们交税款前曾经拜望过您,您并没提到税率要变呀。当初您要提醒一二,我们就等一等了。"

局长有点结巴:"我……我……我怎么知道税率要变?我不知道啊。"

梅校长说:"您都不知道,我们哪里知晓去?"

"这个……"张局长咳嗽了几声,嗓子眼似乎被鸡毛卡住了,好半天才嘟囔着说,"那是重庆国民政府的机密,我……我……我……"张局长歪着脑袋想了半天,目光落到了石成身上。

石成骤然起身,神色严厉:"温老板,官商勾结,自古使然。估计你们在重庆政府里有什么关系,我们不想追究。但这事出现在抗战期间,如今又被新闻界知道了,我估计你们在重庆的靠山不见得敢为你们撑腰……"

温长生有些恼羞成怒了,他从来没有被这等年轻人数落过。温义担心父亲发作,立刻起身道:"石少校,说话要有依据,哪个重庆的官员敢把这等消息通报到云南?阁下说来听听。我们当初交税也是为了抗战的大局,是要为云南的烟土行起个模范带头作用。事有凑巧,谁知道国民政府要涨税呢?"

第五章　烟帮涅槃

一

　　石成虽然有心杀贼，但还没有无中生有的胆量，天知道是重庆的哪个混蛋透露过来的？张局长极有涵养，挑着大拇指道："温二公子是人中龙凤，谁也没有说过这事是重庆的人泄露出来的。但咱们必须面对现实，如今云南民怨沸腾，万一这事要传到重庆，上头要想抓个典型也未可知啊。温老兄，您在这个世外桃源里享福，也要替兄弟想一想啊。"

　　温长生面无表情，甚至感到了几丝厌倦："你做你的官，我做我的生意，至于那些民怨，嘿嘿，报纸上怎么说他们就怎么信。要不，我出点钱，买些报纸版面，把风头掉转一下，这样大家就都能过踏实日子了。"

　　石成又怒了："温老板这叫什么话？难道你还要操纵舆论吗？舆论是党国的喉舌，而你，不过是个烟帮老板。"

　　温长生控制不住了，拍着桌子："操纵舆论是你们的权力，你们想封了谁的报馆就可以封，这等事，我可做不出来。"

　　张局长把两只手高举过头顶："不要吵啦，于事无补。都是朋友，说那些气话没有用。报馆的人不过是个小指头，你温老兄是条胳膊，可是……嘿嘿……"

　　温长生也笑了："你们是大腿，对吧？"

　　张局长说："胳膊拧不过大腿，识时务者为俊杰。至于那些民怨，当然就是瞎吵吵，但杂音太大，总要想个办法平息。"

　　梅校长担心事态过于严重，试探着问："怎么个平息法？"

　　张局长说："这个事还不好办？你们再补交些税款，把他们的嘴封上，皆

108

大欢喜也。"

温义觉得这个办法可行，至少不会把事情闹得太僵。"爸，张局长所言有理，要不我们再交十万大洋，大家面子上都过得去。"

温长生还没有说话，张局长却"啊"了一声。石成冷笑着说："十万？你们逃了二百万的税，拿十万就想了事？"

温长生猛然站起来，手指离石成的鼻子不到一寸："想敲诈我？你个小小的少校也敢在我面前逞狂？我儿子是中校！谁说我们偷税？你有什么证据这么说？国家法度允许预交税款，我哪一条偷了税？告诉你，我温家帮不是泥捏的。"

石成怒目而视，正要发作，但一转眼发现温义的手揣进了口袋，估计是摸着枪呢，只得翻着眼睛不说话。张局长不得不说："温老兄，我们是政府的人，有话一定要好好商量。"

温长生冷笑着："我温家倒腾烟土历经四代了，政府允许，我们干，政府不允许，我们照样干。在这滇西北，我温家帮好歹也算树大根深，谁有本事谁就把我连根刨了。"

张局长是个文官，很少碰上这等场面，心里发了慌："老兄，犯不上，犯不上。这样吧，你们再补上一百万，咱们就云开雾散了。"

"一百万？"梅校长先嚷嚷了。

"哎呀，谁不知道温家帮富可敌国？区区一百万不过是九牛一毛。"张局长说得轻描淡写，似乎是在替温家帮做宣传。

温长生昂着头哈哈干笑几声："我温家帮有数千之众，吃穿用度哪一项不是钱？如今我们正要打通缅甸的商路，刚刚把资金投进去……"梅校长使劲咳嗽了一声，温长生立刻住嘴了。

石成呵呵笑道："原来你们是要向缅甸走私啊？看看，又是一条罪状。"

反正也无所谓了，温长生冷笑着说："英国人都不愿意管，你装什么大瓣蒜？想给我罗列几条罪状还不容易？这样，张局长的人既然来了，我温某定会给你个面子，二十万。"

张局长眨巴眨巴眼睛，丝毫没有成交的意思："老兄，我这次来，不完全是我个人的意思，我是代表省主席来的，一百万的数是他老人家提出来的。"

温长生突然咬牙切齿地说："据鄙人所知，省主席的烟土比我卖得多，他补交了多少？"

张局长的面子上实在过不去了，怒道："温长生，你也太放肆了？省主席的事跟你有什么关系？"

温长生笑道:"他交税,我就交。他不交,我也不交。"

石成冷着眼:"看来你是不拿党国当回事啊。"

温长生扬手向外面指了指:"你不是当兵的吗?有本事你就打进来,你能打进来,温家帮有多少钱你可以随便抢。"

石成说:"我们又不是抢劫的。"

温长生身子往椅子一仰:"你们不是抢劫的?那你们在做什么?"

宴会不欢而散,张局长他们几乎是被温长生轰出去的。石成临出门时想讨个面子回来,道:"温长生,你等着。"

温长生怒道:"你再敢说一个字,我就割了你的舌头。"

石成立刻就跑了。政府人员离开后,温义忧心忡忡地找到父亲:"爸,一百万就一百万吧,何必把人家得罪到底呢?"

温长生看了他一眼,背着手走了。温义大是奇怪,只得又找到了梅校长。梅校长告诉他说:"你刚回来不久,家里的事你还不清楚。"

温义说:"难道家里没钱?"

梅校长说:"温家帮有一半流动资金存在上海租界的银行里。那些钱本来挺牢靠的,前些日子,日本人把美国人打了。"温义顷刻间产生了天旋地转的感觉:坏了,日本正式向西方阵营宣战了,这或许就是哥哥盼望的时局之变。但温家帮却承担不起,上海的英美租界估计完蛋了,银行还能保得住吗?梅校长接着说:"租界归日本人了,银行大多宣布破产,温家帮的一半流动资金成了死钱。如今仅有的流动资金压在缅甸,剩下的就是温家帮的老本,那是咱们的救命钱。不到万不得已,谁也不能动。所以现在能拿出二十万来就不错了。"

温义气得直翻白眼,妈的,该死的日本人,怎么又让他们坑了?

虽然温家帮在经营上遭遇了挫折,温长生照样底气十足。一来温家帮向来不缺士气,动起手来个个是小老虎。二来温家帮从来不缺弹药,还有天险。三来温家帮的人面对龙云的部队,向来以大爷自居,爷爷绝不会怕孙子。

自民国以来,政府的禁烟政策经常波动,时放时收。温家帮不吃这一套,政策放开了,他们就明着干,一旦收缩,他们就暗着干。二十年来他们的武装与政府军大大小小打过几十仗,从没有丢盔弃甲的记录。打野战是双方互有胜负,一旦形势不利,山民出身的帮众全身而退是有保障的。如果战事蔓延到温家帮的根据地,情况就大不一样了。十年前省政府大肆禁烟,名义上是在查禁烟土,实际上是有些官家想垄断烟土经营,于是他们与各大烟帮闹翻了。滇军出动了一个师攻打温家帮,企图杀一儆百。温家帮以一当十,严守各路隘口。滇军攻打了两个月,死了一千多人,居然没有迈进温家帮半步。后来各家烟帮请人出面调解,双方只得罢手。事后温长生清点损失,仅仅阵亡了七十余人。即使如此他依然后悔,如果采取诱敌深入的策略,没准儿就把这个师全扔进怒江了。经过几年调整,如今温家帮装备了大量重机枪和迫击炮,滇军即使派来一个军,也不见得能讨了好。另外温长生有胆量敢与任何人翻脸,温家帮在山里有个金库,藏了几百万两银子,即使败了,也还有东山再起的本钱。

正因如此,温家帮自上而下没人把张局长、石少校的威胁当回事。当官的说话就是放屁,刮一阵风,连臭味都没了。

二

昆仑关,总让温正联想起温泉关。

两千年前,三百名斯巴达战士在温泉关抗击数万波斯大军,那是何等慷慨,何等壮烈,又是何等的令人向往!温正真想把昆仑关变成当代的温泉关,他偷偷把阵亡的斯巴达国王当成了偶像。有些事他还是想不通,斯巴达战士在保卫自己的国家,所以他们用胸膛迎接敌人的长矛,可这群哇哇怪叫的日本鬼子到底是为了什么呢?

战斗时断时续,日军加强了正面的反坦克火力,坦克部队派不上用场。长官们也认为让坦克部队打冲锋太过昂贵,让士兵冲锋更合算些,所以步兵团成了攻坚的主要力量。这些天几个步兵团轮流进攻,伤亡惨重。另外日本人从南宁派出了几拨增援部队,地方军阀竟眼睁睁地把他们放过去,司令长官白崇僖居然拿这帮家伙毫无办法。委员长大怒,以最高统帅的身份下了严令:如有不积极努力进攻者,或不能如期达成任务者,立即以畏敌罪论处,就地处置。

两天前部队抓到了个日军俘虏,拷打了半天,这家伙死不开口。后来有个留学英国的参谋想了个主意,他学习过西方的催眠术,竟把这个日本兵催眠了,催眠之后这小子什么都说了。温正原以为关内有上万守敌,从俘虏嘴里得知只有日军的一个旅团,不过几千人,但中央军第五军的数万之众,强攻了半个月怎么就打不下来呢?

第二天上峰命令部队继续进攻,由温正指挥,可以使用坦克协同作战。温正将军官们召集过来,把众人狠狠挖苦了一顿,意思是大家都吃过人饭,为什么干不出人事？关里只有数千守敌，咱们居然打了半个月。他说："今天我冲在第一个，谁敢缩回去，谁就是大姑娘养的。"平时这类下流话很少出自温正之口，今天他是真急眼儿了。这一招果然奏效，中国人对自己的出身非常在意，军官们称豁出去了。当天上午，部队果然攻下了一个无名高地，消灭了一百多守敌。温正下令肃清顽敌，巩固阵地。他不敢向师长告捷，主要是担心敌人反扑。

一小时后，日本人的飞机扑了过来。温正让大家退到阵地后面待命，自己留在阵地上观察敌情。四架日军飞机迎面向他冲过来，温正产生了一个可笑的念头：来呀，我倒要看看你能不能撞我脑门上。这样想着，他高高地昂起了脑袋，几乎和飞行员来了个脸对脸。飞机又是扫射，又是盘旋，阵地上只有温正一个人。其实，在空中击中如此渺小的目标难比登天。温正身边弹片纷飞，溅起来的泥几乎把他的脸涂花了，但温正连块皮都没有擦破。飞机折腾了二十分钟，油料耗得差不多了，不得不撤离。温正把部队调了上来，副官递上一条毛巾，温正却命令道："把脸都给擦成这个样子，跟地面一个色儿，飞机就看不见你们了。"

士兵们发现脏兮兮的长官安然无恙，立刻萌生了迷信，不一会儿，阵地上就全是泥猴了。副官叫道："长官，日本人上来了。"温正举着望远镜，只见日本人端着步枪，头上裹着白条子，弯着腰，嗷嗷叫着冲了上来。在望远镜里，每个日本人的面目都异常清晰，温正几乎能看到他们鼻孔里透出的鼻毛。怪了，那些飘舞的白绸带，竟让温正想到了梅兰。他使劲晃了晃脑袋，梅兰的笑容却挥之不走。他回头问副官："在战场上你想过女人没有？"

副官有点儿不好意思："我……我想过，天天想。"温正长出了口气，在战场上思念女人，那思念是带着血丝的。副官见温正不言语，小声说："长官，只有七十米了。"

温正当空一挥手："五十米再打。"

正如津井正雄无法驱逐烟瘾一样，再强悍的日本人也是血肉之躯，温正的手下火力完整，布置得当，他还适时地要求远侧的坦克炮进行支援。这次，日本人丢下了一大堆尸体，差一点被打光。

这个阵地基本巩固了，温正向师长汇报，请求下一个行动任务。由于战场消息混乱，师长早就被军长骂急了眼儿。半小时后他亲自跑到阵地上，见阵地果然抢过来了，这才放心。师长希望温正继续进攻。温正说："前面是敌人的交叉火力网，去多少人也过不了那片开阔地。"

师长怒道："你不是不怕死吗？"

温正冷静地说："白死的事不能干。三七八团的一个冲锋死了五百多人，阵地还是在敌人手里，有用吗？"温正向来敬重长官，今天是例外。

师长毫不含糊："明天不过去，提头来见。"

温正干脆指着自己的脑袋："不改变战术，一团人死光了也上不去。"

师长"哼"了一声："我不管战术，我要战果。"

师长走了，副官不敢想象副团长敢和师长吵架，战战兢兢地说："长官，听师长的，死光了也没错。"温正叹息一声：我怎么违抗起军令了呢？

他来到前沿阵地，准备组织新的进攻。此时温正在望远镜里发现，九塘附近的草地上有一些土黄色的物体。他尽力调整焦距，最后终于看清了，那是一群日本军官，正列着队听长官训话呢。温正灵机一动，一群日本军官在受训，天赐的机会！他马上把重机枪手和迫击炮炮手叫过来，指着草地说："距离够吗？"

众人找来测量工具，大约是三里地，是重机枪射程的极限，中型迫击炮勉强可以打到。士兵说："长官，如果火力够猛的话，流弹也能要了他们的命。"

温正命令，将所有的重机枪和迫击炮都调到前沿阵地，对准九塘草坪的方向，乒乒乓乓地就打了起来。子弹横飞，炮弹呼啸，他在望远镜里观察着，只见草坪上燃起了一团团火，军官们先是一阵慌乱，随后就如割水稻似的，一片一片地倒下了，那个正在训话的高级军官的脑袋被炮弹削掉了一半。温正出了一口恶气：敢在战场上训话，我要了你的命。

当天下午，温正组织了两次正面冲锋，都被日本人的交叉火力网打回来了，温正的胳膊上也挨了一枪。

晚上，军部召开军事会议，军长点名要温正参加。温正估计师长给自己告黑状了，于是准备了一肚子气话。刚到军部，师长鬼鬼祟祟地从门里钻了出来，似乎正等着他呢。温正虎着脸不说话，师长把他拉到角落里，神秘地问："炮击九塘的事是不是你们干的？"温正不动声色地点了点头：难道这事还有错？师长欣慰地拍着胸口："这回咱们师露脸了！你要告诉军长，是在我的命令下开始炮击的。"说完师长高高兴兴地跑了进去。温正张口结舌地站了一会儿：什么意思啊？此刻他有点儿想念弟弟了，如果温义在场，必然能揣摩出那家伙的心思。

会议开始，杜军长肩膀上扛着崭新的中将军衔，威风凛凛地给大家训话：由于战况不利，旷日持久，校长寝食不安，希望同仁发扬黄埔的革命精神，誓歼

顽敌。军长话锋一转,望着温正问:"今天下午,九塘那一仗是不是你打的?"

温正起身立正:"是卑职所为。"他发觉黑影中有双眼睛盯着自己,只得又补充了一句:"卑职是在师长的命令下进行炮击的。"温正心里不是滋味,看来那一仗打出了毛病。师长可能是担心部下受委屈,自己要承担些责任。他温正以小人之心度了君子之腹,还以为人家是告黑状呢,惭愧!

杜军长点着头说:"好,很好。司令部截获了敌人的电报,敌第五师团旅团长少将中村正雄,今日在九塘被炮火击中,阵亡了。如今昆仑关里群贼无首。"说着,军长一时没控制住,得意地笑了起来。

会议室里犹如猛然撞进了无数只苍蝇,军官们跳了起来,大家欢呼着,相互击掌庆贺。第五军打死了一名日军将军,这是开战以来的最佳战绩,是第五军莫大的荣誉。众人欢笑停止后,纷纷向温正道贺。温正不好意思地说:"我不知道那家伙是少将,太远了,看不清楚。"有人叫嚷着说:"知道了,没准儿还打不准呢。"还有人说:"瞎猫终于碰上了死老鼠,也该日本人倒霉了。"

军长认为大家闹腾得差不多了,"哼"了一声:"哪儿那么多废话?不就是一个少将吗?日本的将军多着呢。"众人整了整军装,又坐好了。军长接着说:"打死个少将只是我军胜利的开端,我要给温上校申请青天白日勋章。望大家再接再厉,一定要把昆仑关拿下来,阻止敌人北进。明天,趁敌人群贼无首,所有前沿部队都要投入进攻,打他个措手不及。"

温正大声说:"军座,日军在关口两侧修建了坚固的工事,组成交叉火力网,致使我军攻击失败。如果再行强攻,其损失不可估量。"

所有人都白了他一眼,心道:你小子刚立了功,终于可以撒娇了。军长还算和蔼:"这次战役你表现不错,没有辜负党国的栽培。但战争必须死人,也一定会死人。当兵的死了,你们上;你们死了,我上。"

温正痛惜地说:"军长,咱们都死了,谁来保卫大后方?卑职认为,应该改变战法,集中优势兵力从外围攻击小据点,逐渐缩小包围圈,把敌人勒死。"

军长歪着头想了想,温正的提议倒也切中要害,这家伙刚刚立功,应该激励,当下就采纳了。他命令温正的部队,步炮协作,率先进攻罗塘外的南高地。

温正勘测过那里的地形,高地的一侧地势比较平缓,可以让坦克部队直接开上去。会议还没结束,他就策划出了大致的进攻方案。他想这次一定要让日本人尝尝坦克的厉害,把鬼子碾成肉泥。

三

每一步都是命运,即使最微小的一次移动也可能改变人的一生。

温正指挥四辆坦克,从罗南塘的侧面山坡发动了冲锋。他身先士卒,亲自驾驶第一辆坦克打头阵。钢铁怪兽在阵地上横冲直撞,如入无人之境。日军缺乏有效的反坦克武器,举着手榴弹充当人体炸弹,手榴弹的威力不足以毁坏坦克,却往往把自己炸死了。最后,两百多日军横尸荒野,国军的步兵也上来了。就在坦克开上阵地时,在车里的温正发现,一个日本兵胸前绑满了手榴弹,向自己的坦克冲了过来。温正命令机枪手射击,几次扫射都被那小子躲开了。温正预感到不好,来了急转弯,那个日本人突然从他视线里消失了。温正的心猛地沉了下去。他挥动胳膊,使劲拉动操纵杆,坦克车原地轧了起来。就在这时,坦克的左侧履带处发出了几声巨响,车体失去控制,整个车身顺着山崖滑了下去。

温正知道这里的地形,阵地后部是一条几百米深不见底的峡谷。他试图恢复控制,但坦克车就如断了线的风筝,根本不听使唤了。坦克的速度越来越快,向山崖下的密林撞了过去。温正耳边是呼呼的风声,然后便是灌木丛被重物碾压的爆裂声,到后来坦克车横着翻了个跟头,一溜尘埃地滚下了山崖。

山坡上惊恐的士兵们叫成一团:坦克车爆炸了,副团长完蛋啦!这个死硬的家伙,临死前怎么也不张罗着喊一句口号啊?

南方战场激战正酣,长城之外却听不到什么枪声,如果在关外旅行,很难想象这个国家正经历着空前的大战。在昆仑关之战打响前一年,热河出了三件大事,可惜无人知晓。

热河曾是华北行政区的一个大省,省会在承德。在这片广袤的土地上,山川纵横,草原辽阔。但这地方气候恶劣,特别是冬季,其严酷的程度甚至超过了东三省。由于土地贫瘠,热河的人口密度比较小,也没有什么像样的工业。

承德的外八庙是著名古迹,关外人把这里当成了圣地。

这天,须弥福寿之庙的门前出现了一个残疾女子,这女人头发是灰的,神态凄凉,身边放着根破拐杖,背全驼了,脸上皱纹堆砌,目光浑浊。庙前本来就是乞讨聚集地,残疾女人的出现没有引起大家的注意。此时残疾女子跪在一块垫子上,给每一个过路人磕头,口里还念念叨叨的,似乎在念经。

115

　　须弥福寿之庙是乾隆为迎接六世班禅来访，仿照扎什伦布寺的形制修建的。自建庙之初，这座寺庙就充满了神秘色彩，最近又出了件奇事，这庙更出名了。由于庙中建有一座金瓦殿，殿顶是镏金铜瓦，曾经是班禅坐禅的场所。新近占领承德的日本兵听说了这个事，财迷转向了。有几个小鬼子爬到殿顶上，梦想着把金箔刮下来。结果有个小兵倒霉透顶，从大殿上摔了下来，人脑袋摔成了猪脑袋，当场就死了。日本人也有不少信佛的，军官当下就严令，没有必要，不许士兵进庙，免得遭报应。从此日本兵再也不敢来了，外八庙倒也清净了许多。

　　此时，残疾女人依然在磕头，忽然耳边当的响了一声。她没抬头，手在地面上一划拉，一块银圆进了口袋。

　　一小时后，有个衣着朴素的女人走进奉天旅社，是罗敷。那个残疾女人也是她假扮的。罗敷匆匆走进房间，关了门，然后将银圆小心翼翼地拿出来，轻巧地向两侧一掰，银圆啪的一声分成了两片，里面是一张小纸片。罗敷小心翼翼地将纸片摊在桌子上，原来是张简易地图。

　　罗敷现在是中统的女特工，来热河是担当了一项重要使命，如果成功了她就可以取得军官身份。

　　去年，罗敷用烟枪戳死了那个该死而不死的婆婆，埋葬了心爱的烟枪，之后便踏上了逃亡之路。她从洛阳跑出来没两天，洛阳城便易主了。当局没心思追查罗敷的婆婆到底是怎么死的，更没人关注罗敷的下落。据传言，大家认为那个老太太是抽大烟时不小心，自己把自己烧死的。当然这些事罗敷并不知道，终归是杀了人，她慌不择路地跑到四川去了。路上，围绕着去云南还是去成都的问题，罗敷展开了激烈的思想斗争。出于自尊心，她选择了成都，温义那小王八蛋没露面，估计是当了陈世美了，如果冒失地闯了去，结果可能是自取其辱。

　　罗敷在成都有个表哥，是她姑姑的孩子，早年间两人玩得还不错，如今也只有投靠他了。表哥也是军人，听说舅舅死于日本人的暗杀，便长吁短叹起来。罗敷知道表哥向来有重男轻女的倾向，或许他认为如果舅舅有儿子，肯定会替父报仇。罗敷受不了别人的冷脸，没几天就和表哥吵了起来。表哥说："女人能干什么？天生的吃货，在南京那么多女人被强奸了，也不知道和人家拼命。"

　　罗敷叫道："你们男人被活埋的，都是自己给自己挖的坑。你放心，我不拖累你，我同学是女特务，我也要当女特工。"

　　表哥的态度来了大转弯——这个表妹有杀敌报仇的心思，是可以挽救

的。其实罗敷是山人自有妙计。她琢磨着,杀人的事早晚会败露,去不成云南就干脆躲进特务机关,如此一来就没人追究她了。由于表哥在成都还有些影响,当下给表妹联系了特工学校。当时的社会风气不够开化,女性特工的人力资源极其稀有,况且罗敷本人曾是燕大学生,父亲又是党国的将军,政治上资历上都是难得的人才。没几天罗敷便成了特工学校的一员,还是重点培养对象呢。

经过半年的系统培训,罗敷逐渐喜欢上了这个工作。每天要以不同面目示人,这事够刺激。罗敷智商高,身体素质出众,所有的科目都难不住她。半年后她以优异的成绩从特工学校毕业了。上头找她谈话,希望她加入军统。领导说:"我们需要优秀的人才,但你必须接受更严格的考验。"那段时间罗敷的自信心爆棚,声称为党国兴衰,为给父亲报仇雪恨,做好了粉身碎骨的准备。

就这样,她被派到遥远的热河,执行一项特殊任务。如果顺利完成,她不仅能当上军统的女特务,还能获得中尉军衔。

早在抗战爆发前,热河已经被日军控制了,他们将这一带当成了自家后院,以这里的出产和人力直接支援战争。罗敷接到的命令是,破坏日军设立的一个战略仓库,使之彻底报销。据说那座仓库规模庞大,用普通的爆破方法难以奏效。日军的防备也非常严,直到最近,特工部门才弄清仓库的具体位置。罗敷在庙门前假扮乞丐,就是为了拿到仓库的地图。对于她这样的新手,炸毁敌人的战略仓库是不可能完成的任务。组织上如此安排,完全是——搂草打兔子。即使炸不成也没关系,至少还可以继续牵制日军防备仓库的力量。至于执行任务的女特工,能活着回来固然好,即使死了也不过多一名失踪人员。

根据地图,日军仓库位于承德之北几十公里的草原上。那一带地势空旷,即使派一个师也未必攻得下。罗敷也清楚任务艰巨,但这是组织上对自己的信任。怎么办呢?晚上她给西安的上级发了电报,称没有空军支援无法炸毁敌人的仓库。上司回电说要发扬革命精神,克服困难。同时上司还告诉她,五百公斤炸药和三个接应人员从银川出发了,并约定了集合地点。罗敷坐在电报机前,满嘴是骂娘的话。这一刻她对温义的怀念无以复加,如果换了那小子,他一定能想出歪点子来,日本人本来就是他的手下败将。

罗敷在旅社里整整琢磨了一夜,依然没想出主意来。第二天,她化装成一个雄壮的关外女人,买了十几箱肥皂,又雇用了几匹骆驼,以生意人的名义要把这些肥皂运到赤峰。罗敷的化装技术精巧,临行前又学了些北地方

言,所以大家都以为她是赤峰人。

驼队出发了,方向就是仓库的位置。赶脚的提醒她:"那地方是日本人的地盘,还是远着点儿好。"罗敷说:"咱们从旁边绕过去,路近。"赶脚的担心在草原上走错了方向,一旦迷路就玩完了,罗敷随口道:"我有指南针。"

赶脚的不经意地看了她几眼,没说什么。

四

热河之地,汉蒙杂居,有大片的农田也有广阔的草场。出了承德,半山腰上是农田,山脚下就是草原。罗敷发现山间的田里种着不少齐腰高的大叶植物,既不像棉花,也不是麦子。此时有些作物开花了,成片的鲜艳的硕大花朵极其艳丽,大山围上了一条色彩斑斓的腰带。罗敷大为欣喜。这是什么作物啊?如此美丽,天地间因此充满了烂漫迷人的色彩。罗敷越看越高兴,这些花到底能结出什么果实呢?后来她实在忍不住了,把这个问题提了出来。

赶脚的仰天哈哈了几声:"大姐,你不是本地人吧?"

罗敷诡辩说:"我老家是张家口的,男人跑了,这才出来做点儿生意。"

赶脚的显然是没信,嘟囔着说:"张家口也有种大烟的,难道大姐没见过这东西?"

罗敷咽了口唾沫,手在腰里的枪柄上摸了摸。在特工培训期间,她在图片上见过罂粟秧子,如今没有将二者联系到一起,反倒引起了别人的怀疑。她不愿意再生是非,催促赶脚的快点走。

走了一天多,前方出现了一个巨大的高原湖泊——达里湖。如今正是雨季,湖水与堤岸一般高,水势汹涌,一望无垠,颇有些烟波浩瀚的意味。罗敷绕着湖面转了半圈,发现北侧的地势比较低缓,为了避免湖水溢出,当地人修建了一条几里长的石头堤坝,虽然简陋,倒也结实。如今水平面和堤坝差不多,大水汪洋,似乎一阵风就能把水吹出来。从地图看,这地方与日军的仓库很近,罗敷站在堤坝上向远处望,只见远方的山谷里浓烟滚滚,隐隐约约的有几个巨大的烟囱直指天空。罗敷心下一惊:这不是仓库,这是一家大工厂。工厂建在水源之下,是为了引水方便。在如此偏远的地区修建工厂,是干什么的?她向赶脚的询问工厂的事,赶脚的早就怀疑她了,不满地说:"您到底是做什么的?"

罗敷没客气,掏出手枪顶在这家伙胸口上:"我是国军的侦察员。说!那

118

工厂是干什么的？"

赶脚的害怕了："好像是出白面的，周围这些省的白面都是这地方运出来的。里面住着不少日本人，你进不去。"他咧着嘴说，"国军奶奶，您可不能炸了大坝。工厂那边五里外有屯子，住着百十户人家呢。"

罗敷犯了狠劲儿："这事就不劳你操心了。"说着她手指头一动，顶在胸口的枪口冒了股白烟，赶脚的长出了一口气，死了。罗敷接受的教育是一旦对方得知自己身份，绝对不留活口。

第二天，罗敷跑回承德，与西安联系上了。上司说："那地方出产了热河百分之七十的白面，每年为日本人赚走上千万利润，是敌人战争机器的一部分，必须毁掉。"罗敷又问："当地的百姓怎么办？"上司说："当地老百姓都是种大烟的，死有余辜。"

罗敷在旅社里想了一夜，上司的话有些道理。日本人大规模生产白面，以利润支援战争，的确是以战养战。当地老百姓种大烟，把生烟土卖给日本人，这不是通敌吗？姑息了这些人，战场上要死多少将士？

又过了一天，炸药和三个助手全到了。罗敷周密地分析了情况，日军在工厂里驻守着一个中队，不可能直接炸掉工厂。趁着雨季，炸掉达里湖的堤坝，让洪水把工厂彻底淹掉。如此一来，敌人的机器设备、库存毒品和技术工人就全报销了。助手们立刻同意。当天众人便携带炸药赶到了达里湖。罗敷指挥大家埋下炸药，一切准备停当了，她又担心水势不够，众人便在湖边等了五六天，终于等来了一场大雨。

风雨之夜，罗敷点燃了炸药的引信，堤坝倒塌了。一道白色的魔光席地而去，转瞬间就把毒品工厂及其山谷全部淹没了。众人听到工厂方向传来的爆炸声和厂房倒塌声，无不兴奋。随着水势继续蔓延，方圆数十里的草原变成了一片泽国，十几个屯子沉进了汪洋，水面上全是尸体。据说那场洪水之后，达里湖周边地区三十年内没有生出任何植物，估计是毒品渗入地面的结果。

罗敷的做法明显是赶尽杀绝。日本侵华又何尝不是赶尽杀绝呢？日本侵华后要把中国从文化上、历史上甚至精神上彻底灭绝。洪水是办法之一，放火也是，第三个手段就是造谣。

一个月后，罗敷溜回西安，受到了上司的嘉奖，并正式被授予中尉军衔。从此，她成了一名真正的特工，转战南北，为党国立下不少功劳。

温长生刚毅果敢，受人爱戴，但温义对父亲所做的一些事往往不以为然。比如说张老小，父亲的处理就明显过分了。张家是温家帮的老人儿，张老

小的父亲叫张老大，其身量庞大，虎背熊腰，外号老大，为人特憨厚。张老小的身材比他父亲的还要雄壮些，应该叫小老大才对，却偏偏被众人叫成了张老小。原来张老小幼年让野狗咬了一次，狗牙正好咬穿了两个蛋蛋。温家帮的医生保住了他的小命，命根子却死了，一直到成年也没成长的迹象。张老小老大的年纪却拖了条小孩子的白条屌，于是张老小的名号就叫开了。

后来，张家人从山里给他买了个媳妇，谁都清楚那属于"虚假繁荣"。好在那女人知足，知道进了温家帮就能吃上饱饭了。张老大得寸进尺，还想要孙子，干脆托人从克钦人手里买了个三岁的孤儿，给张老小做儿子。孩子的名字异常苗壮，叫张虎豹。张老小的脑子有问题，处理事情常有变态倾向。虎豹小时候淘气，按说男孩子淘气也正常，打几下也就完了，但张老小认为孩子淘气就是为了与自己作对，于是这小子对孩子从不姑息，往往动了手就往死里打。温家帮的人清楚他有这毛病，没人愿意因为孩子得罪了张家。

有一次，温长生外出打猎，老远听到悬崖边有孩子的哭声，那哭声撕肝裂胆的。温长生以为是孩子碰上野兽了，端着枪跑了过去，结果差点被气个半死。张老小把自己吊在峭壁上，一手抓着藤蔓，另一手拎着孩子的腰带，在半空中荡悠呢。此时孩子已经吓昏了，温长生勃然大怒，举着枪说："你他妈的给我下来，不下来我就崩了你。"张老小不敢违抗帮主的命令，赶紧下来了。温长生为孩子做了人工呼吸，虎豹好半天才醒过来。温长生指着张老小骂道："你喝多了？"

张老小理直气壮地说："我们家孩子，我愿意怎么管就怎么管。"

温长生抬手就给了他一鞭子。

由于张老小为人不好，又把帮主给得罪了，温长生下令，把张老小赶出温家帮，他父亲的养老由帮里负责，虎豹则由温家直接抚养。所以虎豹是和温义一起长大的，后来这小子成了押运队的主力，能冲能打，颇得赏识。

张老小被帮主赶出去后，没地方可去，又没什么真本事，只得在温家帮附近转悠。碰上熟人就要点吃喝，也帮着别人赶赶脚，偶尔在烟场上打打短工，一混就是十几年。有一段时期，温长生想起张家的功劳，也想把这小子找回来，托人一打听，张老小正在窑子里帮忙呢，一怒之下，就断了这个念头。

前几天温义外出归来，在卡子外碰上张老小。这小子头发灰白，饿得有气无力，见了二公子，又是作揖又是磕头。温义心一软就给了他五块大洋。张老小说："跟帮主说一声，我想回去。"

温义也觉得那事过去十几年了，如今只有虎豹欺负他的份了，当下就答应了。张老小千恩万谢地去了。

五

婚礼筹备得差不多了,偏巧缅甸方面出事了。温义自告奋勇要去处理。一来他的确想去缅甸摸摸情况;另外拖些时间,或许梅兰就把大哥忘了。实际上他把张老小的事也忘了,急急忙忙地去了缅甸。

经营了一年,温家帮在缅甸建立了自己的烟土销售网络。他们不仅与缅北英国当局关系融洽,而且通过云南的各路土司,与缅甸土司之间也建立了往来。温义在缅甸盘桓了一个多月,碰上了几批日本和尚。温义和他们攀谈了几次,最终断定这些日本和尚都是间谍。他们在向缅甸人灌输反英反华的思想,宣扬英国人和中国人都是殖民主义者,还标榜日本人信仰佛教,日本与缅甸是兄弟,等等。

温义终归是军校毕业的,政治神经比较敏锐,他提醒方敦:"当心,日本人肯定是要进攻缅甸的。"方敦却认为日本人刚在东南亚开战,战线过长,怎么可能顾得上缅甸?温义说:"即便是冲着滇缅公路,他们也会来的。何况日德还有中东会师的战略。"

方敦哈哈大笑:"日本人和德国人知道什么叫全球战略吗?只有我们英国人才知道地球有多大。放心,滇缅公路绝对安全,我们英国人有能力保护公路。"

温义冷笑着说:"我不是政府的人,公路跟我没关系。听说你们在新加坡的七万守军集体投降了,谁还敢指望你们?"

方敦是真把他当朋友了,一点儿也不生气,拍着他的肩膀道:"兄弟,日本人来不了,咱们做生意要紧。"

回到温家帮,温长生告诉儿子:梅兰总算同意了,你们马上结婚,不许以任何理由拖延。梅兰说只要你对他父亲好,她本人无所谓。温义脑子里竟出现了罗敷的身影,这女人到底跑到哪儿去了?

婚期定在民国三十年的六月初八,温家帮张灯结彩,喜气洋洋,都等着喝二公子的喜酒。温长生宣布二少爷婚期内,帮里放假三天,三天之内无大小,怎么折腾都行。梅校长提醒温帮主,要提防滇军第四师的行动,他们的新防区离温家帮不足百里。因为补税的款项没谈拢,温家帮已经与官方翻脸

121

了,现在他们实际上是非法经营。温家帮的生意有自己的网络,有云南各路土司的照应,即使不与政府打交道,他们的烟土买卖照样生意兴隆。据说张局长回到昆明,省主席大发雷霆,命令第四师严办温家帮。但温家帮防守严密,地形险要,第四师在附近转了几次就回去了。温长生知道不能掉以轻心,于是又下一道命令:卡子上的押运队员轮班休假,不得松懈。

婚礼筹备了多时,终于到了揭开面纱的时刻。老鸦当司仪,仪式隆重但多少有几分伤感。温义、梅兰规规矩矩地叩拜了天地和双方父亲,虎豹等人前呼后拥地将他们推进了洞房。大家心里明白,梅兰和温义在一起总有点不自在,闹洞房时也没有人敢瞎折腾,随便嚷嚷了几句也就散了。

烛影闪烁,温义在洞房门口站了许久,心扑通扑通乱跳。与罗敷在一起的感觉是紧张而甜蜜,今天他完全是害怕。梅兰听不到动静,干脆自己把盖头揭了下来。那一刻温义几乎把眼睛都闭上了,可他知道,为了女人的自尊,男人绝对不能闭眼。温义有些震惊,梅姐原来这么漂亮,用光彩照人形容她毫不为过,以前怎么就没有注意呢?梅兰看到他张口结舌,问道:"你怎么了?"温义嘿嘿地笑了几下。换了罗敷他肯定要说句笑话,面对梅兰,温义实在不敢放肆。梅兰走过来将温义胸前的红花解开了,小声说:"我一直喜欢你哥哥,真心喜欢。不过你放心,我和你成亲了,什么事都听你的,女人就是这个命。"

温义不自觉地皱了皱眉头:这话太没意思了,罗敷绝不会说出这种话。女人又不是男人的私有财产,何必委曲求全?他脑子里似乎意识到一些问题,但短时间内又理不出头绪。

梅兰回身把床铺整理好了,又将头上的首饰逐个卸了下来:"天晚了,睡吧。"

温义脑子里嗡嗡直响,他下意识地看了看窗外,那一刻他希望哥哥能从坟墓里跳出来,哪怕是从天上掉下来也行。

灯灭了,是梅兰吹的。温义勉强打着精神,坐到床边。黑暗中他觉得墙上挂满了眼睛,所有的眼睛都鄙夷地盯着自己的胸口。温义几乎喘不过气来。

枯坐了半个小时,温义下了决心:床还是要上的。突然温义愣住了,远方传来了隐隐约约的枪声。他腾地跳了起来,提着手枪冲到房门口。梅兰惊道:"怎么啦?"温义趴在门板上:"有枪声。"

温义把门踹开,与慌慌张张的虎豹撞了个满怀。温义叫道:"哪里打枪?"

虎豹说:"好像是一线天的方向,那地方进不来人啊。"

温义思索着:"一线天只能走一个人,又有卡子,从那地方进来就是找死！"

枪声越来越密集了，虎豹大张着嘴："好像近了，他妈的到底怎么回事？"

温长生率领一干人等从后院里跑出来，他们的酒席还没散呢。梅校长听了听："最多还有三里路，大家掐住学校的路口，一时半晌他们冲不过来。"

温义意识到事态严重，带着虎豹和几个押运队的骨干，奔学校方向去了。

温长生叉着腰："是谁？"

梅校长道："无论是谁，反正快到门口了。"

温长生把老鸦、狗子等人叫过来，严肃地说："你们带着少夫人、梅校长和所有能找到的女人、孩子，马上进洞，随时准备过江。应该是滇军，听这枪声，人数少不了。"

所谓的洞，就是温家后花园里的一条密道，长达数百丈，直通怒江岸，江边靠着几条备用船只。那是温家帮为了应付紧急情况的秘密通道。

老鸦站在原地没动："帮主，滇军不禁打。没准儿二少爷他们开几枪，滇军的人就跑了。"

温长生正要骂人，学校方向响起了密集的枪声，跟爆豆子一样，显然是重机枪。大家同时向那方向望去，手榴弹爆炸的腾腾火光映红了大空，夜色里全是喊杀声。温长生咬牙切齿地说："赶紧走！咱们有一半的人手在边境上，找到他们，温家帮就能东山再起。"

老鸦不敢再说什么，赶紧拉上梅兰、梅校长和一群女眷，迅速向后院跑去。

温长生紧了几扣腰带，盯着身边的十几个押运队员："怕死的，现在跟着他们走，也替咱们温家帮留点种子。"众人齐齐地一跺脚，怒声道："典田卖地，将金逐利；谁要拦着，人头落地！"温长生豪迈地笑了两声："好样的，有我的，就有你们的。跟我上！"

此刻温长生像吃了返老还童的灵丹，拎着手枪，变步拧身，猫腰便撞进了茫茫夜色。

温义与一群黑黢黢的影子，几乎同时赶到学校门口，黑暗中可以看到那一片层层叠叠的大盖帽。虎豹叫道："滇军！"温义浑身的骨头都酸了，心下骂道：奶奶的，赶在我结婚的时候杀进来，这群家伙真会挑时机。他命令队员们把住几个制高点，自己和虎豹冲到三层的校长办公室。他一脚踹开窗户，虎豹则从梅校长的床边上拉过一挺重机枪。

温家帮是个半军事化的组织，温长生之所以选择在这里修建学校，而且还修得异常坚固,原因就是这地方是进入马吉腹地的咽喉。大家也都知道,在校长办公室里有武器,一旦有了战事,教学楼就是温家帮最后的碉堡。

重机枪怒吼了,虎豹龇牙咧嘴地边骂边开火,曳光弹点燃了夜空。几个扫射下来,大盖帽倒下了几十个,咿咿呀呀的哭叫声盖过了怒江的浪涛。温义亲自给虎豹装添弹药,手上忙碌着,嘴里也没闲着:"王八羔子,王八羔子,打,打!"此刻制高点上的帮众也开火了,学校、江岸、道路之间形成了几道火网。滇军扔下一大片尸体,抱着脑袋往回跑。

六

夜色浓重,孤月如帆,双方都弄不清楚对方的底细。滇军的攻击停止了,温长生安顿了退路,把身边的人手都带了过来,外带两门迫击炮。见了面,温长生就嚷嚷着赶紧开炮。

温义知道父亲对炮兵作业不熟悉,自己便指挥炮手们将迫击炮安置在山梁之后,又增加了一个观察哨。

回到学校,虎豹正跪在地上向温帮主请罪呢。"帮主,我想不明白,卡子全都安排了人,一线天那地方怎么进得来呢?我无能,您也别杀我了,我就守在这儿,我的命怎么着也能赚几个。"

温长生没心思搭理他的胡扯,铁青着脸在教室里转悠。温义走上前:"爸,等咱们的老幼都进了洞,把洞口一炸,咱们就能跑了。"

温长生自顾自地说:"从别的卡子进来我还能理解,一线天那地方,外人根本就找不到啊。"

虎豹说:"所以我只安排了两个人,估计是让他们摸了。"

温义"哼"了一声:"没有内贼,引不来外鬼。"

这时远处又传来紧一阵儿松一阵儿的枪声,隐隐地能看到山间跳跃着的火光,到后来火光几乎连成了一片。众人都不言语了,从方位上看,滇军正从背后攻击其他的据点呢。但大家只能干看着,没办法救援。

温长生叫来几个精干的队员,叮嘱道:"马上去报信,分头去,碰上谁告诉谁,别硬拼,过了江就安全了。"

实际上马吉只是温家帮的后方基地,在方圆十几里还有七八个居民点。有些地方是住人的,有些地方则是熬胶场和仓库,估计滇军一时还顾不上他们。队员们分头出发了,父子俩并肩站着,眼睛盯着温家的后花园。是啊,几百老幼,也不知道能逃走多少。温义希望父亲和自己说几句话,哪怕是不着边际的话也好。

最后一批妇女儿童从学校边撤了过去,天色也大亮了,远处的枪声逐渐平息,估计其他据点都失守了。温长生从枪声里判断,这一夜的抵抗非常激烈,大家为了妇女儿童的撤离赢得了时间。

艳阳高照,峡谷中的一切明亮得刺眼。二里之外的空地上,滇军的队伍整齐地排列着,正准备发动进攻呢。温义倒吸了一口冷气,对方的兵力足足有一个团,学校中只有二十来个人。温长生冷笑着说:"估计第四师全开过来了,还真看得起咱们。"温义紧张地说:"爸,您走吧,我守着就行了。"温长生怒了,骂道:"混账东西!我刚死了一个儿子,难道你想让温家断了香火?你,现在就走,弄不出孙子来我饶不了你。"温义正要开口,虎豹跑了进来,指着滇军队伍:"你们看看,仔细看看,那小子是谁?"

温义真佩服虎豹的眼力,至少有一千多米,只能看到一片人影。他拿起望远镜,少校石成赫然出现在镜头里,那小子正大声说着什么。温义小声骂道:"是石成这小子,当初应该把他下油锅。"温长生"哼"了一声:"要知道是这小子,十年前就应该把他沉了江。"温义心思一转,十年前父亲不可能认识石成。他在镜头里搜索了一会儿,终于看到了,石成边上还站了一位呢,张老小。

虎豹对张老小的形象太敏感,所以第一个认出了那家伙。虎豹恶狠狠骂道:"帮主给他爸爸买过棺材呢,这王八蛋一直就不是个好东西。"

所有疑团都解开了,内贼必然是张老小。这小子在温家帮里土生土长,虽然被开除了,但他混进帮内绝非难事,卡子上的兄弟对张老小往往也采取不管不问的态度。

温长生拿过一支中正式步枪,递给虎豹:"还记得他是怎么折腾你的吗?我让你要了他的命!一枪!"

虎豹是温家帮的神枪手,举起拇指瞄了一会儿:"帮主,太远了。"

温义提醒道:"子弹会打出一条弧线,得把枪口抬高些。打吧,让他们见识见识咱温家帮的厉害。"

虎豹将步枪固定在窗台上,大约瞄了半分钟,砰的一声,枪口冒了股白烟。所有眼睛都注视着滇军队伍,只见队伍中一个庞大的身躯晃了几下,烂肉一样地栽倒了。滇军队伍顿时出现了慌乱,纷纷向后退。石少校挥着手枪,弹压了好一阵子。虎豹兴奋得往枪膛里啐了一口:"报仇了,王八蛋死了。"

温义拉了父亲一把:"爸,滇军对咱们动真格的了。这事怪我,占小便宜吃了大亏。"

温长生知道他说的是税款的事，但他没有责备儿子的意思："他们要独霸烟土行，早就想收拾咱们了，只是没找到借口。欲加之罪，早晚会加上的。"

温义说："其实连借口都算不上，咱们根本没犯法。"

温长生拍了拍儿子的肩膀："法是给小民准备的，有了枪就是有了法。我这几年看了不少书，外国的事咱们说不好，在中国得势的人必定是无法无天的流氓。法律、伦理、纲常，都是流氓约束老百姓的。儿子，你要振兴温家帮，咱们温家帮就靠你了，你什么都不信，你能做流氓，你哥哥做不了。不过要给我记住，碰上大流氓，赶紧躲起来。"温长生的口气非常温和，像是叮嘱儿子天凉了，多穿几件衣服似的。

温义忍着眼泪，突然觉得脑后袭来一股凉风。他还没明白呢，只听虎豹高喊道："帮主，您这是……"温义的后脑遭到了重重一击，眼前立刻黑了，面口袋一样地倒了。

枪声大作，炮弹的爆炸声响彻云霄，一股股声浪冲击着耳膜。温义醒了，他躺在担架上，翻身就要起来，但身子不听使唤，原来他被人捆在担架上。眼前黑糊糊的，他使劲晃着脑袋，后脑勺疼得厉害，显然是破了。温义发现这是个小山洞，自己正被人抬着往前跑呢。洞口就在后方，而且越来越小了，远远的能看到两条人影正在洞口方向交涉着什么。他眨巴眼睛，其中一条身影仿佛是虎豹。温义大叫道："虎豹，你疯啦？你小子快把我放开。"

担架停了下来，两条人影同时转过身来，另一个人是梅校长。虎豹老远给他作了揖："不能放，是帮主让我把你捆上的。"

这时洞外的枪声连成了一个响，能听到部队冲锋的呐喊。温义脑子清醒了，估计老爹想让自己先撤走，又担心儿子不听他的，干脆就下了狠手。温义这叫窝囊，怎么让老爹算计了？脑袋上一定会留下疤痕。梅校长跑过来，伏着身说："你要明白你父亲的苦心，温家帮不能这么完了。"

温义咬着嘴唇："打仗我比他在行，赶紧放开我。"

梅校长怒道："凭你们这二十几个人？送死！"

温义厉声说："那就让我爸爸送死啊？"

梅校长向洞口的方向看了一眼："送死的事，交给我们老的吧。你听着，估计张老小把帮里的事全说了出去，这条密道可能也暴露了。一旦学校被他们炸平，下一个目标必然是这里。你们马上离开，过了江就安全了。押运队的主力在边境上呢，以后的事靠你们自己了。"

温义听出问题来了："您呢？"

梅校长指着洞口的一挺轻机枪说："我给你们断后。这枪，我刚学会怎么使，正想试试呢。"

温义怒吼道："把洞口炸掉。"

虎豹咧着嘴说："二少爷，没准备炸药，谁也没想到滇军这帮王八蛋偷袭！"

爆炸声逐渐平息了，枪声却越来越近了。梅校长跑到洞口向外观察，恶狠狠地说："学校失守了。虎豹，赶紧走，他出了事，帮主和我变成鬼也饶不了你。"

温义使劲扭动身子，眼珠子往外喷血："我跟他们拼了。"

虎豹小声说："二少爷，我也对不起你了。"说着，他挥拳打在温义腮帮子上，温义又被打昏了。虎豹抹了把眼泪，抄起担架，回头喊道："老爷子，我们给你报仇，二十年后又是条好汉！"

梅校长端着机枪，目光炯炯地盯着洞外，嘴角闪过一丝蔑视的笑容。

七

虎豹和另一个队员抬着温义，在山洞里狂跑了二十分钟，终于看到出口了。洞口离江边只有二十米，一层层白浪撞击着礁石，江水汹涌而澎湃。最后一条木船靠在简易码头上，船身如碎纸片一样晃来晃去。接触了新鲜空气，温义又醒了过来，他躺在担架上破口骂道："虎豹你小子等着，我早晚把你后腚眼堵上，你这头驴，赶紧把我放下来。"

虎豹歪着嘴说："你就是饿死我，我也不放。"

船头上的梅兰跳了下来，大叫道："怎么啦？他怎么啦？"

虎豹说："他没事，帮主让咱们现在就过江。"

梅兰望着洞口："我父亲呢？温帮主呢？"

温义扭过脸去，把眼睛闭上了。虎豹快哭出来了，哀求道："小姐，啊不，少奶奶，咱们马上走吧。"

这时，一条人影猴子似的从洞口里蹿了出来，挥舞着胳膊叫道："快上船，快走，快开船。"

温义听出那人是老鸦，大叫道："我爸爸呢？"

"赶紧走，虎豹，快点儿。"老鸦喊得都岔了声。他跳跃着跑过来，一把抢过担架的把手，又向虎豹使了个眼色。虎豹一狠心，双手抓小鸡似的将梅兰拎起来，倒拖着往码头上跑。温义夫妇被帮众们扔进了船舱，虎豹一斧子砍断了缆绳。缆绳刚断，一群黑乌鸦似的军人就从洞口里冲了出来，有个军官歇斯底里地叫道："不许开船，长官有命令，不许开船。"

虎豹抄起船桨，在岸边的石头上使劲一顶，小木船箭一样地向江心滑了出去。军人们半蹲着向木船射击，嗖嗖的子弹打得大家抬不起头来，木船开始打转。虎豹挺身而起，肩头上立刻中了一枪。他拧着眉毛，单手摇桨，嘴里嗷嗷地狂叫着，小船驶进了湍急的江心。

江流湍急，白浪滔天，木船被冲出三十多里才靠上西岸。梅兰给温义松了绑，温义拎着手枪要找虎豹算账，却看到鲜血顺着虎豹的袖子流了一船舱。他瞪了虎豹一会儿，不忍心再说什么。虎豹撅着嘴说："你别恨我，帮主想给咱们温家帮留点种子。"

此时，身后传来梅兰的哭声，老鸦拍着梅兰的肩膀，正安慰她呢。原来梅校长死在洞口了，上半身被打成了筛子。温义坐到梅兰身边，任凭她哭着。哭声凄婉，却依然被浪涛冲击得体无完肤。哭了一会儿，梅兰自己也有些气馁了。

温义翻起眉毛，盯着老鸦："我爸爸呢？"

老鸦说："我回学校找他们，他们在学校里守着呢，后来又来了几个人，是其他据点的。"

虎豹插了一句："其他据点呢？"

老鸦说："全被人家打下来了，总共也没跑出几个。昨天晚上他们打不下学校，就把其他据点的人都给收拾了。听说咱们的人死了几百，剩下的都给抓住了。"

温义不耐烦地大叫："我爸爸呢？"

老鸦摇着头道："我走的时候，就剩帮主一个人了。他说让我帮着你，还说，千万不能像你大哥那样，为别人的事玩命。"

温义的眼珠子吊在额头上，眉毛插到头发里了。凭温长生的脾气，肯定是死了，死得必然极其英勇。梅兰扶着他的肩膀说："咱们给二老上炷香吧。"见温义不说话，梅兰害怕了："你要是想哭就使劲哭，哭出来。"

温义直起身子："烧香有什么用？谁知道老天爷是不是更大的流氓？"

梅兰诧异地看着他，没明白这话的意思。

温义在江岸上转了几圈，转过头："狗子，你把散落在西岸的人召集起来，然后把边境上的押运队给我调过来。虎豹，把咱们藏在金库里的金子全部运到普拉底，随时听候我调用。老鸦，你现在就给我去昆明，找张快，让他给我查清楚，到底是谁要端了温家帮，是谁下的命令，是谁指挥的部队。特别是那个石成，把他的祖宗八代都给我刨出来，我要灭了他的九族。"

虎豹跳着脚说:"这就对了,谁端了温家帮,咱们就让他断子绝孙。"

老鸦豪迈地说:"二少爷,我一辈子都在温家帮,咱们温家帮不能让人这么毁了。你就等着吧,我现在就去。"

梅兰一把拉住老鸦,惊讶地看着温义:"你真要报仇?就凭这几个人?温义,你要想好。"

温义手指天空:"事儿都是人干的。咱们在边境上还有几百号人,在缅甸、在四川的烟路上还有几十万两的烟土。在山洞里,咱们还有祖上的积蓄。哼,就是买我也能把他们的命买下来。"说着,温义突然狞笑起来,那笑声干涩异常,不见丝毫水分。

梅兰感到了一股恐惧,不由得哆嗦了几下。她一直把温义当做弟弟,弟弟的形象一直是善良幽默的,可现在的温义竟变成了一头喝血的蝙蝠,獠牙都生出来了。

几天后,昆明报纸上登出了条振奋人心的消息:滇军在滇西北打掉了一个偷税漏税的烟土走私团伙,金额巨大,罪不可赦。这是滇军在抗战过程中的最大战绩,是对党国的卓越贡献,云南军民的士气也必将为之一振。

此后,温家帮出事的传闻,便在西南各省传开了,连缅甸的同行都有所耳闻。大家在惋惜之余忽然意识到:温家帮完了,自己的机会没准儿来了。

涅槃是佛教用语,指重生,浴火再生。在缅甸,所有人都知道这个词,他们都是佛教徒。

一个月后,温义出现在曼德勒,原来设宴欢迎温二公子的缅甸同行们,无一例外地失踪了。温义并不泄气,人追有钱的,狗追挎篮的,这些家伙早晚是要回来的。他命人把帖子递进了总督府的衙门,然后住进曼德勒最豪华的旅馆,一边等消息一边欣赏顶级印度舞女的激情表演。

曼德勒是缅甸故都,地位相当于中国的北平,古迹众多。后来缅甸的政治中心南迁仰光,但曼德勒依然是缅北重镇,人口众多,市面繁荣,也是东南亚烟土贸易的重要集散地。几百年前,温家的先人跟随旧王朝的皇帝到过这一带,那时他们是一批政治流亡者。他们梦想着恢复旧王朝的秩序,结果却给缅甸造成了连续数十年的战争,与清朝一直打到乾隆年间才停下来。

如今缅甸和印度同属印缅联邦,都是鸦片的主要产区。但热带人生性懒散,容易满足现状,制造产品也缺乏精益求精的刻苦劲。近几十年来,中国烟土,特别是云土异军突起,质量、产量、价格都占据了市场优势。市场逆转了,缅甸早就从云南进口烟土了。当然,烟土贸易在法律上是非法的,但缅英当

局在温义等人的重金收买下,大多成了瞎子,烟土买卖畅通无阻。

温义并没有来缅甸的计划,在边境上他与温家帮的残部会合了,琢磨着如何复仇。忽然他听说缅英当局扣押了温家帮的货物,大有落井下石的企图。为了温家帮的尊严,为了东南亚的市场,为了保存报仇的资本,温义不顾梅兰等人的劝阻,毅然到了缅甸。对于英国人,温义向来有心理优势,方敦之流实在算不得什么,放个屁就够他琢磨半年的。温义私下里认为,外国人比中国人好对付,他们还没完全进化成人类呢,脑子不够使。

温家帮的人都成了通缉犯,温义没敢走保山的路,他绕道普拉底,走腾冲,到密支那,然后南下曼德勒。在曼德勒盘桓了两日,温义彻底搞清楚了。缅英当局扣留了温家帮相当于四十万银圆的货款,还外加数百担的烟土。温义估摸着,英国人认为温家帮这棵大树倒了,无利可图了,索性来个杀鸡取卵。温义一点儿都不担心,他见当局没反应,接连又递进了几张帖子。最后总督府终于坐不住了,让方敦出面接待了他。

八

会见是冷冰冰的,地点是总督府的小客厅,门口站着两个荷枪实弹的英国兵。温义如入无人之境,见了面便大大咧咧地说:"你们把我的货款和烟土扣下了,真不够交情。"

方敦仔细研究着温义的气色,这小子居然还是这等天老大他老二的气派!看了一会儿,方敦轻蔑地说:"阁下精神不错,鄙人不得不佩服。明明已经是丧家犬了,还有胆量来缅甸?你就不怕我们把你当走私犯抓起来?"

温义把头探了过去,挑战似的盯着他的眼睛:"温家帮的实力你见识过,你以为我们那么容易就能被打垮?"方敦思索了一会儿,真有点拿不准。温家帮有百年历史,党羽众多,帮众忠心耿耿,训练有素,一转眼就被人打垮了?不会是云南政府吹牛吧?这种事国民党当局没少干。温义知道这家伙心虚了,嘿嘿笑着:"可惜!阁下是怎么做的军人?为什么没有一点战略思考呢?政府出动了两个整编师围剿我温家帮,我们一夜之间干掉了他们四千人,然后主动撤退了。硬拼只能带来死亡,我们暂时放弃了马吉,是因为我们找到了更利于发展的地区。阁下,温家帮没散,还在那儿摆着呢,战略转移往往意味着更大的发展。"方敦哈哈大笑起来。烟帮把自己的逃跑说成是战略转移,简直滑稽透顶!温义不为所动,满脸严肃:"前几年江西有一支武装力量,不愿意与国民党部队火并,从江西辗转转移到陕北。所有人都认为他们山穷水尽了,如今呢?他们是中国仅次于政府军的武装力量。阁下想必知道吧?"

方敦的确是底气不足了,但依然保持着居高临下的态势:"无论怎么说,中国政府对你们发出了通缉令。现在日本人正向缅甸渗透,中英是盟国,我们和你来往弄不好会得罪中国政府。看在大家以往的交情上,你赶紧离开。中国政府要是知道了,我们不好交代。"

"离开可以,但我的钱不能扔在缅甸。"温义"哼"一声,把方敦面前的茶杯端起来,狠狠地喝了一口,"我有个同学在伦敦当战地记者,与英国的新闻界来往频繁,跟什么《太阳报》啊,《泰晤士报》啊,都有不少关系。英国人正在抗击德国,战况惨烈,伦敦快给炸成废墟了。如果英国新闻界得到消息,他们的殖民地当局在英国遭遇国难的危急时刻,居然还在参与鸦片走私,居然还中饱私囊,哎呀,我看这条新闻足可以上头条了。你们的首相未必吃得消,英国人民会记住你们的,嘿嘿,会永远地记住你们。"

这一箭射中了要害,方敦不自觉地向客厅旁门看了一眼,忽然叫道:"卑鄙,你怎么能用英国的新闻界威胁我们?是你们把我们拉下水的。"

温义突然目露凶光,一脸狞笑:"想灭口,现在就可以了杀了我。一旦我失踪或者死在缅甸,英国新闻界立刻就会得到消息。你或许还有你的上司,会被丘吉尔那老胖子送上军事法庭,如果你侥幸得了一条命,我温家帮上千之众也不会善罢甘休,他们会想尽办法把你的脑袋变成夜壶。当然,这也包括你的上司。"

方敦猛地站了起来,悲愤地说:"你这人……你这个人太恶毒了。"

温义反而坐了下来,平静地说:"我们中国人喜欢株连九族,也就是说,如果我的手下还不解恨,你们的妻子、儿女、父母都将成为报复对象,所有与你有血缘的人,都将在世界上消失。我不喜欢这种做法,不人道,甚至是野蛮的。但那时我死了,我没有办法约束他们。"

方敦的前胸如大风箱,呼来呼去的,好不壮观。他早有耳闻,云南的烟帮向来杀人不眨眼,如果说到有仇必报,以温家帮最为驰名。另外他们本想把温义吓走就行了,没有杀人灭口的打算。如今温义把话说出来了,就说明这小子做好了最坏的准备。他摊开手说:"温先生,你我终归是朋友,事情没有到那一步。我和我的上司商量商量,您在旅社里等消息。"

温义无可无不可地站起来:"电台里说了,日本舰队正向仰光进发。万一日本人打了进来,云南或许是阁下的一条退路,我们会给你提供诸多方便。"说完,整整衣冠,微笑着走了。

温义刚出门,客厅的侧门就打开了。缅北副总督豆敦进来了。他是方敦的顶头上司,留着一撇漂亮的小胡子。这家伙没有和温家帮正面接触过,但走私烟土的利润是一分钱都没少拿。方敦在牙缝里骂道:"这中国人太龌龊,简直是小人。"

窗外,温义风度翩翩地向卫兵打了招呼,出门上车了。豆敦笑了:"这样的人应该做政客,怎么流落到黑社会了? 中国真浪费人才啊。"

两个月后,一家食盐厂在昆明郊区拔地而起。厂长姓张,由于面目凶恶,大家叫他张老虎。这外号触及了此人的本质,这家伙的真名叫虎豹。从税务部门的注册登记表上可以查到,工厂的资金来自英国,产品的销售终端是缅甸。事实上这家工厂的幕后老板是温义,设备也不是生产食盐的。

英国当局对温义是又恨又怕又没办法,为了消灾,他们把货款和烟土还给了温家帮。温义与残余部队会合了,狗子带来了普拉底没有政府军的好消息。他命令多余人员和女眷,全部转移到普拉底,接管那地方,收留温家帮的失散人员。

此时老鸦也从昆明回来了,张快提供了大量情报。端掉温家帮是滇军第二军参谋长廖贵的主意,第四师担任了攻击任务,作战命令是龙主席下达的,他们计划利用温家帮的资金扩充军队,同时霸占温家帮的烟土市场。温义有些犯难,那彝族老娃子出身的省主席向来深居简出,行踪不定,连委员长都拿他没办法。另外第二军的廖贵也是个出了名的滑头,人家住在部队里,总不能冲到军部里去杀人吧? 即使虎豹他们有这个胆量,也是白送死。

"二少爷,廖参谋长有别的产业。"老鸦老谋深算地说,"云南的白面,都是他卖出去的。"

温义心念一转:"把你了解的情况全说出来。"

张快早就将昆明军政要员的底细摸透了。大家都知道云南军阀就是最大的烟商,其次才能轮到温家帮。去年廖贵在昆明开办了白面厂,白面就是海洛因,这东西纯度高,劲儿大,吸食方便,已经充分博得了瘾君子的好感。如今云南的白面和烟土一样享有盛誉,远销各省。明眼人全清楚,表面上廖贵是白面厂老板,幕后指使一定是那个省主席。前几个月温义也琢磨过要开辟海洛因市场,四下寻找技术人员。这消息传到廖贵耳朵里了,本来对温家帮诸多不满的云南当局,担心他们跑进来分羹,便下了剿灭的决心。于是他们在报纸上制造温家帮偷税漏税的舆论,又派张局长催要税款,其实都是精心策划的借口。

温义将前因后果逐渐梳理清楚,然后把自己关在竹楼里,闭关三日。之后他宣布:到昆明去,咱们也生产海洛因。众人虽然不明所以,但温二少爷向来料事如神,如今帮主去世了,二少爷的话就是真理。私下里梅兰表达了不同意见:君子报仇十年不晚。生产海洛因怎么能报仇呢?那个事比倒腾烟土还要缺德,你大哥一心想让温家帮从事正经生意,能不能考虑一下你哥哥的遗愿?温义垂着眉毛说:"我大哥,糊涂,咱们不搞烟土难道就没人搞了?梅姐,我现在的目标是报仇,越早越好。十年以后的事我根本不想,你等着吧。"

去昆明前,温义挑选了十几个最能干的帮众。他担心暴露目标,便把手下人分散了,他们带着大量现金逐批来到昆明。温义是第一个抵达的,他找到张快,见了面就问:"造白面的技术人员找到没有?"

张快惊讶地伸着舌头:"都这时候了,还要技术人员做什么?"

温义说:"我要在昆明开白面厂,没有技术人员怎么行?"

张快的眼珠子都快掉出来了:"在昆明开白面厂?这是在太岁头上动土啊。咱们刚有这个念头,人家就容不得温家帮了。开厂子?怎么可能?"

温义笑着说:"我就要在太岁头上动动土。赶紧把技术人员找来,你继续隐蔽,什么都不知道。"

几天后,温义在郊区买下一家废弃的小工厂,购进了一些化工设备,堂堂正正地申请了食盐厂的执照。食盐厂的董事长是英国人,叫方敦。

九

张快打来电话,说技术人员找到了。温义兴冲冲地跑了去,见了面险些当场翻跟头。这个技术人员居然是保定的老相识——津井正雄。如今津井换名字了,自称金先生。这家伙的中文超级流利,张快居然没有听出他是外国人。温义抱着胳膊,满脸坏笑:"你们大日本正和我们打仗呢,你怎么跑到昆明来了?是不是真当间谍了?"

金先生异常难过:"我能当间谍就好了。"说着,他捂住脸,呜呜地哭了起来。

温义多少有些歉疚,津井正雄的命运肯定与烟土有关,弄不好全是自己害的。他收敛了尖刻的口气,关切地问:"烟瘾还没戒吗?"

金先生抽搭着:"戒什么呀?戒不了啦。你见过几个能戒的?我们日本人最看不起抽鸦片的了。"

当年仅仅为了一个烟泡,津井正雄在叔叔面前把中国人骂得体无完肤,叔叔一怒之下挺进卢沟桥,大打出手。但不久叔叔发现侄子是个烟鬼,这一气简直是怒发冲冠。津井正雄没脸在中国待下去了,只得回国戒烟。烟瘾这东西一旦染上,除了个别的超级人类,一般人是戒不了的。津井正雄几次戒烟均以失败告终,日本境内的烟土、白面又都太过昂贵,他根本抽不起。津井在朋友的介绍下,跑到热河的一家工厂学习最新的烟土提炼技术。刚学了个六七成,工厂莫名其妙地被洪水淹了,同伴们大多成了水鬼。日本当局不愿意透露这家工厂的真实用途,封锁了消息,还把人员遣散了。津井正雄只得跑进上海租界,偷偷提炼海洛因,希望以烟养烟。这家伙手头上资金有限,不够开厂子,无奈只得在一家日本浪人的海洛因工厂里当技术人员。不久上海租界也让日本人给占了,津井不愿意在同胞面前丢脸,恰巧听到云南有人在寻找技术人员的消息,干脆就来了昆明。他中文好,没人清楚他的真实身份。如今堂堂的社会学博士津井正雄,早没了当年的意气风发,他的理想是在海洛因工厂里干一辈子,这样就可以免费抽一辈子白面了。

谈吐中,金先生偶尔冒出了几句日本人不屑于烟土的议论。温义骂道:"你们不屑烟土?可你们开厂子制造海洛因。在远东,谁不知道生产白面的核心技术掌握在你们手里?你们他妈的就是想害人。"津井清楚温义会成为自己的老板,索性低头不语。温义挥着手说:"明天搬到我厂子里来,如果技术不过关,我就做了你。你不能说你是日本人,省得让人家打死。你告诉他们,你是从英国回来的,在英国待了十年,所以说中国话串味儿了,明白吗?"

从此津井成了温义的下属,人们都叫他金先生。

日本人在仰光登陆了,他们企图迅速北进,切断滇缅公路。英国人不会为了中国的抗战玩命,他们的主要精力在欧洲。据说仰光没发生过什么像样的战事,英国人就跑了。不久缅甸全境陷入了混乱,昆明是风雨未来烟满楼。大批的中央军开进云南,据说要入缅作战。云南王龙主席如坐针毡,中央军和日本人都不是好相与的。

随着战事逼近,昆明的海洛因竟出现了二雄争霸的局面。市场上出现了大量廉价却质量上乘的水昌牌白面。一时间白面市场上风起云涌,所有的烟客都在追捧水昌牌,连外地的烟商都纷纷跑来进货。

大运化工厂的廖贵董事长坐不住了,他的厂子面临着前所未有的压力,全是水昌牌白面闹的。大运化工厂也是生产白面的,业绩不好无法向后台老板交代。最让他搓火的是,水昌牌白面完全是在倾销,他们的批发价格连成本都不够,这明摆着就是要把大运化工厂挤死啊。廖贵派出十几批密探,想要把水昌厂找出来。十天后有了确切消息,水昌打着食盐厂的幌子,就在昆明郊区,是英国人注册的,厂里确有不少英国员工。这一来廖贵没了主意,如果是中国人的企业,无非是一句话的事。但外国人不好随便动,万一惹出国际纠纷就麻烦了。大运厂的白面收入肩负着滇军百分之三十的开支,廖贵不敢怠慢,只好把情况上报了省主席。龙主席命令:"你亲自去看看,眼见为实。"

第二天,廖贵跑到了水昌食盐厂。水昌的门脸是拱顶圆柱的,颇有欧式风格。门房里坐着两个白种人,正喜笑颜开地打扑克。密探指点着说:"参谋长,连看门的都是英国人。"

廖贵不免产生了几分惊讶:"谁管事?总不能全是英国人吧?"

密探说:"一个姓张的管理工人,那模样就像杀人不眨眼的。"

廖贵说:"你通报一声,说城防副司令来了。"廖贵心道:无论你是哪国的黑社会,总得给官方一个面子。

密探去了一会儿,叮当做响地跑了回来,显然是得了赏钱。他欢喜地说:"参谋长,人家马上就出来,专门迎接您。"

十分钟后大门开了,十几个穿着工作服的外籍人员列队迎接。虎豹以副厂长的身份,请廖参谋长到厂区的办公室喝茶。廖贵从厂区里走过,心下无限感慨。这家厂子就如同地里钻出来的,厂容整洁,工人们都穿着干净的工作服,一水儿雄赳赳的样子,看不出他们是些干粗活的人。廖贵不奇怪,他与英国人打过交道,早知道英国人性格严谨,讲究效率,在英国工厂里的工人地位也比较高。

贵宾室门口是位满脸笑容的英国绅士,他风度翩翩地与廖贵握了手。廖参谋长满腹狐疑却也不得不堆出一脸笑容。好歹是外交场合,贵宾室里准备了茶点,是英式午茶。双方落座,英国人自我介绍,说自己叫查理,受缅北方敦先生的委托来昆明办厂,希望得到廖先生的照顾云云。廖贵听说过方敦的名字,奇道:"你们在缅甸待着挺好,怎么来昆明了?"

查理摊开手:"日本人正准备北上,来昆明是为了给我们留条后路啊。"

廖贵立刻理解了,于是提出:"你们的产品扰乱了昆明市场,是故意压价,这在中国是不允许的。"

查理表示歉意,并解释说:"我们在缅甸积压了大量烟土,货源便宜,希望你们能谅解。"

廖贵"哼"了一声:积压?明明是你们没收的,白来的东西当然便宜。他皮笑肉不笑地说道:"虽然中英是盟国,但我们是地方政府,财政独立。谁损伤了我们的利益，我们没有理由善罢甘休。"

查理似乎早有准备，马上回应："本来应该尽快拜访您，但工厂新开张，千头万绪，没想到您倒先来了。其实我还有个任务，就是负责和你们谈判。我们老板说，贵我双方如能达成合作，最好不过。"

廖贵不理解合作的意思，询问何出此言。查理神秘地一笑，先对国际形式进行了一次深刻的分析。他说："日军占领了东南亚和中国大部，在太平洋上与美国人打得昏天黑地，但他们战线太长，人力有限，所以日本人在缅甸不会有太大作为，他们是为了占领出海口，切断中国的补给线就达到目的了，缅甸的大部地区依然会控制在英国手里。事实上缅甸的烟土也需要市场，但南下线路被日本人切断了，只能利用中国市场拯救缅甸的烟农。如果把我们的烟土、技术和你们的市场网络结合起来，战后整个远东的海洛因市场就是咱们的了。"

廖贵万万没想到，英国人的全球布局里居然包括了鸦片战略，他试探着问："贵我双方如何合作？"

查理说："我们是这么计划的。在缅甸烟土买卖虽然非法，但我们可以为所欲为，是吧？"廖贵点头，查理向窗外一指："我们的管理水平，我们的机械设备，我们的技术能力，没问题吧？"

廖贵说："没问题，你们英国人是工业的祖宗。"

查理哈哈笑道："你们负责销售、运输，我们生产产品，提供技术。咱们成立一个合资企业，目标就是垄断远东的海洛因。将来有了机会，咱们还可以把产品推销到欧洲和美国。当然，这要等到战后，西方的销路由我们负责。"

廖贵搓着手想了一会儿，忽然道："谁出钱呢？"

查理居高临下地说："我们以工厂入股，外加五十万银圆的流动资金，三千担烟土。你们以军队保障权入股，你们可以不出一分钱，但中国其他地区的销售，你们要负责。"

廖贵还是有些疑虑："方敦先生的军衔不过是少校。"

查理点燃了一支大雪茄，笑得极其诡秘："我的上司是方敦先生，他的上司是谁？"

"豆敦。"廖贵道。

查理笑道："对，豆敦后面还有人呢。"

廖贵"啊"了一声，豆敦的后台老板是赫赫有名的亚历山大勋爵，勋爵的后台就是……他简直不敢往下想了。

查理的神色中出现了些许伤感："后面的事就不说了，这是战略。即使将

来打败了德国人、日本人，英伦三岛也将成为一片废墟，损失之大不可估量。近些年印度又出了个光膀子的小老头，嚷嚷着要独立。您说，战后我们大英帝国的重建靠什么？"

廖贵喉咙里呕了几声，看来英国人把百年前的招数又拿了出来，他们是想靠着贩卖鸦片重建家园。

查理接着说："现在的市场是整个远东，如果你们能和我们合作，将来云南的实力就不可限量了。你们的省主席或许可以控制远东的命脉，能量之大，你们自己想想。我们英国人不过是想赚些重建资金而已。"

廖贵一个劲地点头。英国是日不落帝国，战略眼光独到，往往能预计到几十年后的发展。战争刚刚打响，他们就在为战后的重建做准备，这样的民族太可怕了。后来他们又聊了合作的细节，廖贵便起身告辞了。

参谋长的汽车刚刚开出门，温义就出现在贵宾室里。查理诚惶诚恐地说："先生，我的话没错吧？"

温义赞赏地拍着他的肩膀，拿出一封银圆来："这是你的奖励，工资之外的。"查理笑得耳朵都红了，绅士风度骤然挥发了。

第六章 从烟土到白粉

一

　　廖参谋长看到的工厂、英国人,以及查理对全球形势似是而非的议论,仅仅是场话剧。为了这次演出,温义精心准备了一个月。当时昆明来了一批从上海逃过来的犹太人,温义从中招聘了几个会说英语的,通过接触,发现那个叫查理的家伙以前是柏林话剧团的演员,于是让他做了董事长。温义给了他一个写满天书的本子,让这家伙大声背诵并融会贯通。查理以为温老板的计划是真的,二人配合得恰到妙处。

　　当然查理的胡言乱语绝不是简单的胡说,温义是综合了国际形势和英国人的性格,花了好大的心思才杜撰出来的。温义为了这个计划耗费了大量的资金,他将温家帮在各地储存的烟土全部运到昆明来,制造白面,以低于成本的价格在市场上抛售,其目的就是要把廖贵挤出来,然后争取把幕后的人也调动出来。只有这么干,温义才可能实施报仇计划。

　　演出博得了开门红,廖贵对英国人的话深信不疑。离开工厂,他马上参见了省主席,将水昌厂的情况如实汇报。省主席认为与英国人合作是绝佳的选择,既犯不着与英国人翻脸,又可以时刻控制他们的销路。生意在自己的地盘上进行,英国人变不出云彩来。另外,制造毒品、贩卖鸦片的事不光彩,即使出了事,英国人也没胆量大肆宣扬。此后,廖贵又先后到厂子里视察了几次,查理按部就班地将温义的计划和盘托出,就这样,一个名义上地跨云南、缅甸的毒品联合企业跃然纸上。

　　最后一次见面时,查理和廖贵敲定了所有的合作细节,就差在合同上签字了。查理提议说:"方敦先生不日将来昆明,咱们策划个签字仪式,把双方的头面人物请过来,见了面,大家心里都踏实了。"

廖贵也希望能见一见对方的首脑人物,马上说:"我能代表我们那个厂。方敦先生能来,是最好不过的。"

查理老奸巨滑地笑着:"外交上讲究对等原则,签约双方的身份要一致。从企业的角度上说,你我是同一个等级的管理人员,方敦先生属于上一个等级。鄙人觉得应该相互尊重。"

廖贵心里骂了一声,这小子是不放心,希望通过头面人物的出场确定大运的实力。他不敢替省主席做主,只得说:"我回去请示。"

二人的谈话全部灌进了温义耳朵,他有个预感,计划或许要成功了。当晚他将梅兰、老鸦、虎豹等人召集起来,告诉大家:"普拉底的工作进展顺利,当地镇长清楚老帮主爱民如子,欢迎咱们去落户。老鸦,你保护少夫人去普拉底,带上工厂的图纸和关键设备。等我和虎豹把事情办完了,立刻与你们会合。"梅兰不清楚他要干什么,坚决不愿意离开。温义只得劝道:"梅姐,别拖我的后腿,你爸爸和我爸爸不能白死,我要干掉所有的仇人,至少也得要了廖贵的脑袋。"梅兰说胳膊拧不过大腿,劝他不要莽撞。温义不听,叫老鸦立刻把她带走。

老鸦将梅兰劝了出去,温义又给虎豹下命令,将准备好的五百公斤炸药全部装到贵宾室的天花板里,要做到随时可以引爆。爆炸引信装在工厂后门的隐蔽地点,便于大家撤退。同时他还命令,温家帮的骨干人员现在就可以撤离了,厂区内留几个人象征性地扮成工人。在签约当天,于工厂后门预备两辆吉普车,不仅要装满汽油,还要带着一部分汽油。

听到这儿,虎豹问道:"二少爷,爆炸的时候,查理怎么办?那帮外国人是不是也该撤走?"

温义说:"爆炸时查理应该在贵宾室陪着客人呢,外国人都撤走了,这出戏就演不下去了。"

虎豹咳嗽了几声,额头冒汗了:"连他们一起炸死?"

温义说:"我给他们家里准备了五千块大洋,完了事你找个机会送去,咱们对得起他们。"

虎豹的惊恐没有消退的迹象:"他们本人知道吗?"

温义不耐烦了:"废话,他们要知道就坏了。你少说两句,他们不是咱温家帮的人,是炮灰。"

虎豹愣愣地点了点头。温帮主临死时让二少爷学习流氓的做派,二少爷

139

学得可真快。

第二天,虎豹带着温家帮的人,在贵宾室里叮叮当当地干了起来。查理问那些人在做什么?温义说:"咱们要接待省主席了,贵宾室要装修得气派些,表面文章一定要做得好。"查理认为这话在理,也就没当回事。

两天后廖贵打来电话,省主席同意出席签字仪式。如此一来,水昌化工厂更加忙碌了。

官越大,胆子越小。省主席亲自光临,安全问题成了首要任务。签字仪式举行的前一天,特工在工厂里转了大半天,据说这些家伙把贵宾室的地板都撬开了。幸亏虎豹将炸药装在天花板里,这些家伙硬是没找出毛病来。

当天晚上查理找到温义,追问传说中的方敦先生几时可到昆明。温义说:"下午三点签字,方敦上午应该到。不过飞机这东西说不准,万一晚了个把小时,你就陪着省主席先把字签了。咱们是做生意的,以生意为重。"查理走了。虎豹又跑了来:"那个金先生怎么办?"

温义琢磨了一会儿,当年教唆津井抽大烟的确有点缺德,这次应该放他一条生路。于是吩咐:"把金先生带上,这家伙有技术,还用得上。"

查理非常珍惜这份工作,一心要借签约仪式露一手。签约当天,这家伙以省主席要出席为诱饵,请来了不少社会名流和新闻记者。整个厂区披红挂绿,人声鼎沸,别提有多热闹了。温义不希望把事情搞得太大,又不能明着反对,只得咬着牙认了。反正是谁来谁倒霉,都是你们自找的。

上午水昌厂开进了一辆小轿车,又来了两个外国人,其中一个自称"方敦"。中午时温义让查理做东,请"方敦"先生吃了口正宗的云南菜。当然,真的方敦还在缅甸,根本不知道昆明的事。这俩人是温义花钱雇来的,事先都交代好了。

午饭后,记者们把工厂大门包围了,随后一连的滇军士兵开进了厂子,将贵宾室附近的区域控制了。再之后,两辆高级轿车开进来,一群气宇轩昂的人从车上走了下来。查理、虎豹带着一群外国人在贵宾室外欢迎,温义带着帮众躲在后门。

不一会儿,虎豹气喘吁吁地跑了过来。温义紧张地问:"怎么样?"虎豹异常兴奋:"全进贵宾室了,我编了个瞎话,出来了。"

温义狞笑着取出点火器,将钥匙狠狠插进锁孔。虎豹等人直勾勾地盯着他,温义在大家脸上扫了一眼,低声道:"该死的就全死吧。"说完,他拧着眉毛就要扭动钥匙。

二

　　突然，一个身影从温义后面扑了上来，一巴掌将温义的手打偏了，然后拎起点火器跳出了两三步远。温义拔出手枪就要发作，虎豹的枪口也顶在来人的后脑勺上，但他没敢动手，惊叫道："老鸦？你不是去普拉底了吗？"来人确是老鸦，他半躬着身子，不好意思地看着温义："二少爷，先别动手，大公子来了。"

　　温义一把揪住他的领子，几乎将他拖了起来："你……你老糊涂了你？"

　　老鸦张着胳膊，将点火器尽量远离温义："真的，真的，不信你看。"

　　温义马上扭过脸去，只见一身上校军装的温正站在街口，怒气冲冲地看着自己呢。温义翻了几下白眼，泪水差一点流出来。他在脸上摸了几把："大哥，你没死啊？我就觉得你没死，咱爸不信。"

　　温正的视线移到点火器上，小声道："回头再说，不许你炸工厂。"

　　温义恶狠狠地盯着老鸦，厉声道："你没把温家帮的事告诉他？"

　　老鸦说："我说了，我全说了，大公子还是不让炸厂子。"

　　温正义正词严："我刚随中央军入滇。省主席可以控制大局，他现在不能死。"

　　温义指着工厂，轻声吼道："他不能死？是老天爷规定的还是你规定的？他不能死？咱爸爸就应该死？梅校长就应该死？温家帮的几百号老少就应该死？少拿你那套瞎话吓我，地球离了谁都转，云南离了他难道会沉进大海不成？"说着，他奔着点火器就去了。

　　温正抓住他的腰带，向回一拽："你把他炸死了，云南就炸窝了，弄不好会坏了抗战大局。"

　　温义的眼睛死死地盯在点火器上："云南一乱，正合了你们中央军的心思。你们不是一直想打倒军阀吗？我替你们把他打倒。"

　　老鸦靠到墙上，温义的手离点火器只有一尺光景。温正头上的青筋跳起半寸高，几乎是哀求着说："温义，中央军要去缅甸。龙主席一死，云南的大小军阀就要闹事，几十万大军的后勤供应就没保障了。"

　　温义瞪着他说："温正，抗不抗战的跟我有什么关系？我要为咱爸爸报仇。我就一个爸爸，我不像你！"

　　"你说什么？"温正高声怒吼，他想，这个弟弟难道疯啦？

　　温义歪着嘴说："你有一堆爸爸呢，什么孙总理啊，委员长啊，国家民族三民主义啊，都是你爸爸，我就一个爸爸。"

温正气得直跺脚："你胡说八道些什么！厂子绝不能炸。"突然温正的额头上一凉，整个人僵住了。温义的手枪顶住了哥哥额头，这个崇拜大哥的小弟如今满脸杀气："温正，你撒手！要不连你一起干掉。"

手下们全傻眼了，老鸦急得乱跳："不能自相残杀，你们是兄弟。"虎豹毅然站到温义身旁，大声道："谁能给温家帮报仇，谁就是温家帮的主人。"老鸦骂道："你个小王八羔子，别捣乱。"

温正干脆把脸扭过去："你开枪，想炸厂子就杀了我。"

温义的手指头在扳机上蹭了好几下："哥，你别怪我，碰上咱爸爸，给我问声好。"说着温义的眉毛突然连成了一条线。

那一刻，温义真疯了，真的要开枪了。就在温义即将扣动扳机的刹那，一根木棍子不偏不倚地打在他脑袋上。重击之下，温义下意识地扣动了扳机，砰的一声，温义歪着身子倒下去，他心下忽然一凉：完了，我把哥哥杀了。又是挨打又是心虚，温义自己把自己吓昏了。

一个小时后，温义醒了过来，他头上裹着厚厚的纱布，身子歪在吉普车的后座上，肩膀靠在一个女人身上。吉普车开得飞快，颠簸得厉害，空气中弥漫着一股山野的味道。温义估计复仇计划肯定破产了，索性闭着眼生闷气。

前面车座上传来了哥哥的声音，正与自己身边的女人交谈呢。不用问，那人是梅兰。梅兰的语气中带着几分埋怨："这个温义，真红眼了，怎么连你都想杀？"

温正叹息着："我弟弟怎么会杀我？枪响的时候他特地把枪口抬了起来。"

温义大概明白了，自己开枪要打哥哥，梅兰跑出来给了他一棍子。他下意识地开了枪，但好歹是把枪口抬了起来。此时无数疑团围绕着他，既然哥哥没死，阵亡通知书怎么发下来的？梅兰和老鸦明明去了普拉底，怎么会把大哥找回来了？枪响之后，炸药炸了没有？那帮家伙是死，还是都全身而逃了？聪明绝顶的温义茫然了，头上纱布里还一个劲儿地往外渗血。

温正没死。在昆仑关，他的坦克碰上了日军的人体炸弹，十几枚手榴弹同时响了，坦克被炸翻到山下。温正受了伤但头脑还清醒，坦克随时会爆炸，他奋力从坦克里钻出来，一头扎到水里。坦克爆炸了，爆炸的冲击波将他推进了急流。昏迷中的温正，随着河水漂了下去。

中央军打扫战场时没找到温正的尸体，认为他为国捐躯了，于是下了阵亡通知书。据说杜军长得到消息后，把团长狠狠骂了一顿，温正是难得的军事人才,可惜了。

温正漂出十几里,恢复了意识。河上有几条渔船,渔民们把他救了上来。温正的肋骨断了四根,肩头上中了弹片。渔民不敢把他送回战场,于是将他安置在附近渔村里,还找了几个郎中医治他。三个月后,温正的伤好得差不多了。此时昆仑关战役也结束了,日军的一个旅团被全歼,战线稳定在昆仑关之南。温正辞别乡亲,一路向北,流窜犯似的跑到了国统区。第五军两月前就离开了,温正历尽千辛万苦,终于在四川西昌与部队会合。第五军的将士们没有想到温副团长死而复生,大喜过望。为了表彰他,军衔晋升到上校,当上了第五军混成旅的副旅长。

部队在四川休整了几个月,温正给家里去了几封信,却始终没有回音。此时日本人在仰光登陆了,缅英当局不得不向中国政府求援。由于滇缅公路承担着中国战略物资的运输,国民政府决定派出最精锐的部队,驰援缅甸,第五军首当其冲。温正听说要进云南,心都快跳出来了。如此一来,自己就和梅兰近在咫尺,或许还有机会见面呢。

最先进入云南的是二〇〇师,他们在昆明城外遭遇了不公正待遇,龙主席不允许中央军进城。杜军长愤恨不已,下令大军不走昆明,直奔大理,然后到保山,随时候命。中央军不走昆明并非向龙云示弱,是担心节外生枝,另外部队的后勤保障的确要仰仗云南政府。进滇之前,委员长特地给部队下了秋毫无犯的命令。为了彰显军容,混成旅在大理搞了隆重的入城仪式,军车雄壮,战旗飘扬。老鸦和梅兰去普拉底,刚好撞到大理的入城式,居然在行进的队伍中发现了温正,梅兰当场就哭了出来。

众人见面,温正这才知道梅兰成了自己的弟妹。他心如刀割,又不能说什么,谁让自己死了呢?那一刻,温正想把下达阵亡通知书的同僚掐死。后来他从老鸦嘴里问出实情,知道温义准备把云南的政要全部炸死,其最大的目标就是龙主席。温正大惊失色,弟弟向来是说得出干得出的。他向部队请了假,星夜赶往昆明,要制止温义的疯狂行为。

当然了,温家帮被端的确让温正震惊,父亲和梅校长的死也让他夜不能眠,但国家利益永远是温正最先考虑的。他对云南的形势比较了解,龙云和滇军固然可恨,但只要有这个人在,云南的大局便可以掌控。一旦这个云南王死了,大小土司以及各路将领会纷纷跳出来,弄不好云南会闹出地方割据的局面。一旦形成割据,入缅之战的后勤保障便无从谈起。缅甸战役失败,滇缅公路必然失守,真到那一天,抗战能否坚持下去都难说了。为了国家兴亡,为了战争前途,温正无论如何都要阻止温义。

　　路上，老鸦详细讲述了梅兰嫁给温义的经过。温正眼望着天空，良久不语，都说造化弄人，这四个字着实沉重。他不恨弟弟，更不能怪父亲，但这事儿怪谁呢？想来想去，他只得将责任推给了日本鬼子，如果不是爆发了抗战，自己早和梅兰结婚了。他将这个观点摆出来，梅兰不动声色地说："抗战没打响的时候，你也没闲着呀。"

　　温正不说话了，梅兰明明就是在责怪自己。

<h1 style="text-align:center">三</h1>

　　至于温义挨揍，那是梅兰不希望看到他们兄弟残杀。当时她从胡同里跑进来，看到温义正用枪指着温正的脑门。梅兰血气上涌，想都没想，抄起棍子就打了下去。重击之下温义没有控制住，枪响了。那一刻，梅兰的魂魄飞上了九霄。枪响之后，温义倒下了，街上立刻乱了套。温正指挥大家上车，以最快的速度逃离了昆明城，如今他们在赶往大理的路上。

　　中午，温正命令停车休息。他跑过来查看温义的伤情，看到弟弟紧闭的眼皮在微微抖动，便说："醒过来啦？别装了。"温义干脆睁了眼，咬牙切齿地说："爸爸打我，伤口刚好，你们又打我。我脑子坏了，你们得负责。"这小子委屈得都快哭出来了。温正忽然哈哈笑起来，弟弟永远是长不大的孩子。

　　抵达大理当天，大家收到了张快发来的电报。枪声惊动了省主席的部下，签约仪式立刻就取消了。水昌厂被权力部门封锁起来，不久政府的人在贵宾室的天花板里发现了大量炸药，足以将整个厂区送上天。据说省主席得到消息后，惊得半晌未语。如今几个外国人作为刺杀事件的主谋被抓了起来，估计从他们嘴里得不到什么有用的信息，毕竟那些人从来没听说过温家帮。即使省主席知道是温家帮的计划，又能怎么样？如今省府命令各报馆不得发消息，昆明全城实施了戒严，正到处抓人呢。

　　温义心胸豁达，刺杀计划失败了就没必要怨天尤人，反正省主席一时死不了，可机会总是有的。既然哥哥活过来了，有些问题必须要有个交代。他把梅兰约到了僻静处，欢欢喜喜地说："梅姐，咱俩赶紧离婚吧。"

　　梅兰先是一惊，随后眼圈红了："我什么地方对不起你？我……我不就是打了你一下吗？"

　　温义想当然地说："现在我大哥回来了，你不是喜欢我大哥吗？"梅兰揪住他的胳膊，拧住一块肉，狠狠往下一揪。温义疼得啊啊地叫了起来，他转身

跑出好几米,气恼地说:"你干什么你?疼!"

梅兰气愤不已:"想试探我你就明说!这叫什么混账话?我是你的妻子了,生是你的人,死是你的鬼。"梅兰扔下温义,气呼呼地走了。温义眨巴着眼睛琢磨了一会儿,梅姐的话是说给谁听的?他向天空中看了看,天上万里无云,什么东西也没有。

温义不死心,又把大哥叫出来,见了面便装出一副萎靡相:"大哥,当初咱爸爸和梅校长认为你死了,逼着我和梅姐结婚,你对这事儿有什么看法?"

温正一本正经:"我衷心地祝福你们,希望你们白头偕老。"

温义顺口道:"简直不是人话!"

温正指着他的鼻子:"你敢再说一句?"

温义索性梗着脖子说:"我和梅姐结婚是一场误会,总不能把误会延续一辈子吧?我们俩怎么可能白头偕老呢?"

温正半垂着眼皮:"既然结了婚就什么都别想了。她是我弟妹,是你的老婆,谁也不能做越礼的事,连这念头都不能有。"

古人说:以刀杀人,尚值得同情;以礼杀人,则死有余辜。温义在后面加上了一句:如果以礼的名义被人杀了,必然是死无葬身之地。温义冷笑着:"生命就这么枯萎了,不觉得可惜吗?"

温正腮帮子上的肉抖了几下,眼皮耷拉下来。

是否把温家帮的事业进行下去,温家两兄弟间产生了巨大的分歧。实际上温家帮的大部分武装得以保存,一部分人保护着老少在普拉底建立基地。主要力量就藏在大理附近,随时听候温义的命令。温正认为,既然老幼安顿了,应该把青壮年都集合在一起加入中央军,为抗战尽一份力。他告诉弟弟,自己可以帮他们申请一个暂编营的番号,如此一来帮众的出路解决了,省政府不敢为难中央军队家属,家眷们在普拉底也就安全了。另外温正希望把他放在身边,省得他天天琢磨着报仇。如果弟弟真把省主席杀了,云南的形势倒在其次,中央政府也是绝不能答应的,弟弟就成抗战公敌了。温义则说,温家帮绝不会与政府军同流合污。温正暴怒不已,指着他的鼻子臭骂了一顿:你身为炎黄子孙,为什么不能为国家效力?温义气愤地说:"你是宋江,温家帮和日本人拼命,就是征方腊损兵折将,想把我们扔在缅甸。"温正气得用脑袋直撞墙,虎豹和老鸦两边解劝,结果是两边挨骂。后来说不清什么事把温义打动了,他忽然间变了主意,答应了。

温家帮主力加入了中央军,温义命令老鸦负责普拉底一带的家属,让金

145

先生也跟着他去了,任务是筹办白面厂。金先生已经知晓了温义在昆明的计划,知道温二少爷并没把自己当炮灰,感激涕零,颤巍巍地说:"温二少爷,咱们做生意吧,别干打打杀杀的事。"温义安慰他:"只要你帮我建立起白面厂,你想怎么抽就怎么抽。"温正本来就觉得这南腔北调的家伙看着别扭,几经盘问,终于发现这家伙会制造海洛因,是温义为筹备白面厂找来的。他大发雷霆,希望温家帮不要再从事鸦片产业,趁这个机会走上正道。

温义摊开手说:"你说,上千号人干什么去?什么叫正道?云南这地方能种出粮食吗?他们就会干这个,温家帮就是靠这个起家的。"

温正说:"你是毒害别人,养肥自己。"

温义冷笑着:"谁不是为了养肥自己?大哥,你的鸦片是国家、是什么主义,虎豹的鸦片是温家帮,烟民的鸦片是烟土。这事你别插手了,除非你能给他们找条活路。"

温正拿这个弟弟没办法,更不可能给帮众们找出活路,只得假装没看见。暂编营的番号下来了,温义成了中央军的少校营长。中央军入滇,最大的难处是人生地不熟,温正忽然弄来一帮土生土长的云南人,上头自然求之不得。

民国三十一年二月,二〇〇师作为中国远征军的先头部队,率先开赴缅甸战场。日军占领仰光,乘胜北上,英缅部队出现了溃败的迹象。军部混成旅尽快完成整编,在新二十二师之后进入缅甸。温正清楚,所谓的整编就是指新近加入战斗序列的暂编营。他命令温义尽快消化刚刚运到的洋装备。

英国人清楚中国军队装备不足,武器低劣,为了让中国人完成保驾护航的任务,英国人特地将一些物资运到保山,送给远征军。混成旅也接受了一批援助,许多中央军的士兵根本不会使用西洋武器。虽说温家帮子弟不过是群乡巴佬,但摆弄起迫击炮、重机枪,居然比中央军还明白。他们的斗志更让中央军汗颜,温义一声令下,这帮人能集体跳到河里去。有些物资,温家帮的人同样疑惑,因为英国人运来了一些莫名其妙的东西。物资中包括了大量服装和罐头食品,直接发到了营里。虎豹是营副兼第一连的连长,但他没见过草绿色的罐头,这罐头里有牛肉,有黄油,特别是还有一种甜甜脆脆的小薄饼,这东西引起了大家的兴趣。虎豹与手下向来以弟兄相称,不忍心吃独食,于是招呼了几个兄弟,连牛肉带薄饼一顿猛吃。

一小时后勤务兵慌慌张张地冲进温义住处,哭着说:"二少爷,坏事了,您赶紧去看看。"温义跑到营房里一看,气炸了肺。什么薄饼,那是压缩饼干。虎豹和兄弟们吃多了,正躺在地上翻白眼呢。温义不得不给团部打电话,让

医生马上来一趟。团长说：咱团没医生，师里才有呢。温义嚷嚷着说："士兵吃多了，翻白眼了，要闹出人命了。"团长得知是因为吃多了压缩饼干，冷笑着说："架着他们到操场上跑步去，恶病要恶治。真他妈没出息！一下午的工夫，咱们团里就吃多了三十多个，什么玩意儿啊。"

温义派了些人，架着虎豹他们在操场上跑步。十几圈跑下来，鼓鼓囊囊的肚子终于瘪了下去。后来这事传到记者的耳朵里，他们在报纸上大肆声张，中央军士兵连压缩饼干都没见过，吃多了撑坏了，简直是有辱国格。重庆舆论哗然，大家都说：中国士兵没出息，不配享用洋人的好玩意儿，索性有权力的就贪吧。

此后分到部队的物资日渐稀少，大多被权贵们克扣了，而昆明、重庆的黑市上则出现了大量军用物资。

四

混成旅向缅甸进发，不久便到了惠通桥，再往前走就是缅甸了。温正得到消息，缅甸战局瞬息万变。日本人进攻犀利，英国人却跑得比兔子还快。如今日军北上同古，二〇〇师孤军深入，陷入苦战。温正在二〇〇师待过，深知那是一支打不烂的部队，估计日本人一时半会儿还打不过来。如今混成旅的装甲部队马上就要开进去了，日本人又要尝尝坦克集团的滋味了。

对新编营温正最不放心，但上级却要他们担当先头部队，简直是开玩笑！虽然温家帮子弟向来以顽强著称，战斗力不容小视，而且他们熟悉作战环境，但温正依然反对，上司认为他在顾及亲属，未做理会。其实温正是太了解弟弟的为人了，他一直怀疑弟弟加入军队的动机，最好的判断是，弟弟把军队当成了回避龙主席报复的避风港。所以温义不可能为国家卖命，却很可能在战时耍滑头。

明天就进缅甸了，温正偷偷跑到新编营视察情况。新编营很像一支部队，紧要位置都配备了岗哨——温义的军校没白上。温正没用士兵通报，径直钻到了营部。营部里显然正在开会，温正站在帐篷外面，想听一听他们说些什么。只听虎豹高喊道："芒市的二瓜欠咱们五千块大洋，得想办法要回来。"又听温义说："打仗事小，要账事大，顺路把所有的欠款都要回来。如果那帮小子敢耍赖，咱们就动点真格的，有什么事等打完了仗再说。"温正惊得七窍充血，原来这帮家伙来缅甸是为了收账，怪不得温义答应得这么痛快！

147

什么人欠温家帮的账？必然是烟贩子欠了烟土款。有个卫兵看见了他,大叫一声:"副旅长到！"

帐篷里立刻没了动静,温正火冒三丈却不得不压着,看来那些岗哨是给自己预备的。他气呼呼地进去了,帐篷中央摆着酒菜,温义大马金刀地坐在当中,活脱脱一个山大王。虎豹、狗子都当了连长,他们见大少爷来了,纷纷告退。

温义举着酒壶说:"大哥,来得正好,咱俩好久没喝酒了。"

温正铁青着脸不说话,见众人退了出去,他一把按住酒壶:"我问你,你来缅甸是不是还有别的事？"

温义转了转眼珠:"哥,这次你别坏我的事。廖贵和石成的确来缅甸了,我得把他们的脑袋捎回去。"温正的心蹿到了嗓子眼:要账根本不算事,弟弟还琢磨着报仇呢。他终于明白了,温义加入中央军肯定是得到了廖贵入缅的消息。

龙主席险些遭遇不测,恼羞成怒。虽然把查理等人抓了起来,审了半天也没审出个子丑寅卯,这些家伙不过是别人的工具。由于找不到凶手的任何证据,龙主席对廖贵非常不满,索性把他贬到第四师当师长了。这次国军入缅,政府希望地方军能配合。在委员长的要求下,云南派出了第四师加入远征军序列。这是给廖贵将功赎罪的机会,如果能完整地把第四师带回来,龙主席还会重用他。由于洗劫温家帮石成立了大功,如今这小子是第四师的参谋长。

温正越想越害怕。滇军的第四师担任着远征军的右翼防卫,万一师长和参谋长让温义干掉了,这个师就算报销了,远征军也就危险了。他语无伦次地说:"你们不是来收账的吗？收你的账就完了。"

温义说:"收账是小事,谅他们也不敢不给。缅甸出的烟土太冲,抽着呛人,缅甸烟商就指望咱们的货源了。温家帮在普拉底重整旗鼓了,你是中央军的旅长,谁敢欠温家帮的钱？"

温义居然把自己的旗号也打了出去,温正给弟弟作了个揖:"兄弟,报仇的事能不能等打完这仗再说？远征军的战绩事关抗战成败,滇缅公路一完,大后方都要动摇了。"

温义说:"指望滇军打仗？一个主力师攻打温家帮,又使诡计又收买坏蛋,两天还死了三千人。当然见了日本人或许他们就不跑了,都吓破胆了。"

温正说:"同仇敌忾！中央军和地方军阀本来水火不容,为了对付日本人已经走到了一起,你怎么一点心胸都没有啊？"

温义觉得不应该让大哥太难堪:"报仇的事视滇军的表现再说。"

温正笑了:"人家一个师,你一个营……"温正还没说完,勤务兵跑了进来:"上校,旅座请您马上回去,有要事商量。"

温正走了,温义则从随身的箱子里拿出把大烟枪,在灯光下仔细欣赏:"湘妃竹的杆子,石榴石的嘴……"

温正急急地赶回旅部,发现旅长正打点行李。温正很惊讶:"连夜出发?前线出事啦?"旅长向桌子上指了指,有一份刚刚送来的命令。命令内容是混成旅的坦克、装甲车和炮兵部队留在保山,步兵部队继续开往前线。

旅长说:"我护着装备回保山等命令,你指挥步兵增援前线,辛苦啦。"

温正没反应过来,足足想了好半天:"保存实力是地方军阀的做派,咱们是中央军。"

旅长搓着手说:"据说二○○师在同古打得特别艰苦,英国人吓得到处乱跑,铁路被英国败兵占着,早先答应的装备和弹药根本运不上去。唉!英国人骨子里就是帝国主义者,他们根本就没想过保卫缅甸,拉咱们去是给他们当保镖呢,保着他们跑到印度去。"

温正说:"无论怎么说,滇缅公路是咱们的生命线。"

旅长叹息一声:"出海口被日本人占了,英军的整编师完蛋了。现在印度洋落到了日本人手里,海运不存在了,要公路还有什么用?上头正商量着开辟空中运路。军长说,咱们的任务是保卫云南和大后方,装甲部队是第五军的本钱,不能在缅甸拼光。"

温正没必要再说什么,他的任务是率领步兵前进,旅长的任务是把机械装备保护起来。也就是说他温正又成步兵了。温正在西方部队里待过,西方部队中的装备本是用来保护士兵的,装备可以丢却不能死人。中国的情况恰恰相反,或许这就是生命价值观的不同。

当晚几个女兵唧唧喳喳地跑进副旅长办公地,温正被她们吵得脑袋疼,嚷嚷着说:"军队不是养鸟的地方。"

一个女中尉立正敬礼道:"上校,我们是医护人员,是总部分配给第五军军部的。不是鸟。"

温正看了看她,点着头说:"只有你还像个兵。这是旅部,不是军部,你们找错地方了。"

女中尉说:"希望上校带我们走一程,一旦与军部会合,我们就将补充到军部医疗队。"

温正白了她们一眼,不耐烦地挥着手:"去后勤部队,在后面跟着。"

女兵们走了,温正想起了梅兰。那个女中尉的眉目与梅兰有几分相似,但眼神却透着一股子邪气。他想,军部的人这回有事干了。

混成旅一分为二,士兵们莫名其妙,军官们只得说了些胡话。分手时旅长拉着温正说:"老弟,自甲午战争以来,中国军队首次出国作战,一定要打出个威风来。"温正干笑两声,把所有的豪言壮语都咽了回去。

装甲部队没了,士气立刻就丢了三分。部队过芒市,走腊戌,对面来的都是伤兵,全是第五军的。温正向大家打听前线的情况,伤兵们对日本人的感觉早就麻木了,但张嘴就骂英国人。原来同古会战取消了,原因是英国人临阵跑了。二〇〇师不得不在新三十八师的奋力掩护下才得以突围,如今大部队在平满纳休整。温正研究过缅甸的山川地形,平满纳扼守缅北,看来一场大战再所难免。

五

如果温义是副旅长,或许事情就会向另一个方向发展了。女护士的出现完全可以改变温长官的选择,没准儿就此跑回云南也说不定呢。

罗敷是个中尉,名义上是所有护士的长官。温正不认识她,但罗敷得知长官的名字后,翻来覆去地琢磨了好几天。温义的哥哥好像就叫温正,也是中央军的军官。她千里迢迢地跑到缅甸,居然碰上了温义的哥哥。实际上罗敷一心盼着能与温义重逢,但她又害怕,如今她是个女特务,温义那小子还能接受自己吗?她几次希望找副旅长问个明白,但那就等于告诉对方,自己不是护士,而是……

自从在保定分手,四年来罗敷与心上人天各一方,杳无音信。这四年中,她家破人亡,流落天涯,混成了一个人见人恨的军统女特务。温义呢?这小子在哪儿?

在几年前的那次押宝似的行动中,罗敷出人意料地将热河最大的白粉工厂摧毁了。上司大喜,原计划是让她留在西安重点培养,半路上罗敷接到了去上海的命令。上海虽然被攻占了,租界还控制在西方人手里。罗敷的新任务是暗杀唐绍仪。

唐绍仪是当时的大名人,早年是李鸿章留美幼童中的一员,归来后出任清朝的外交官,与袁世凯过从甚密。袁世凯死后,唐绍仪担任民国政府的总理。日本人土肥原看上了这家伙的金字招牌,准备邀请他出面组织维新政

府,主持华北局面。据内线消息,这家伙已经接受了。军统无法容忍这种事,于是向罗敷等人下达了暗杀令。罗敷是暗杀行动的不二人选,原因是军统掌握了她杀死婆婆、毁尸放火的旧事。军统当局认为,这女特务心狠手辣、智力超群,所以才重点培养她。另外,罗敷出身将门,军队里有她父亲的门生故旧,这个身份也可以利用来刺探国军内部的情况。炸毁白粉工厂充分展示了罗敷的能力,暗杀唐绍仪则是组织上对她的另一次考验。

租界地位独特,是战争中的孤岛。如今海面上惊涛骇浪,沉船无数,死尸漂于海上。孤岛上的人依然纸醉金迷,歌舞升平,人们的话题是巴黎时装与好莱坞明星的艳遇诽闻。罗敷与同僚接了头,听说唐绍仪正在准备北上,如今在筹备一次新闻发布会。罗敷让同僚弄到了一张请柬,又置办了一身顶顶昂贵的巴黎时装,发布会当天,她大模大样地来到了唐府。

唐府门庭若市,仪表堂堂的唐绍仪站在大门口欢迎记者。可能是罗敷的打扮太过明艳,看到罗敷时唐绍仪竟愣了一下。罗敷上前,微笑着致意。唐总理俯身欢迎,眼光正好落到罗敷的胸口上。罗敷笑得更加暧昧了,她优雅地从小挎包里拎出把精致的小斧子,照着唐绍仪的后脑勺上就是一斧子。罗敷下手狠毒,但脸上的微笑还是那么灿烂,以至于周围的人根本没反应过来。唐绍仪吃惊地翻了她一眼,然后像面口袋一样栽倒了。现场一片寂静,大家都目瞪口呆地看着。罗敷动作迅猛,扔掉小斧子,转身就窜了出去。

窜到街上,唐府门前像被人扔了炸弹,全疯了。罗敷提起裙子,从容地钻进等在外面的小汽车,拐了几个弯就没影了。

刺杀唐绍仪的行动干净漂亮,成了机关的典范之作,罗敷赢得了军统之花的美誉。刺杀汉奸无论如何都值得称道,"女特务"这三个字也不过是指执行特殊任务的女人,没有贬义。但罗敷加入远征军的使命,却不那么光彩,她的目标是监视中国的将军们。

国军将领之间素有派系之争,蒋委员长一直在陈、何两派间要平衡。反正都是自己人,就当是自家孩子吵嘴。他老人家最不能容忍的是共产党在国军中的渗透,所以军统的使命之一就是监视国军将领的"左倾"动向。其实任何政党都是这么干的,这种事谈不上什么是非,只不过是政治需要。但罗敷的任务终归是在监视自己人,绝对不能公开,为此,她接受了短暂的医护培训。由于她军衔高,自然而然地当上了医护队的队长。医疗队隶属第五军,她们集结时远征军的主力已经开拔了,一群姑娘只得从西昌出发,一路追了上来。

医疗队进入云南,罗敷就有点儿魂不守舍。她接受过严格的心理训练,杀人不眨眼，自杀都不会眨眼。但每每一想起温义那个小坏蛋，她就难受，就百爪挠心。云南是温义的老家，当初他跑回云南，二人就再无联系了，那小坏蛋的坏笑却一直占据着罗敷的心。罗敷恨这家伙言而无信，一去不返，实际上罗敷却又无时无刻不在挂念他。战争期间，所有的承诺都可能随风而逝，天知道那个小坏蛋是不是倒了大霉？

由于担心日本特务在城里搞破坏，部队从芒市穿城而过，出城三十里才停下来。罗中尉向副旅长打听军部的所在位置，医疗队是军部的下属单位，可现在她们连第五军在哪儿都不知道。温正无可奈何地说："前几天说是在曼德勒，现在我也说不清楚。你们是医疗队，跟着我们也是一样的。上头命令咱们赶到平满纳，大会战就要打响了，你们有的忙了。"罗敷希望把旅部的医疗资源集中起来，以备不时之需。温正答应了。

正事谈完，罗敷憋不住了，小声问："上校，听说你有个弟弟？"

温正的衬衫立刻就被冷汗浸透了，难道温义又惹麻烦了？温正自十八岁进入黄埔，在国军里摸爬滚打了十几年，官场的事多少清楚一些。他早断定这个罗中尉肯定是军统特务，还没听说护士能混到中尉军衔的呢。温正对自己有信心，对于党国，他是忠心耿耿，关于作战，他从不贪生。另外他仅仅是个上校，军统的人没必要把心思花在一个上校身上。弟弟温义就不一样了，他是烟土贩子，这一路上天知道他干了多少见不得人的事。

罗敷这么一问，温正立刻想到军统的人盯上弟弟了，这小子若以中央军的名义倒卖烟土，那罪过就大了。温正讨好般地说："罗中尉，我弟弟温义不过是贪图钱财，对于党国事业还是忠诚的。"

罗敷一愣，难道温义就在附近？她激动地问："他在哪儿？"

温正战战兢兢地说："罗小姐，他确在本人手下，如有教导不严之处，看在本人为党国出生入死的份上，不必当真。"

罗敷霍然站了起来："你为什么不督导他？"

温正低声下气地说："新编营的人是我们家乡的山民，刚入伍，军风军纪不必太较真。这些人大多熟悉环境，作战勇猛。战争期间，一些小事，就别计较了。"

罗敷面若冰霜，心如明镜。原来对方早料到自己的身份了，好在他理亏在先。温义肯定在新编营，他还能干什么？无非是拉着手下人倒卖烟土，这个人就这点儿出息。罗敷深谙官场规矩："上校，你自己看着办吧，我不会为难你的。"

温正咽了几口唾沫，点了点头。

六

对温家帮来说，缅甸之行等于苍龙入海，老虎进山。温义忙得脚丫子朝天，恨不得再多生出两只手来，他们又是收账又是批发烟土白粉，又是与老客户搞联谊。温家帮的产品就如久违的甘霖，滋润着这片干渴的土地。客户们万万没有想到，这次温二少爷是带着军队来的，于是对温家帮又信心大增，很多人干脆把明年的定金都交了。温义、虎豹等人走一路忙一路，还没走到曼德勒，他已不得不偷偷派回几批人，把货款送回去。温义相信，温家帮在自己手里一定会发展壮大，看看，大家多捧场啊。

部队进驻曼德勒，又传来了英国人逃跑、平满纳会战取消的坏消息。温正立刻意识到曼德勒的处境危险了，偌大的缅甸故都只有他带来的这点儿部队。他立刻发布命令，巩固城防，严守各处路口。其他部队开始布防了，温正偷偷跑到新编营，当着面叮嘱他老实点儿，不能再倒腾烟土了，部队里有军统的人。

温义似乎根本没听见，答非所问："听说滇军的第四师正在摩谷里，离曼得勒只有几十里。"

温正马上警觉："不知道。"

温义哈哈笑道："我担心廖贵那家伙临阵脱逃。滇军什么事都干得出。"

温正叹了声气，这也是他最为忧虑的。温正的部队号称一个旅，实际上不足两千人。如果在城市各处都布防，敌人一冲不免要溃散。他估计敌人的目标是切断东南方向的铁路线，所以将部队全部集中在梅谋一侧。

温义的部队在右翼防守，是全旅西侧的唯一壁垒。温义清楚日本人要比滇军厉害，所以告诉兄弟们，多埋地雷，多准备些手榴弹，听到炮声就藏到掩体里，坚决不许和鬼子拼刺刀。温义计算好了，如果鬼子从自己的正面打过来，而且人数太多的话，自己干脆就带着手下跑到密支那。那地方到处都是熟人，很容易逃回普拉底。温家帮子弟不能冒险，更不能为别人送命，即使多死一个人也是莫大损失。阵地布置停当，虎豹居然抓了个奸细。温义亲自审问，发现这小子是第四师里掉队的，如今第四师运动到曼得勒的东侧了。温义暗暗咬了咬牙，这帮小子怎么跑到东面去了？他赶紧派出几小股兄弟，日夜监视第四师的动向。

当晚，温义与兄弟们喝了些酒，歪歪斜斜地回到自己的帐篷。忽然觉得后背上有个凉飕飕的东西顶着,他张着手,用缅语说:"兄弟,我们家在密支那有亲戚,兄弟要是缺钱,我手里有的是银子。"

云南烟帮与缅甸的关系千丝万缕,烟帮的人大多会些缅语。中央军开赴缅甸,时不时地遭到缅甸人袭击,其原因是缅甸人听信了日本人的鼓噪,认为日军是帮他们赶走英国殖民者的,中国人和英国人穿一条裤子,自然也是敌人。才一个月,混成旅就遭到了七八次小规模偷袭,死了好几个人,唯独温义的新编营例外。缅甸人讲情谊,温家帮子弟一开口,基本上就能化险为夷。温义断定,用枪指着自己的家伙必然是缅甸游击队的。他说完,等了一会儿,只听得一个沉闷的声音道:"你会说缅语?真没看出来。"

温义使劲甩了甩耳朵,这句话是捏着鼻子说的,但那语调非常熟悉。他一时想不起这声调的所有者了,只得忍气吞声:"我会说英语、缅甸话、云南话。我在北平一带住过几年,北方话也说得不错。"

"说瞎话的本事也不小,可就是不会说人话。"

温义慢悠悠地转过身子,忽然眼前一黑,腮帮子足足实实地挨了个嘴巴,接着一样黑糊糊的东西当头砸了过来。幸好温义反应敏捷,单手一托,是手枪的枪柄。他怒道:"这是铁的!"

对方站在黑暗中,凶神恶煞地说:"对付你这样的人,就得用铁器。"

温义一哆嗦:"罗敷!"

罗敷走了出来,枪口依然顶在温义的胸脯上。她冷笑着:"你这个小王八蛋,一枪打死你,我都不解恨。"

温义露出了顽皮神态,笑着说:"你舍不得打死我。"

"放屁。"罗敷厌恶地照地上啐了一口,"我来要你的命,先打你的嘴。"

温义索性哈哈笑了起来:"你要想打死我,刚才就动手了。"说着,他毫不顾及对方的枪口,转身从床下拿出样东西来,"你看看这个。"

那是一把大烟枪,是温义亲手送给罗敷的那一支,后来被她埋入坟墓了。温义鬼透了,他不知道罗敷是怎么来的缅甸,更不清楚她这些年经历过什么。实际上这些问题都不重要,罗敷用枪顶着自己,无非是认为他言而无信。所以温义在第一时间把证据摆了出来。

看到烟枪,罗敷果然愣了,之后眼泪噼噼啪啪地落了一地:"你……你几时去的洛阳?"

"我差点死在洛阳。"温义把她的手枪扔在行军床上,然后拉着罗敷的手,眉飞色舞地把洛阳的遭遇说了。

当说到他要大家挖开坟墓时,罗敷已哭得不成样子。突然她揪住温义的

154

领子："你还是王八蛋，回云南你就结婚了，你根本就没想着我。"

温义尴尬不已，这罗敷把自己的底细全摸清楚了，本事不小呀。无奈他只得又把温正假阵亡，父亲和梅校长逼自己迎娶嫂子的经过也坦白了。最后他信誓旦旦地说："我准备离婚，回去就离。我大哥没死，梅姐应该是我嫂子，我怎么能和她过日子？乱了。"

"离婚你嫂子能答应吗？你们已经结婚了。"罗敷忘了自己是女特务，这一刻她只是个小女人。

温义当空一拍手："别人抽烟土，他们脑子是烟土。我嫂子说坏女人才离婚呢。我大哥说绝对不能抢弟妹。你说，这不是有病吗？婚姻是男情女愿的事，哪来那么多讲究？"

"他们的想法合礼数。"罗敷迷惑地看着他。

"礼数？礼数最害人，谁发明了礼数，谁就应该下十八层地狱……"温义暴躁地骂了一会儿，忽然看到罗敷满脸茫然，心软了，他抱着罗敷的肩膀，上一眼下一眼地硬是把罗敷的眼泪看回去了。"你怎么来的缅甸？你不知道打仗吗？你哪儿弄的军装？"

罗敷不知道怎么回答，好一会儿才道："我……我投笔从戎了。"

温义在罗敷鼻子上拧了一把："投笔从戎？你还真会说，是不是军统的？"

罗敷腾地站了起来："你怎么知道的？"

温义哈哈笑着说："你以为我大哥是傻子？"

罗敷"哼"了一声："你大哥纵容你买卖烟土，亏他还是国军上校。"

"最好把他撤职，让他直接回家就安全了。"温义心满意足地躺下来，双手抱着后脑勺，别提多安逸了，"关键时刻我大哥是向着我的。可我万没想到，军统女特务是你。我问你，你们是不是想在部队里找共产党？"

"别胡说，远征军都是党国的栋梁，共产党混不进来。"罗敷终于意识到自己的身份了。

温义哈哈笑了："我倒觉得，远征军里保证有共产党，否则，为什么咱们从同古退到平满纳，又被打回曼德勒？一败再败的原因是什么？"

罗敷刚刚混进军队，对战场情况不大了解，反正战事不利倒是真的。她思索着问："难道是共产党搞破坏？"

温义说："当然是，我能估计到。"

这一回罗敷有兴趣了，如果真的发现共产党，她就可以交差了："谁？"

"第四师的参谋长，石成。"温义的口气斩钉截铁。

"第四师是滇军。"罗敷不清楚石成与温家帮的纠葛，但温义的话她不得

不重视,事实上共产党也的确有向地方部队渗透的倾向。

　　"石成专门拆党国的台,第四师让他教唆得听见枪声就乱跑,根本就没有打鬼子的心思。军座让他们负责平满纳西侧的防御,他们跑了,整个平满纳会战报销了。我在云南时和这小子打过交道,我查过,石成是个北平人,参加过左翼组织,那他必然是共产党。另外他叔叔是新四军的团长,你想想,这个石成要不是共产党都怪了。"温义纯粹是信口胡说,特别是最后这几句他是临时编的。温义的目的非常简单,大哥不会介入自己的复仇计划,甚至会阻挠。如果把罗敷拉进自己的战壕,将来即使闯出些事端,没准儿利用军统的资源还能化险为夷。另外,温义有信心,无论罗敷是何等身份,她永远是自己的人,自己的人当然帮自己。

　　罗敷不明真相,立刻血脉贲张:"为什么不向省主席报告?第四师难道不是国家的军队?"

　　温义假装着急:"地方军阀能指望吗?再说,我们家和滇军有仇,如果我说石成是共产党,人家会认为我诬陷好人。你再想一想,我不过是个少校,人家是党国的大员,咱也够不上格呀。"

　　罗敷冷冷地说:"第四师现在在哪儿?"

　　"应该负责曼德勒西侧的防御。不过,天知道他们在哪儿。"温义在心里笑了几声。

　　罗敷小声道:"监视他们的行动。"

　　温义嘿嘿一笑:军统?早晚会被自己改造成温家帮的分舵。

七

　　混成旅抵达前线的第三天,与日军爆发了空前激战。日军的两个联队孤军北进,与温正的部队迎面碰上了。日军认为曼得勒是空城,中英军队早应该跑了,他们没想到,在这儿遭到了混成旅异常顽强的阻击。日本人几次进攻,损兵折将,不得不请来空军轮番轰炸。轰炸了一天,中央军的阵地还是稳如泰山。

　　日军自进入缅甸以来,没碰上过如此强硬的敌人。在仰光,枪声一响,七千个英国人就乖乖地当了俘虏。在同古,本以为中国人会拼老命,战斗打到一半二〇〇师竟撤了。日军认为,整个缅甸唾手可得,大东亚共荣圈指日可待。所以日本人不甘心,一次又一次地冲击混成旅阵地,但一次又一次地被打了回来。战况之激烈让日本人颇觉无奈。有一回眼看就要攻上阵地了,十几个中国兵每人扛着炸药包,呐喊着冲进日军队伍,然后便是血肉横飞的凄厉场面,进攻的日军和中国士兵集体阵亡。督战的日军联队长惊得紧了几扣皮带:这不是打仗,这是玩命。日军攻了几次,伤亡太大,不得不退缩了。

日军终于进攻乏力了。旅参谋长找到副旅长:"咱们还剩三百人,轮到新编营了。"温正在战壕里转了几圈。他并不是袒护自己的弟弟,一旦把新编营调过来,整个西部防线就要指望第四师了,他对这些地方部队实在不放心。参谋长明白他的心思:"副旅长,无论怎么说,终归是一个师,总比一个营管用。何况……"参谋长眼睛望向别处,嘴角上挂了一丝冷笑。

温正闷"哼"了一声:"你担心新编营的战斗力?担心我弟弟是个大草包?"参谋长翻着眼珠子不说话,那模样显然是默认了。温正顿时生出一股豪气,心道:你小子没碰上过云南的烟帮,碰上一次你就老实了。他挥了挥手:"新编营营长速带两个连,增援主阵地。"参谋长打了个立正,马上去传达命令了。

新编营是混成旅中最独特的编制,主要是人多。温家帮在云南是一面旗帜,新编营成立之后,陆陆续续的总有散落于各地的帮众找上来,他们号称三个连,但每个连有四个排。一小时后,虎豹带着一个连赶来增援。

温正问:"你们营长呢?"

虎豹歪着嘴:"大少爷,二少爷说了,誓与阵地共存亡。"

"胡说什么?这里没有少爷。"温正嘴上骂虎豹,心里却在骂温义。什么与阵地共存亡?这话肯定不是温义说的,"他的人呢?"

虎豹大瞪着眼睛说:"阵地附近有日军活动,营长不敢擅离职守,正严密监视敌人的动向。"

参谋长急了,叫道:"第四师呢?他们应该主动出击。"

虎豹撇了下嘴:"早跑了。"

温正和参谋长同时骂了一句:"这群狗娘养的。"

虎豹的消息是他们最担心的,地方部队的确靠不住。据说第四师听说混成旅和日军打了起来,立刻就向密支那的方向跑了,看样子想从那里跑回云南。至于温义,他当然不愿意与阵地共存亡,因为西侧没有日军,虎豹的话都是他教的。如今温义正带着新编营实施复仇计划,阵地上只留了一个连。虎豹不敢不来,这样,混成旅的西侧完全空了。

温正清楚罗敷的身份,便对她放任自流了。这几天罗敷一直待在新编营里,有件事让她非常好奇,温义对第四师的关切远远超过了对日军的关注。

这天温义欢天喜地地跑回来，大笑道："第四师跑了，总算跑了，咱们赶紧追。"

罗敷大为诧异："第四师跑了，你好像挺高兴。"

温义满脸神秘地说："我是帮你盯着他们呢，我怕那姓石的共党跑喽。"

罗敷忽然害怕了："他们跑了，咱们的侧翼就危险了。"

温义顺坡下驴："所以我要把他们追回来。"说着他拉起罗敷，带着一个连的部队就钻山了。

缅甸气候温湿，山高林密，到处是无边的原始森林。温家帮子弟来自滇西北，从小拿爬山当游戏。部队进了山，三转两转就把罗敷给转晕了。她拉着温义诚惶诚恐："你这是要去哪儿啊？"

温义说："抄近路，把第四师追回来，给咱们防卫侧翼。"

罗敷不敢相信自己的耳朵："他们是一个师，追上了又能怎么样？"

温义大义凛然地说："干掉坏分子，为党国把军队拉回来。"

罗敷让这小子气糊涂了："就凭你这几个人？"

温义有点不耐烦："前面还埋伏着不少呢。"

罗敷的心扑通扑通跳个不停，她知道这事要坏，自己上了温义的贼船了！如今让这小子拉进森林，只能跟着跑。行进了几十公里，部队翻越了几座山峰，山的另一侧果然出现了新编营的士兵。原来温义事先算好了路线，派了人在这儿等着呢。罗敷向山下看了一眼，额头上立刻见了汗。这片大山连绵几十里，山峰插入云端，山下是湍急奔涌的伊洛瓦底江。江边上是一条几米宽的简易公路，公路位于山河之间，狭窄而凶险。

狗子跑到温义面前："二少爷，埋好了，就等他们来了。"

温义说："够吗？"

狗子得意地一挺胸脯："一百颗地雷，半山腰里还埋了三百斤的炸药。"

温义点着头说："好，不留全尸。"

罗敷听得惊恐万分，新编营到底要干什么？她拉着温义："你是不是和他们有私仇？你是不是一直盯着他们呢？"

温义的手指在她脸上刮了一下，爱抚地说："公愤也罢，私仇也罢，如今这帮家伙临阵脱逃，论军法也是死，何况那个石成绝对是党国的敌人，对吧？"

罗敷知道这话有些冠冕堂皇，温义做事太过阴损，他不仅断定了第四师肯定逃跑，而且把人家逃跑的路线都勘测了出来。现在他们埋了一百颗地雷，三百斤炸药，这么狭窄的山谷承受得住吗？

众人下到半山,在公路之上几十米的高处观察。忽然狗子叫了起来:"隐蔽!来了。"众人立刻躲进掩体。罗敷露着半个脑袋,远远望去,只见公路上尘埃骤起,一支部队仓皇地逃进山谷,足有几千人。队伍的前端是几辆玩具般的美式吉普车,车子飞快。由于入缅部队获得了大量英美援助,师级部队都配备了吉普车。

眼看先锋部队马上就要进入雷区,温义陡然紧张了,眼珠子冒出了红丝,嘴唇上出现了一道深深的牙印。狗子小声咳嗽了一下,温义哆嗦着说:"开始!"

狗子当空一挥手,所有的地雷引信都被拉响了。山谷里雷声四起,硝烟滚滚,整个山谷弥漫在一片凄惨的哭喊中。雷声中,温义攥住罗敷的手,罗敷疼得直想叫唤又不敢出声。此时狗子一掌拍在炸药的点火器上,轰的一声,半面山墙立刻被炸塌了,上千吨的石头洪流从掩体旁滚了过去。大地在摇晃,罗敷被震得险些跳起来,一股热血涌上额头,险些吐了。

八

石头洪流倾泻而下,奔着车队方向扑了过去,眨眼间所有的吉普车以及部分士兵,玩偶一样卷到了石头的激流里。巨石相互撞击的声音覆盖了所有哭喊,罗敷看到山谷中的士兵们一律大张着嘴,却听不到任何叫声。在人工泥石流的作用下,沿江公路上冒出了一座小山,整条路被阻断了。车队消失了,前锋部队也消失了,剩下一群半傻的士兵。

无数的人、无数的车被冲到江里,江水打了几个旋就什么都没了。滇军几近疯狂,他们胡乱地向空中放枪,枪声里充满了绝望。温义躲在掩体里不动,新编营的士兵也没一个露头的。罗敷好不容易才把手抽回来:"你不是抓共产党,你保证是在报私仇。"

温义咬着牙叹息了一声:"没能把他们的脑袋带回去,可惜!"

罗敷说:"谁?"

温义拧着眉毛:"仇人。"

过了二十分钟,枪声平息了,山谷里传来了哭叫。罗敷向下看了一眼,公路被彻底封死了,部队挤在山谷里,如一堆罐头。此时温义向狗子点了点头,狗子一招手,山顶上扯起一面青天白日旗,旗子在风中飘扬着,有士兵示威似的向空中放了几枪。山下先是响起一片惊呼,然后传来了地动山摇的叹

息，再之后整个山谷哭成了一片。

狗子走下来，将青天白日旗交到温义手里。温义扛着旗子从掩体里站了出来，十几个士兵围在左右，卡宾枪的枪口对着山下的人。罗敷也站了起来，她非常担心，万一第四师的官兵红了眼怎么办？

硝烟散去，山谷里到处是散落的武器、辎重，以及胳膊、大腿和斑斑的血迹。罗敷看到几条人腿倒插在江对岸的石头缝里，也不清楚上半截身子是不是也插了进去。众人下到山谷边缘，温义跳到一堆石头上，将军旗向空中一挥，大叫道："看清楚，我们是国军。"简易公路上全是士兵，大家木呆呆地看着他，没人说话。温义一手拔出手枪："廖贵呢？石成呢？"

一个少校站了出来，指着江水："长官，他们的车掉下去了。"

由于半个山体被炸塌了，石头阻塞了部分河道，江水几乎开始号叫，江面上满布漩涡。温义"哼"了一声："你们是临阵脱逃！廖贵、石成身为高级军官却畏敌逃跑，致使远征军侧翼暴露，罪不可赦。本人奉命追击，有违抗者，就地正法。如今二贼伏法，谁想给二贼报仇，现在就给我站出来。"

狗子举着卡宾枪嚷嚷道："当逃兵，你们不觉得丢人吗？"

黑压压的人群，黑压压的脸，滇军被温义的气势镇住了。他们似乎都忘了自己手里的枪同样可以发射子弹。

温义觉得火候差不多了，口气缓和下来："如今二贼已除，余者无罪。第四师的弟兄们，鬼子打到云南家门口了，咱们大家都是云南人，难道让日本鬼子打到家乡，祸害咱们的家人吗？"其实温义早已没有什么云南口音，但为了能引起大家的共鸣，他特地把土话的腔调拿了出来。逃兵们窃窃私语，山谷里嗡嗡的，似乎有人把蜂箱搬了进来。温义又清了清嗓子说："是男人的，跟我回去，咱们加入中央军打鬼子。第五军混成旅的温旅长让我给大家带个信，只要能回来就是好样的，直接编进中央军，跟着温旅长干。"

此时，人群里有个家伙忽然跳了出来，高叫道："温义，你这个烟土贩子，你死有余辜！"话没说完，这家伙照着温义就是几枪。

温义大意了，他根本不相信这群逃兵有胆量放黑枪，他眼睁睁地看着子弹打了过来，脑子里闪过一个念头：完了。

虎豹和狗子是温义从小的伙伴，若论起感情，比亲兄弟还亲。就在温义等死的刹那，一条身影扑到了他身前，张着胳膊替他挡了几枪。罗敷反应最快，抬手两枪就把那家伙打倒了。救温义的是狗子，温义抱着他的尸体仰天叫了几声，然后撒开众人，一头撞进滇军的队伍。士兵全都让开了，开冷枪的家伙在地上倒气，竟是石成。温义从士兵手里抢过一把刺刀，在这家伙脖子处狠命地割了几下。石成竟然叫了几声,滇军士兵的嘴里发出呵呵的声音,显然是吓坏了。最后,温义举着石成血淋淋的脑袋,对着他死灰的眼睛叫道:"我杀你全家,我一定杀了你全家。"

一个老兵油子凑到温义身边:"长官,您是不是温家帮的二少爷?"

温义撇着嘴,用沾满鲜血的刺刀把帽檐顶了一下:"如果不是偷袭,你们进得了温家帮吗?不服气?"

逃兵群里又是一阵惊呼。老兵油子立刻把枪扔了:"咱们让二少爷收拾了,有什么不服气的?"此时第四师的逃兵彻底老实了,一律把枪举过头顶,不少人喊着:"二少爷,我们跟着你了。"

第四师与温家帮交过几次手,堂堂的正规军从来没讨过什么便宜。后来石成用偷袭的手段打进了温家帮,两天的激战,第四师竟然死伤千人。更让第四师官兵胆寒的是,除了张老小之外,温家帮个个视死如归,除了孩子和女人,打到最后也没见一个投降的。从此,第四师的官兵没人愿意提温家帮的名号,觉得那简直是群疯子。后来温义要血洗昆明的消息也传到士兵们耳朵里了,大家把温二少爷当成了半个神仙。五百公斤炸药要炸省主席,虽然没成功但人家全身而退了,这是什么样的神通?如今温二少爷不费吹灰之力,干掉了他们的师长和参谋长,这小子简直天人一般!

军部的电报说,各路大军正向曼得勒挺进,温正却一个人影也没看到。如今混成旅的人,阵亡了一多半,连他这个最高指挥官都披挂上阵了。而日军的两个联队变成了一个旅团,攻势是时松时紧,显然他们也在等后续部队。战斗间隙,温正把活着的军官全部召集过来,恶狠狠地叮嘱大家:"不成功,则成仁,会战能否实施就看咱们现在能否顶住。"

有部下阴阳怪气地说:"咱们成不成仁的倒无所谓,反正委员长他老人家也不知道。在这节骨眼儿上,希望旅长不要保存实力,立刻把新编营调上来。日军的兵力不多,他们没能力在侧翼发起进攻。"他横着膀子站了起来,这家伙身上四处受伤,依然彪悍,据说曾把两个日军活活仍进悬崖。虎豹声如洪钟,眼似铜铃,吼道:"放你娘的狗臭屁!新编营的人能随便死吗?我这一个连就够了!我们打得怎么样?一个顶你们三个。什么他妈的中央军,全是饭桶!"

其他军官集体骂道:"你算什么东西?"

虎豹歪着眼睛说:"我挨个把你们捧死。"

温正把手枪往桌子上一拍:"放肆!"众人立刻不言语了。温正狠狠瞪了虎豹几眼,这小子满脸骄傲,浑身的无所谓。但无论怎么说,枪声一响,虎豹的确变成了虎豹,哪里危急这家伙的身影就能出现在哪里,生龙活虎,一个人能顶八个,日军士兵见了他都哆嗦。连温正本人都没估计到,新编营的战斗力只能用恐怖来形容。这群家伙战斗素养极高,武器精良,个个如下山猛虎。他们以一个连的兵力,在突出部的高地上镇守了一昼夜。其他的前沿阵地相继失守,而他们却炫耀似的把日本人一次又一次地揍了下去。温正担心这个连全部报销掉,只得将他们撤下来。温正无法想象,弟弟明明是个吊儿郎当的人,怎么会把手下调教得如此骁勇?他沉吟了一会儿:"大家说得有道理,日军没有力量发动侧翼攻击。我现在把新编营的主力调过来,能顶一天是一天。"

天不怕地不怕的虎豹又急了:"我这一个连还剩五十多人,温家帮不能拼光了,我们不是滇军的看门狗。"

温正一脚把虎豹踢了个跟头:"你现在是军人,什么你们的我们的?打鬼子跟滇军有什么关系?你再敢提'温家帮'这三个字,我就……我就关你的禁闭。"

虎豹从地上爬起来,他不敢与大少爷动手,嘟囔着说:"二少爷绝不答应,咱们温……就这点种子了。什么狗屁的军人,枪都是我们自己带来的。"

混成旅的军官平时对温正挺尊敬的,今天却起了幸灾乐祸的念头。有军官竟哈哈笑了出来:"你们要是想逃跑,党国饶不了你们,温旅长也饶不了你们。"

虎豹眉毛一挑:"谁要拦着,人头落地。"

温正气疯了,指着外面道:"卫兵,把他给我关起来。"

十几个士兵费了好大力气,总算把满嘴脏话的虎豹拉了下去。军官们似笑非笑地看着自己的副旅长,温正索性站起来:"我亲自去新编营。"

九

温正忧心忡忡地来到新编营驻地,当场就晕了。阵地上聚集着三四千人,全是滇军。温正到来时,温义正站在队伍前大声训话呢:"我现在把你们编成两个临时团,原来的团长给我当营长,团长都得用我们温家帮的人。我们温家帮的人厉害,会打仗,比你们的军官强。"温正不明所以地跑过去,拉着弟弟跑回指挥部,温义扭着脸大声补充:"这位就是温旅长,是我大哥,温家帮的大少爷。以后你们就是他的人了。"

温正把弟弟拉到指挥部,声音都哆嗦了:"他们是滇军,是第四师的人,怎么都成你的部下了?"

温义一本正经地说:"他们逃跑了,要回云南,我把他们追回来了。"

温正说："廖师长呢？"

"让我炸死了。反正若论军法，这样的人也得枪毙，我替你们把他收拾了。"温义又得意又有些难过，表情非常丰富。

"石参谋长呢？"温正不自觉地向旁边看了一眼，罗敷出现在指挥部里，温正真的紧张了。

温义还没说话，罗敷直接插了进来："让我打死了。无论是地方部队还是中央军，都是党国的部队，临阵脱逃，死有余辜。"

温正长出了一口气，在战场上处决逃兵倒也正常。既然罗敷承认石参谋长是她杀的，就等于认可了弟弟的做法，将来回了国，一旦有人追究，完全可以把军统的态度摆出来。温义将如何追击逃跑部队的事说了，温正知道他是官报私仇，但当着罗敷的面儿不能点破，他命令道："正好，赶紧给我调过一个团去，日本人要玩命了。"

临时团大摇大摆地开过来，日本人看见竟然老实了。他们发现对方来了援军，担心被中国人合围，不得不后撤了五公里。如此一来，混成旅竟然顺利完成了阻击日军于城下的任务。

不久，第五军各部相继赶到曼得勒。委员长下达了歼灭来犯之敌的命令，大会战的时机终于成熟了。

俗话说，按下葫芦又起了瓢，战争的池塘里总有无数的葫芦和无数的瓢。就在大军抵达曼得勒，准备会战时，新三十八师的一部急匆匆地通过混成旅防区。温正听说师长孙立人亲自带着这支部队，不得不出面接待。孙立人出身特殊，他是美国弗吉尼亚军校的高才生，与国军两大派系之间素无瓜葛。温正也不喜欢派系之争，两人见过几次，倒也谈得来。

温义也在旅部，温正索性拉着他一起去了。新三十八师正在通过防区，温正和孙立人寒暄着。还没说几句，温义忽然指着那支浩浩荡荡的运兵车队，哈哈笑了起来。温正看了几眼，也觉得奇怪，八十几辆大卡车上稀稀拉拉地坐着千把人。国军运力有限，未免太浪费了！

孙立人皱着眉说："我奉命去救英国人，手里就这千把人，是以卵击石。"

"救英国人？他们又完蛋啦？"温正轻蔑地笑了一下。

自远征军入缅作战，听到的都是英国人战败、撤退、逃跑、投降的消息。同古会战让他们搅黄了，平满纳会战也因为英国人中途逃跑而报销。如今曼得勒会战即将打响，远征军终于对正面之敌形成了合围态势，难道英国人又出来捣乱不成？孙立人解释说，这次会战本没有指望英国人，是他们自己不

163

争气。如今七千英缅部队还有他们的勋爵大人被日军围在仁安羌了,动弹不得,再不去救他们就要投降了。英国当局向远征军求援,希望盟军能及时救援。第五军的杜军长恨透了这群家伙,回绝了。英国人不甘心,把美国人请了出来。杜军长说:"兵法云,五则攻之,十则围之。英国七千部队,包围他们的至少是七万,哪里有那么多兵?不去。"求援的英国将领差点当场休克,仁安羌地处沙漠,再围几天,英国人不投降也得饿死。孙立人不属于第五军,与美国人关系不一般,要去解围,但他手头只有一个团。杜军长恼火这家伙没事找事,一个人都没给他。英国人倒是挺大方,立刻给了他八十辆卡车。

温正相信杜军长的判断,正要劝几句,温义却拉着孙立人问:"豆敦和方敦是不是也在仁安羌?"

孙立人说:"豆敦是缅北的前任总督,肯定在,方敦是谁?"

温义说:"他级别不高。"

孙立人说:"最值钱的是亚历山大,这家伙是勋爵,绝不能落到日本人手里,影响太大了。"

温正忧心忡忡:"仁兄,这次行动太过凶险。英国人,让他们自生自灭吧。"

孙立人说:"单独凭咱们的力量,打不过日本人,至少短期内不可能。抗战必须要有美英方面的支持,咱们不能意气用事。救得成救不成,也要拿出个盟军的样子。"

"就凭你这一个团?"温正指着稀稀拉拉的车队,说"如果敌人火力够强大,一个冲锋部队就得死一半……"

温义不等大哥说完,立刻建议道:"我手里有人,要不我带一个团和孙师长一起去?"

孙立人已经听说了温家兄弟收编了滇军的一个师,富得流油,立刻拍着巴掌说:"温兄,现在你名义上是副旅长,但你手下可有一个师的兵力,就按令弟的办法,如何?"

温正说:"军座不愿意帮英国人,他怪罪下来,我如何担当?"

孙立人说:"我给你保密。这些人现在连编制都没有,怕什么?都是党国的部队,你总不能让我的弟兄去送死吧?"

温正向来都以大局为重,在胜利和个人前途之间选择,他绝对会选择前者。温正沉吟了一会儿,又叮嘱了弟弟几句,算是答应了。温义指挥着一个临时团上了车,这个团是温家帮的班底,虎豹是临时团团长。后来他又向温正提出要求,希望把医疗队带上。温正立刻答应了,他已经知道弟弟与罗敷是老相识,再说自己也不喜欢身边跟着个军统女特务。

第七章 人退烟进

—

终于脱离哥哥的视线了,温义欢欢喜喜地带着部队上了路。临行前他让虎豹把罗敷叫到自己的车上。出发后,虎豹捂着脸跑了回来,异常沮丧。温义不明原因,虎豹气呼呼地说:"人家给了我一个嘴巴。"

温义怒道:"你呢?"

虎豹说:"我也给了她一个嘴巴。"

温义笑了:"这还差不多。"

"人家说了,让你少打她的主意。"虎豹见四下无人,战战兢兢地说,"二少爷,您家里有夫人了。"

温义在他脑袋上敲了一下:"别人不知道你还不知道?梅姐是我大哥的人。咱们去洛阳就是为了她,我用得着打她的主意吗?"

由于季风的影响,北纬 20 度的陆地西海岸地区大多是沙漠。阿拉伯沙漠如此,非洲沙漠如此,加利福尼亚沙漠如此。在缅甸的西部沿海也有这么一小片沙漠,仁安羌就处在沙漠的中心地带。有沙漠之地大多有油田,仁安羌是缅甸唯一的油田。日军进攻东南亚,就是为了获得印尼和缅甸的石油。英国人不缺石油,没心思保卫油田。他们想借这条捷径,快速通过仁安羌,跑到印度去,没想到与抢占油田的日军迎面撞上了。日军以为他们是保护油田的,这才将英军包围。

第三天,孙立人和温义的部队抵达了仁安羌。

他们不敢过早地暴露目标,让部队隐蔽在沙丘后。二人带了些警卫,爬上一座小山观察敌情。山下是仁安羌的市区,由于地处沙漠中心,所谓的城市仅仅是一盘肮脏的烂房子。烂房子周围伫立着很多"磕头机",油井周边生长着低矮的灌木。温义发现四周的灌木丛中有日军活动的迹象,日军若隐若现,似乎人数不少。城里高竖着英国国旗,旗子耷拉着身子,一副无精打采的样子。

这时城外某地砰砰地响了两声,是迫击炮。接着城里升起了两股黑烟,隐隐地传来了两声爆炸。孙立人和温义对望了一眼,难道日本人要进攻了?爆炸声后,并没有日本人的活动迹象。城里礼节性地也砰砰响了两声,沙地上也冒出两股黑烟。孙师长大是奇怪,这不是还击,这是漫无目标地瞎打,英国人干什么呢?

温义手舞足蹈地表演起来:"日本人的意思是严重警告,别轻举妄动,我们围着你们呢。英国人的意思是:少来,我们有抵抗能力,现在还不想投降。"孙立人听温正谈论过弟弟的事,据说这家伙满脑子奇思怪想,现在他如此解释双方态势,听来倒也有趣。孙立人哈哈笑了几声,全当是开玩笑。

无论双方情况如何,既然来就得动手。温义的部队属于支援性质,孙立人不好意思让他打头阵。另外他更担心侧翼高地上的火力,于是孙立人让温义在新三十八师进攻时,对侧翼高地进行佯攻,分散敌人的火力。温义从来不喜欢硬拼,佯攻正合心意。

中央军发射了几颗信号弹,希望引起英军的注意,来个里应外合。之后,部队在孙立人的指挥下,开始进攻了。枪炮声一起,日本人突然把油井点燃了,油田顿成一片火海。新三十八师冲进油田,战斗异常激烈,中日两军在火海中厮杀,不少人变成了火球。

油田里打得热火朝天,温义不好意思隔岸观火。他带着人来到高地下,准备冲锋。奇怪,高地上明明插着膏药旗,却不见任何动静。他命令虎豹说:"摸上去看看,实在不行就赶紧撤。"

虎豹带着人上去了,温义不安地等着。不一会儿,虎豹乐颠颠地跑了回来,笑着说:"连人影都没有,旗子是唬人的。"温义马上下了进攻令,临时团的官兵一阵风似的冲了上去,果然是一个日本兵都没有。

高地中央插着膏药旗,根本看不出日军在此驻防过。温义歪着脑袋想了好一会儿,日本人到底在玩什么把戏?日军的战斗素养很高,他们的军官不可能没有注意到这个高地,如果在这里安插火力点,可以控制大半个油田。

部队都上了高地,连医疗队都上来了。温义走到罗敷身边,自顾自地念叨着:"这他妈是怎么回事?只有旗子却没人?"温义见她不说话,索性车轱辘话来回说。罗敷憋不住了，没好气地说："还用想？他们兵力不够。"温义醒悟了，拍着大腿说："中尉，你太聪明了，的确有这个可能，太有可能了。"罗敷让他气得哼哼了几声，懒得搭理他。

虎豹指着战场，幸灾乐祸地嚷嚷："二少爷，中央军还挺玩命，就是打不进去，真废物！"温义命令手下进行火力支援。虎豹苦着脸说："打谁呀？您看。"温义看了看，也泄气了。中央军和日军战在一处，根本就分不出敌我。

温义很无奈："都休息，先看看情况。"

罗敷冷冷地说："部队运动到敌人的侧翼，冲下去，战斗就结束了。"

温义使劲晃了晃脑袋："冲下去会死人，我们温家帮的人死一个就少一个，拼命的事让中央军干吧。"

罗敷气恼地站了起来："除了温家帮，你脑子里还有没有点儿别的？"

温义赶紧把她拉了下来："流弹！趴下。我脑子里，只有你和温家帮。"

罗敷的嘴唇哆嗦了几下，脸色有点青："你，你胡说什么？"

温义不高兴了："怎么是胡说？他们是我的兄弟。回了云南，你我结婚他们都应该来喝喜酒。"

罗敷把拳头举了起来："你再胡说我打死你。"

温义昂着脑袋说："我和梅姐的事不算数，我回去就离婚，咱俩是一条线上的。"

罗敷几乎要哭出来："我不嫁给你，我嫁了你我就不是人。"

温义大惊："为什么呀？"

罗敷脸都憋紫了："你管不着。"

罗敷并不嫉恨温义和梅兰的婚姻，她是有苦说不出。收编了第四师之后，她就有意地疏远温义。女人是性牢笼的囚徒，罗敷也不例外。冯娜告诉过她，女特务的训练必须要通过色情这一关。罗敷无处可去，才选择了这个职业。技能的训练都通过了，指挥官带来一个肮脏的乞丐，逼着罗敷与这家伙做爱。为了给父亲报仇，为了躲过杀人的罪责，罗敷闭着眼睛完成了任务。完事后，她照着乞丐的裤裆踹了一脚，据说那家伙的睾丸险些被踢碎。事后很久，乞丐的身份才得以公开。那家伙是男特工假扮的，军衔是少校，姓张。

此后，罗敷才成为货真价实的女特务。但罗敷的心却受伤了，她对自己产生了从未有过的鄙视，她觉得自己的身体肮脏不堪，每次洗澡时她恨不得把身上的皮肉都搓下来。在此之前，她和温义在精神层面上是平等的，现在她观察温义时竟有了仰视的感觉。温家帮收编第四师的行动，让罗敷认为，温义不过是利用她军统特务的身份，完成复仇计划。于是自卑感更强烈了，后来她干脆躲在旅部不出来，甚至希望找个借口回国。但温义这小子利用他哥哥的权力，硬是把她拉到了仁安羌。路上罗敷的情绪暴躁，动不动就想骂人。

温义揣摩不出女人的心思，特别是受了伤的女人。如今山下打得热火朝天，他却非要让罗敷当场答应自己回去就结婚。罗敷却满脑子是那个姓张的少校，最后她精神彻底崩溃了，突然跳了起来，甩掉军帽，一头长发随风飘着。众人不明所以，傻傻地看着她。罗敷跳出战壕，绝望地大踏步向战场上走去，恶狠狠地嚷嚷道："打死我吧，打死我吧，我不活了。"

温义的两条腿同时抽筋了：这不是找死吗？他俯着身子冲出阵地，一边追一边喊道："你回来，你给我回来。"一颗炮弹恰巧落在温义身后，他被震了个趔趄却毫发未伤。温义抖抖身上的土，继续追赶。

温义和罗敷的疯狂举动，把临时团的士兵们搞糊涂了。虎豹满头大汗，挥着卡宾枪叫着："二少爷都上去了，给我冲！"虎豹端着枪冲了下来，温家帮子弟如梦方醒，既然二少爷视死如归，谁能看着？于是温家帮的人嗷嗷叫着冲出战壕。部队中有部分滇军将士，他们骤然发现女长官和男长官都不要命了，立刻对中央军萌生了无比的钦佩。大家在这对男女军官的感召下，全部投入战斗。

温义好不容易才追上罗敷，揪着她的胳膊："你疯啦？卧倒。"罗敷不理他，继续寻死。温义觉得身后有动静，一回头，只见全团将士集体冲了出来。温义急了，挥着胳臂大叫："谁让你们出来的？给我回去。"

此时枪声如雨，炮声似雷，喊杀声震动天地。士兵们只看到温义怒气冲冲地嚷嚷，却听不清他在喊什么，大家想当然地以为长官在督促冲锋呢。这一来临时团的战斗欲望更加高昂了，仅仅几分钟的工夫，部队就冲进油田，立时就把日军的侧翼彻底打垮了。

温义担心女朋友受伤，抱着罗敷的腰，硬生生地把她按在地上。子弹不时从他们耳边飞过去，耳膜吱吱地响。他喃喃自语道："要么把咱俩都打死，要么跟我回去结婚。"

罗敷冷冷地转过脸来："你这个小王八蛋，你什么也不懂。"

温义说："你爸爸才是王八蛋呢，不是他，咱们早就结婚了。"

罗敷忽然哭了起来，大火把二人映照得通红。

二

孙立人快绝望了,自己的团眼看就要报销了。他心下异常恼怒,第五军的部队难道睡着了?怎么连佯攻的枪声都听不到?他正要派传令兵去催,忽见一个长发飘扬的女军官凛然地站上了高地,她挥舞着手臂向油田跑过来,长发如一面迎风招展的旗帜。接着温义出现了,再后来临时团以排山倒海的气势压了过来。顷刻间日军被打垮了,他们丢下几百具尸体,慌慌张张地钻进了沙漠深处。

孙立人激动得热泪横流,心想温义绝对是个可造之才,进攻的分寸拿捏得恰到好处,关键时刻给了敌人致命一击。但有个环节他没想明白,女军官是什么人?孙立人没时间琢磨这些,命令部队肃清顽敌,解救城中的盟军。

战事结束了,但城里毫无动静。温义和孙师长一个心思,英国人弹尽粮绝了,连策应一下的力气都没了。进城前孙师长从俘虏口中得知,包围仁安羌的部队是第三十三师团的机动搜索部队,才一千多人。一千人包围了七千人!这些英国人难道是吃大便长大的?进了城,他们发现粮食和弹药满城都是,英国人一个个面如死灰,原来他们是吓破了胆。在中国军队进攻的时候,他们只能求上帝保佑。孙立人将敌人的实际兵力告诉了亚历山大勋爵,勋爵大人哀求着说:"孙将军,你是绅士。绅士不会让朋友太过难堪,希望你不要把这事儿告诉新闻界。我向女王陛下给你请功,你的新三十八师是英国人的恩人,我们不会忘了你的……"孙立人明白,这事公布出去,只能打击盟军的士气,索性把真相压了下来。

由于救七千英军于危难,孙立人成了缅甸战场的大英雄,蒋委员长授予他云麾勋章。亚历山大勋爵没有食言,英国女王颁给孙立人一枚帝国司令勋章。孙立人本来希望给温义的部队请功,温义却说:"部队连编制都没有,还是低调吧。"

孙立人估计,他们兄弟不希望把扩充实力的事张扬出去,低调也是对的。于是孙立人又问:"女军官是什么人?"

温义坏笑起来:"她是缅甸战场上最美丽的女神,军统中尉,弟兄们是在她的鼓舞下奋勇前进的。"

孙立人惊道:"军统的?"

温义说:"那还能有错?军统之花。"

孙立人没多想,亲自安排了几个英美记者采访罗敷。罗敷万万没想到记者们知道自己的身份,她没好气地嚷嚷:"战争不止是你们男人的事,真讨厌。"此后多家西方报纸报道了这事,罗敷一时间成了中国远征军的偶像。同时罗敷的身份彻底暴露了,远征军的将领都知道部队里有个军统女特务。这正是温义的目的,女特务的身份一旦败露就失去了价值,以后罗敷想当特务都当不成了。

进驻仁安羌,温义和罗敷的关系有所好转,原因是罗敷发现这家伙危难时不避生死,没嫌弃自己。此时温义出人意料地忙了起来,他询问了好几个英国人,终于在破败的庭院里找到了方敦少校。这家伙半躺在一块破毛毯上,形容枯槁,成了一块古铜色的木头。方敦见到温义,惊讶得裤子都掉了:"温,你是怎么来的?"

温义指着自己的领章:"我现在是军人,特地来救你们这些绅士。"

方敦知道自己的形象极不雅观,难过地说:"日本人围了我们七天,我们险些就进了战俘营,多亏了你们这些中国朋友啊。"

温义假装关心地说:"我来仁安羌,主要是为了救你。"

方敦咽了口唾沫,不敢接茬,这家伙对温义是又恨又怕,一来他们之间的关系见不得阳光,二来他认为自己之所以与毒品有染,完全是中了这中国人的圈套。方敦想了半天苦笑着说:"咱们之间没瓜葛了,我再不想回缅甸了。"

温义冷着脸:"谁说没有瓜葛?从去年的下半年到现在,我们在缅甸销售了七千两白粉,二十万两烟土,你还没有拿到自己的分红呢。"

方敦呕了几声:"这个,战争期间,我们不怪你。"

温义从本子上扯下两张纸来,龙飞凤舞地写了几行字,是中英文的。写完后,他把纸条递给方敦:"我身上没带这么多钱,但我欠你三千块银圆,欠豆敦先生四千块,这是欠条。一旦局势允许,立刻给你们补上。"

方敦眼含着热泪,握着温义的手使劲晃:"你们做生意太诚实了,你们简直比犹太人还犹太人。我……我……你就是我的亲兄弟。"

温义显得颇为惋惜:"如果不是战争,你我都应该成为富翁。"

"是啊,是啊!该死的日本人。"方敦狠狠跺了下脚。

仁安羌胜利的兴奋劲还没有过去,温正就拍来了电报,希望临时团立刻返回曼德勒,大会战迫在眉睫。他在电报里不无兴奋地说:曼德勒会战至少能歼灭敌人一个师团,这将是太平洋战争爆发以来,盟军陆地战场上取得的最大胜利。温正希望弟弟在战争的熔炉中尽快成长,严令他马上回来。

温义辞别了孙立人、方敦等人,率领部队上了路。他天生具备组织能力,指挥部队如张飞吃豆腐,小菜一碟。但罗敷在途中的几次逃跑却让他伤透了脑筋。第一次,她一个人进了沙漠,温义的部下好不容易才把她找回来。罗敷说:"我是第五军军部医疗队的,不在你管辖之下。"温义说:"现在我负责医护人员的安全。"两天后罗敷又跑了,这回温义亲自追了三十里。罗敷怒道:"我是军统的人,你管不着。"温义指天发誓:"就是戴笠来了,我也能让那小子把生烟土当米饭吃。你身份暴露了,回了军统他们也不要你了。"此后他找了几个死党,昼夜不停地盯着罗敷的一举一动,这样罗敷插上翅膀也飞不了了。

驰援仁安羌时,有美国人的大卡车,回去却只能靠两条腿了。好在他们都是云南人,不把走山路当回事。

五天后,临时团抵达曼得勒城外,温义觉得气氛不大对头。来来往往的士兵一水儿的神色慌张,精神委靡。城门也如肛门一样,只出不进,给养、弹药和物资都在向城外运。温义估摸着,没准儿战役打响了,战场在城外某地。他急忙带着人赶回旅部,旅部竟乱作一团了,温副旅长正指挥大家往车上装东西。他看见弟弟回来了,眼圈竟红了一下,不得不使劲仰了仰脖子。

三

情绪稳定了,温正在弟弟肩膀上拍了一巴掌:"居然让你打了一场痛快仗。现在把你的人全调到城外,准备一下,咱们为大部队断后。"

温义惊奇地问:"断后?撤退?会战呢?"

温正一脚将桌子踢翻了,厉声骂道:"第六军那帮狗娘养的,他们把蜡戍丢给日本人,自己跑回云南去了。"

温义觉得胸膛里骤然空了,心飞了。蜡戍一丢,远征军的后门等于关上了多半扇,现在日本人正琢磨着关门打狗呢。温义懊丧地说:"马上撤到密支那,从腾冲回去,只有那一条路了。"

温正颓然坐下来:"大会战又泡汤了。军座命令,全军向密支那方向运动。本来咱们旅的损失最大,但咱们收编了滇军,军座让咱们为全军断后,让滇军当炮灰。"

温义放了俩屁,面临全军覆没的危险,这帮家伙还琢磨着清除异己。"人家凭什么当炮灰?大哥,我那帮弟兄不当炮灰。"

温正料到弟弟会顶撞自己,但他现在没什么脾气:"让滇军当炮灰是上面的意思。我清楚滇军弟兄不容易,温家帮的人不能算是真正的军人,让你们牺牲,不公平。如果敌人追来了我带着混成旅的人上,一旦我们守不住了,你们来支援。能守住,你们就赶紧撤。"

温义转着眼珠说:"如果那样,你就成炮灰了。我的意思是趁着归路还没有完全被封死,咱们熟悉地形,轻装往回跑。跑到云南就什么事都没有了,我不信日本人能打过怒江。"

温正跳了起来:"咱们跑了,军座怎么办?第五军的几万弟兄怎么办?"

"管不了那么多了。"温义跳了起来,"如果我是日军指挥官,进攻蜡戍时就会派一支部队去密支那,想跑?没门儿!你想断后都断不成。当务之急就是赶紧跑,大部队行动缓慢,等他们到了,密支那保证让人家占了。"

温正愣了一会儿,咬着牙说:"你要是敢逃跑,我现在就杀身成仁。"

温正了解自己的弟弟,如果他说"你敢跑我枪毙你",温义一定会把脑袋伸过来。另外温义的推断没错,滇军是他收编的,那些人听温义的。温家帮的弟兄就更不用说,所以温义想跑,别人也拦不住。这位中央军上校干脆把自己的性命豁了出去,心想看你买账不买账。这一招果然产生了效果。温义相信大哥有杀身殉国的决心,只得跑回弟兄们当中,以保家卫国的幌子把部队留了下来。

未思进,先思退,如果不想被别人算计,那么就要算计别人。部队收拢阵地时,温义将虎豹叫到面前,命令他带上一部电台和几个弟兄,去枯门岭,找到克钦人的土司,套套交情,谈些条件。温家帮与云南、缅甸的土司都有些关系,土司的地盘都是出烟土的。虎豹不明白,这个关口找克钦土司干什么?温义说:"也许那是唯一的退路,一旦进了野人山,没有克钦人帮忙,咱们就死定了。"

虎豹惊叫道:"你吃多啦?进野人山干什么?"

温义甩着手说:"这事你别嚷嚷出去,中央军是一帮笨蛋!你会说克钦话,赶紧去。尽快和他们取得联系,什么条件都答应,银子、烟土,他们要什么就给什么。"

虎豹是张家买来的克钦孩子,派他去是最合适不过了。

虎豹走了,罗敷也趁乱跑得没了影儿。温义气呼呼地找哥哥要人,温正惊奇地说:"人家是军部的人,天天在你那里算什么事?"

温义说:"我喜欢她,我要和她结婚。"

温正害怕了:"你疯啦?就算你们以前认识,她现在是军统的人,是女特务。你招惹女特务是自找倒霉。"

温义说:"她早该是我老婆。"之后,温义把自己和罗敷的事说了。温正听得心惊肉跳,原来他们二人之间的故事如此曲折。当初温义回云南是为了这个女人,又为了她去了趟洛阳,还干掉几个日本人。听到最后,温正颓然地倒在行军床上,自言自语地说:"看来你是铁了心要和梅兰离婚?"

"我们俩就不是一路人,她喜欢你。"温义说得毫无顾忌。

温正在床板上捶了一拳,嘶哑着声音吼道:"你浑蛋透顶!女人离婚!以后还抬得起头吗?我能娶自己的弟妹吗?那是乱伦!"

战局竟然依照温义预料的发展着,日本人没有攻击远征军的后卫部队。第五军仅仅走出几十里,就得知密支那、八默等地相继被日军攻占了。据说堂堂的中将杜军长,当场呕血两升。这一回真的要完了!第五军的几万官兵,党国最精锐的部队让日本人包了饺子。主力部队在混成旅的护送下,没头苍蝇般且战且走,在文藻附近碰上了孙立人的新三十八师。将领们召开了紧急军事会议,商讨出路。如今在众人面前只有两条路,要么冒险穿越枯门岭;要么跟着英军的足迹,败走印度,与英国人会合。

枯门岭俗称野人山,山脉连绵数百里,全部是遮天闭日的热带森林。当地人说,林中无天日,寸步难行走。山里居住着原始部落,就是人们口中的野人。在历史上这一带是孟获的老巢,诸葛亮到了这里都不敢贸然进兵,只能诱敌出动。

关于路线,将领们产生了严重分歧。杜军长恨透了英国人,坚决要回国。孙立人认为穿越野人山,风险太大。最终第五军和新三十八师分道扬镳。新三十八师远走印度,而第五军正如温义预料的,准备穿越野人山。

混成旅是断后部队,接到命令时,先头部队已经进了山。温正命令部队摆脱日军追踪,迅速跟上大部队。命令刚刚下达,温义就急匆匆地跑到旅部嚷嚷着不能进野人山,甚至不惜与哥哥分家。温义说,云南人谁不知道,野人山是活棺材,谁去谁死,谁进谁迷路。温正认为数万现代化的军队,不可能迷失在深山里,第五军一定能安全走出去。二人争论了半天,四只眼睛都红了。温义跑到士兵当中,把自己和副旅长的分歧彻底公开了。整支部队顿时炸了锅,混成旅原先的士兵不是云南人,相信他们的军长,愿意跟温正走。温家帮的弟兄和新收编的滇军都是云南人,他们清楚野人山的厉害,纷纷要求温义寻求出路。温义大声说:"中央军都是笨蛋,即使从野人山边上绕过去,也得找克钦人帮忙。"

温正当众与弟弟争辩道:"你昏头了?克钦人是缅甸人,我们能相信缅甸人吗?这一路他们偷袭咱们多少次?日本人说,他们是帮着缅甸人打殖民者,缅甸人把咱们当仇人了。"

温义叉着腰说:"我有烟土,我就不信克钦人不听我的。"

173

这句话使现场陷入了难堪的安静。如今混成旅的士兵由三部分组成,第四师和中央军占了绝大部分,温家帮子弟人数最少。除了温家帮的人,大家对买卖烟土都有几分敏感,特别是中央军。国民党的军队中有政治教官,在他们看来,买卖烟土就是大逆不道。几个青年军官站到温正身边,指着温义说:"我们早知道你是鸦片贩子,看在长官面上才容忍你。既然话说出来了,我们就不能坐视,不允许你在军队里散播流毒。"温正觉得弟弟太不像话,索性背着手看着。

<h1 style="text-align:center">四</h1>

"买卖烟土不犯法,政府收入的五分之一来自烟土的税收。"温义斩钉截铁地说,满脸不屑,"你们吃的喝的用的,哪一样离得开烟土?有本事把你们吃的饭吐出来。你们愿意送死那是你们的事,不愿意进野人山的,跟我走。"温家帮子弟拥到二少爷身边,不少人把枪都举起来了。

中央军和大部分滇军士兵扭过脸去。温义在人群里发现了罗敷。其实罗敷一直藏在旅部,眼看温义要走了,她情不自禁地走了出来。温义上前问:"你跟谁走?"

罗敷坚定地说:"我跟大部队走,我是中尉。"

温义"哼"了一声,向空中狠狠一挥手,新编营的士兵呼啦啦地便出发了。所有人都在等副旅长的命令,温正的脸抽搐了一会儿,手逐渐摸到了枪柄。罗敷一把按住他,冷冷地说:"他没有义务为你的理想拼命。"温正的眼角哆嗦了几下,总算没把手枪拔出来。

部队走出二三里路,温义突然让大家停下来。他坐在路边,冥思苦想了好一阵子,然后叫来一个叫二毛的亲信,小声叮嘱:"你偷偷回旅部,跟着大少爷。"二毛苦着脸说:"大少爷要进野人山!我不想送死。"温义在他耳边小声嘀咕了几句,二毛还是不情愿,最后出于对温家帮的忠诚才勉强答应。

二毛离开队伍,温义继续向西北方向进发。过了孟关,就再也见不到远征军的踪迹了,前方出现了广阔无边的山地森林。温义清楚,森林边缘就是克钦人的村寨,虎豹正在那里等大家呢。

野人山的野人是克钦人的一支,克钦人是一个几十万人的庞大民族。他们主要生活在缅甸北部的山区,与中国景颇人的血缘关系很近。其中散落在枯门岭森林深处的原始部落,被称为野人,还处于石器时代。大森林周边地

区的克钦人则开化得多,虽然还保留着奴隶制度,但农业社会的雏形已经具备。另外,森林边缘的克钦人与外界的联系比较密切,中国人习惯于把他们的首领称做土司,土司在部落里极有权威,俨然一土皇帝。当年温家帮没有和英国人形成联盟时,就已开始从克钦土司手里购买生烟土,他们之间颇有些交情。后来温家帮把英国人收买了,烟路转移到腾冲、密支那沿线,与克钦土司的交往就少了。

孟关之北七十里有一座蛤蟆山,是温义和虎豹的会合地点。虎豹等了五天,总算把温义等来了。他拉着温义的手,无限感慨地说:"二少爷,你真是料事如神!土司说,中国的大部队进野人山了,估计是出不来了。"

温义说:"土司答应给咱们带路吗?"

虎豹嘿嘿笑了两声:"人家要三千两白粉。"

温义使劲眨巴着眼睛:"他们一直抽烟土,怎么也要白粉?"

虎豹摊开双手说:"谁不知道白粉比烟土好。"

温义示意部队停下来,大声命令道:"大家把身上的白粉和烟土都收集起来,打好包装。"

新编营的士兵不是一般的士兵,他们除了携带枪支、弹药和干粮,还要带些烟土。在西南地区行走,随身带着烟土,一来可以随走随卖,做些生意。二来在很多地方烟土比银子有用。此时部队进入缅甸已有几个月了,随身的烟土和白粉消耗得差不多了。温义大约收集到七百两烟土、两百多两白粉。虎豹为难地说:"二少爷,克钦人都是死心眼,不见东西,他们是绝不会给咱们带路的。"

温义估计到这一点了,立刻道:"再给他们三十条枪,五百发子弹,我就不信土司不给咱们带路。"

虎豹叫道:"枪是咱们的命根子,是咱们的第二生命。"

温义照他胯骨上踢了一脚:"死心眼,第一生命没了,第二生命就没用了。"

克钦人的山寨建在森林的边缘地带。虽说是边缘,但也要走上十几里,一般人照样是进得去出不来。部队在森林里走了十来分钟,士兵们的心就悬起来了。这哪里是森林!这就是一片汪洋大海,无边无际的绿色,无休无止的黑暗,除了巨大的树干和青藤,连阳光都成了稀罕物。森林里光线微弱,树冠相互纠缠着,在头顶上形成一个暗绿色的大屋顶,地上全是黑泥。不时有水珠噼噼啪啪地落下来,也弄不清那是动物的屎尿还是雨水。半小时后,人脚就成了蚂蟥的美餐,蚂蟥这个东西咬人不疼,但血流不止。有个小兵无意中

回头看了一眼,吓得啊啊叫了起来。来路上的小草被染成了红色,简直是一条血路。温义马上命令众人用布把脚包上,人血不能白白便宜了蚂蟥。

树林逐渐稀疏,终于能看到天空了。前面就是克钦人的寨子,村寨矗立在石头山上,地势险要。大家松了一口气,温义却忽然难过起来,大哥和罗敷也进了野人山,在此等森林中要走上几天,几十天,能活着出去吗?

温二少爷大名鼎鼎,土司早听说过这个神奇的年轻人。当烟土和枪支摆到面前时,土司的眼睛笑成了一条缝。土司没笑几声便发现枪膛里没子弹,立刻对温义的动机产生了怀疑。温义解释说:"我们的子弹已经不多了,路上弄不好还会碰到日本人。只要你的人把我们送到边境,子弹、白粉、烟土,随便拿。"

土司脸上允满了不信任,估计是吃过山外人的亏。虎豹用克钦话说:"土司,温二少爷是何等人?哪有说了不算的?再说,我们的弟兄中还有不少景颇人,我也是克钦人,你忍心看着我们死在野人山里?"

这句话起了作用,土司沉吟一会儿:"景颇人是我们的兄弟,应该帮忙。但有个事我想不明白,烟土到底是怎么弄出来的?生烟土不能抽啊。"

温义真心钦佩这老家伙了,他当下应允:只要部队能脱险,就把提炼烟土的技术留下。土司是一方领袖,是高瞻远瞩的人。他算计着,如果克钦人掌握了熬制烟土的技术,他们与山外人换取物品的成本就将大大降低,是造福子孙的事。这个技术只有向温家帮索取。温义答应他也有个私心,这一带不仅地广人稀,天高皇帝远,如果能把枯门岭培养成温家帮的烟土供应基地,绝对事半功倍。

谈妥条件,土司派出四五名向导。新编营在向导的指引下,沿着原始森林的边缘,一路北行。温义他们是越走越害怕,这种老林子的确不是人走的,有时拐个弯儿就找不着人了,有时附近不远处蹲着只豹子,如果向导不提醒就谁也看不见。大森林都是有魔力的。出发两天,虽然有向导的不断督促,部队还是失踪了五六个士兵。后来温义命令大家以步枪当绳子,后面的人拉着前面人的枪托,谁也不许多走一步。

日军也沿着森林搜索撤退的中国军队。有几次,不知从哪儿打来冷枪,部队中时有伤亡,大家要还击都找不到敌人的所在。克钦向导告诉虎豹说,日本人一定躲在大树上。虎豹下命令,每隔几百米,就向森林边缘方向的大树顶端扫射一阵子,一天之内竟打下好几个日本人。再后来连日本人的踪迹也没了。七天之后,部队的给养眼看要耗光了,新编营终于在断粮之前看到了野人山的尽头。

穿过野人山后并不是边境,有一条从密支那通向孙布拉邦的公路横在

前方。路上有一处必经的镇子,叫麦通。

温义已经把路径打听清楚。他估计,中央军那些废物不可能想到占领麦通,日本人没准儿早就料到了这一步。所以部队还没出森林,他就命令昼伏夜出,尽量隐蔽行踪。

走到后半夜,部队看到了麦通的灯光,大家很久没有见到灯光了,都有点兴奋。虎豹亲自跑去侦察,回来报告说:镇子上有不少日本鬼子,正和缅甸人喝酒唱歌呢,似乎在搞联欢。

温义决定亲自去看看。镇上灯火通明,人影攒动,但集镇的规模太小了,总共只有几十座竹楼,估计日本人多不到哪里去。后来他发现镇子入口处停着几辆卡车,车斗里装满了大油桶,车旁只有两个打瞌睡的哨兵。

温义把虎豹叫了过来,轻声耳语了几句。虎豹面露喜色,挑着大指道:"二少爷,你就是诸葛亮。"温义说:"马上行动。"

虎豹带着人走了。温义将部队集合起来,呈口袋型埋伏在镇口附近的丛林里。

虎豹等人悄无声息地干掉了看守卡车的哨兵,大油桶里果然是汽油。他命人把油桶放倒,打开桶盖,汽油便咕咚咕咚向镇里流了过去。等汽油快流完了,虎豹往地上扔了根火柴,一条火龙迅速冲向集镇,火势越来越大,越烧越快,转瞬间,镇口附近的几座建筑就被大火吞没了。虎豹等人赶紧找个地方藏了起来。

镇子里响起了日本人的叫嚷声,接着上百名日本士兵和当地人拎着水桶慌慌张张地跑了出来。温义不动声色地等着,日本人越来越多,都忙着救火。温义一声令下,新编营的几挺机枪砰砰砰地打了起来,手榴弹飞向人群,油桶炸了,汽车炸了,十几条尸体挂上了树梢,不一会儿,整个麦通就被烧成了焦土。

五

麦通之战,不见战史,却是中国远征军入缅作战以来,最为痛快淋漓的胜仗。温义以引蛇出洞的战法,将日军一个中队吸引到自己枪口下,仅用了二十分钟,就把一个中队的日军报销了,己方无一伤亡。那些日军可能是战争中死得最窝囊的鬼子,到死他们也没有弄明白,漫天飞舞的子弹是从哪儿打过来的,更不清楚对手是何许人也。

由于担心镇子再次被日军据守,温义立刻下令,把镇子全部烧掉。当地

的缅甸人愿意走就走,不愿意离开的一起烧死。新编营离开后,又有几股远征军从麦通经过,没有遭到任何抵挡,上千条性命得以保全。

过了麦通,野人山被彻底抛到了脑后。新编营的士兵们一路小跑着,高高兴兴来到缅北重镇——葡萄。温义让大家就地搜集粮食,准备接应新来的部队。虎豹惊讶地问:"哪里有其他部队?"

温义冷冷地说:"你把熬制烟土的技术传授给向导,如果学不会就让老鸦亲自去枯门岭教他们。让弟兄们在这一带休整,等我把我大哥带出来,一起回普拉底。"手下人痴痴地看着二少爷,历尽千辛万苦,好不容易才从野人山里跑出来,难道二少爷还要回去?温义原地转了一圈,似乎是给自己打气:"我一定得回去,我不能让他们死在山里。"

每走几十米就会看到新的尸体,有仰卧着的,有侧着的,有两三个人挤在一起的,最有创造性的是独自坐在大树下,面带微笑死去的。

罗敷麻木了,在战场上也没见过这么多死人,野人山成了一口巨大的棺材。那个委员长的心腹爱将,那个昆仑关大战的英雄,王牌部队第五军的杜军长居然把部队带进了绝境。

混成旅是最后进入野人山的部队,没三天他们便发现了倒毙的尸体。温正清楚罗敷与温义的关系特殊,特地命令警卫班负责医疗队的安全。如今连警卫班的士兵都躺下两个了,医疗队女人居多,更是落到了全旅的最后。

温正是有所准备的,进山前,他命令士兵把口粮全部集中,然后每人每天定量发放,所以混成旅的组织性很高。到第七天,干粮耗尽了,士兵们在副旅长的鼓励下以各种植物的果实充饥,结果吃死了几个。温正再三叮嘱部下,只能吃野兽吃过的果子,没毒。后来有人提议说:咱们有枪,打猎吧。实际上数万大军的声势早把林子里的动物吓跑了,偌大的森林里连只老鼠都找不到。没办法,士兵们只好把皮带解下来,一块一块地煮着吃。

饥饿不是最可怕的,森林中危机四伏。蚂蟥的厉害人们早就领教过了,最恐怖的东西往往在夜里出现。每当夜幕降临,蜻蜓般大小的蚊子成群结队地飞出来。这是群比鬼子的飞机还要讨厌的玩意儿,一出动就是一个师团,而且全是空降兵。大蚊子轰炸机似的在人们头顶上盘旋、俯冲,向一切活动着的物体发动地毯式轰炸。这东西的嘴是一根又长又黑的吸管,一旦刺中人体,眨眼工夫,干瘪的皮肤上就会出现个大血球,一掌拍去便是一大堆血。尸体是蚊子的,血是自己的。士兵们防不胜防,吃尽了苦头,也想尽了所有办法。后来有人发现这东西怕烟,于是一到宿营地,部队就会点上一大堆火,火

苗不高,只盼着烟能多些。他们前脚赶走蚊子,后脚吸血蝙蝠就到了。那东西是一群幽灵,有毒的幽灵,不少人在睡梦中被蝙蝠毒死了。

十五天后,混成旅减员一半,连温正都开始丧失信心了,心想这一百多斤真要交待了!想起温义的话,他品出了几分道理,国家社稷,民族兴亡,人类前途,跟自己有什么关系?后人不可能传颂他们的英勇奋战,后人根本不知道。难道未来的世界真的比现在更美好?未来是否还在都未可知。

危难时刻,一碗稀粥的价值远比那些虚无飘渺的东西来得实在。昨天他碰上了一个掉队的士兵,奄奄一息,是二〇〇师的。温正认识他,询问前方部队情况如何。这家伙摊开手,手心是一枚半克拉的钻戒。温正惊奇不已,士兵哭着说:"我有一碗粥,中校用这枚戒指把我的稀粥换走了,我后悔呀,我真后悔!"说完士兵一歪脑袋,死了,那枚戒指也不知道滚到哪儿去了。

断粮的第五天,旅部追上了最后面的医疗队。温正这才发现,几天来混成旅竟然原地转了一圈。这个打击对他来说是毁灭性的。温副旅长泄气了,躺在地上一个劲儿地翻白眼。没有士兵愿意搭理他,大家面无表情地从长官身边走了过去。一丝丝阳光从树冠的缝隙里飘落下来,温正痛苦地眯着眼睛,心情沮丧至极。

温正躺了许久,他真想哈哈笑几声。如今士兵们缺粮缺水缺向导,就是不缺军官,他们为什么不把自己煮了呢?后来他觉得有人在自己身边坐下了,是罗敷。温正看了看她,花一样的人,如今干瘪得像一只小蝌蚪。罗敷的军装破烂不堪,几乎衣不蔽体了。温正难过地说:"当初你应该跟温义走。"

罗敷呆呆地望着前方:"给我说说温义的事,我想听。"

温正艰难地坐起来:"碰上野人没有?"

"好多部队都碰上了,我在树林里见到些人影子。"罗敷苦笑了一下,"听说不少弟兄让女野人强奸了,真的?"

温正点了点头:"他们原始,性观念也很原始。温义说秭归一带长江北岸的山里也有野人。"

罗敷惊讶地看了他一眼,想笑又笑不出来,眼神里却充满了欢欣。

"我弟弟没有信念,但他有主意。"温正在脸上拍了一掌,"他是个自然人,他就像一头野兽,敏感、机警,想干什么就干什么。我不成啊。"

"你的信念让你无法做正确判断,这是你的问题。"

温正苦笑了几下:"你应该跟着他走。大部队!哼,大部队进了死路。"

罗敷靠在树上,四肢如泥一样瘫软:"跟他走,他要我嫁给他。"

温家兄弟对女人都是一知半解,温正以为罗敷出身将门,又是军统中

尉,是出于对党国忠诚才跟着大部队走的。原来这里面掺杂了这么多私人感情!作为军官,长久以来他避免对身边的人太过了解,免得这些人死了,徒增伤感。他对男人尚且如此,对女人更是敬而远之了。他有气无力地说:"他可是一门心思要离婚。"

罗敷冷若冰霜:"你应该知道我受过什么样的训练。我这样的女人,嫁了人就是对婚姻的玷污。"

"一派胡言!"温正一生气就累,不得不喘了几口气。

罗敷怜悯地看了他一眼:"说来轻松,想着也轻松,做起来就是另一回事了。你和梅兰也是如此。她不离婚,不就是为了个名节吗?"温正低着头不说话,心里却把弟弟骂了个狗血喷头。家丑不可外扬,他倒好,什么事都告诉了人家。罗敷呵呵笑了两声:"你是个放不开的人,都这时候了,还顾及着家丑,呵呵,我们现在都够丑的了。"

温正不想再谈家事:"现在要恢复信心,恢复士气,你得帮帮我。"

罗敷拔了根草,嚼了嚼又吐出来:"昨天医疗队的一个姐妹自杀了。她是上海人,生在牧师之家,是虔诚的天主教徒。"温正听说过,基督教自杀的人没资格进天堂。既然是虔诚的教徒,为什么要亵渎自己的信仰?罗敷接着说:"她是处女,是医疗队最好的护士。曼德勒激战时,所有的绷带都用光了,弟兄们血流不止,她把内衣脱下来为伤兵弟兄包扎伤口,整个阵地都哭了。"

温正"啊"了一声,如触电一样,立刻精神起来。他知道这个事,为女护士的献身精神感慨了许久,觉得她简直是圣女。"那……那她怎么自杀了?"

"夜里,我们睡了,她被野人抢去,强奸了。等我们发现她时,她已经用藤条把自己勒死了。"罗敷的嘴角挂着一丝诡异的笑容。

"看见他们就开枪,全打死。"温正恶狠狠地骂。

"野人没有性观念,所以女野人勾引男士兵,咱们的弟兄不过是瞧不起她们,男人即使被强奸也可以当笑话,女人遭受了这样的命运,自己先就看不起自己了。"罗敷站起来,眼神里充满了向往:"你弟弟就是个野人,原来我总认为他是个疯子,现在懂了。你弟弟说'万千宫阙都做了土。兴,百姓苦;亡,百姓苦'。人就活一辈子,想怎么活就怎么活。"说完,罗敷晃着走了。

六

温正如今只有一个心思:绝境,部队陷入绝境了! 他每天都要和军部联

系，这几天军部似乎从森林里蒸发掉了。上午他收容了七十五师的作战参谋，参谋告诉大家："军座也断粮了，病得厉害，找到他也没用。"

温正发现周围躺着不少士兵，东倒西歪的，如一片烂西瓜。温正大声命令："没到宿营的时间，都给我起来，马上前进。"

有个上尉翻了他一眼，哼哼着说："大部队？弄不好大部队都死光了。"

温正怒道："胡说什么，不许扰乱军心。"

上尉索性将四肢伸开，呈"大"字型躺着："要军心还有什么用？就是你们这群废物，把我们带进了野人山。他妈的，除了野人，这地方连方向都找不着。妈的，还不如在外面和日本人拼了呢。妈的，等死吧，等死吧！"

温正挺直腰板，右手按着手枪套，目光炯炯地说："再坚持一下，或许就能出去了。"

上尉率先拔出手枪，对着温正的胸口说："你说，往哪个方向走？"

接着五六个黑洞洞的枪口齐刷刷地对住了温正，枪口之后是无数凶狠绝望的眼睛。

罗敷听到喧嚣声，凑了过来。由于温义的关系，她有意无意地把温正当成了兄长："你们冷静点，副旅长是党国精英。"

上尉冷笑着："都这时候了，什么他妈的副旅长？连军座说了都不算，精英也得死。"

温正一把撕开衣服，把胸口亮出来："如果把我打死，你们能出去，我他妈死了也值。"

众人相互看了一眼，枪口一律缩回了半尺。是啊，打死副旅长又顶什么用？上尉把手枪扔到半空，伸手又接住，他歇斯底里地笑起来："妈的，自从进了缅甸，今天败，明天又败，今天撤退，明天又他妈撤退，现在都他妈的退到野人山了。死了好，死了好！弟兄们，今天死了，明天就不用死了。"说着上尉突然调转枪口，照自己脑袋开了一枪。

血光崩现，上尉的头颅被自己打碎了，他的尸体抽了几下便不动了。众人平静地看着他，没人惊叫，没人痛哭，甚至连一声叹息都没有。大家脑子里是同一个念头：今天死了，明天就不用死了。

自杀是要轮着来的。在温正的督促下，部队总算上路了。温义的心腹二毛偷偷溜到温正身边："大……副旅长，咱们往回走，能碰上救咱们的人。"

"回去？回去只有日本人，你想投敌？"温正又把手枪掏了出来。

二毛连忙摆手道："大少爷，大少爷，您听我说。"

"放屁，我是副旅长。"温正干脆把手枪顶在他脑门子上，"你想投敌，我

现在就毙了你。"

二毛小心翼翼地说:"二少爷是诸葛亮转世,早就算准了,你们根本走不出去。所以他和克钦人联系上了,咱们一旦走不出去,他就带着人来接咱们。"

二毛声音不大,但周围的几百号人都听见了,大家立刻鸦雀无声了。所有的目光都粘在二毛脸上,似乎是一群饿狗盯着唯一的骨头。自从进了野人山,人们都后悔了好几圈,当初真不如跟着温义。他不就是鸦片贩子吗?鸦片贩子怎么啦?只要把大家带出去,他就是日本人的私生子又能怎么样?

温正揪着二毛的领子,龇着牙道:"往回走?你说得轻巧,咱们能找到回去的路吗?茫茫林海,温义怎么可能找到咱们?他来了也是送死!"

二毛举着手,发誓般地说:"能,我能,你们跟着我走,我保证能找到进来的路。"

众人相互看了一会儿,这小子尖嘴猴腮的,看着就不像好人,他的话能信吗?罗敷拢了拢头发,坦然地走到前列:"我认识温义七年了,他是我见过的最聪明的人。我跟你走。"说着,罗敷拍了拍二毛的肩膀,"走。"

二毛获得了女中尉的支持,拉着罗敷欢天喜地地往回跑。众人还在犹豫,温正大声说:"军人不能坐以待毙,与其等死,不如一试,如果碰上日本人,正好打一仗。"说着温正也跟他们走了。众人稀稀拉拉地跟上来,脚步也明显轻快了一些。温正越走越不是滋味:事情又让温义算准了?他可是个不忠不义的人啊,唉!

罗敷走在最前面,她发现二毛每每见到岔路,就要在草丛里扒拉一阵子,然后便确定了前进方向。罗敷不明白他在找什么,问了几次,这小子才信心满满地说:"二少爷会告诉你的。"罗敷想不明白,是什么东西指引着大家的前进方向,但有方向总比毫无目标地瞎撞要强。

大家坚持了两天,果然看出些端倪来。这条路确是进山的路,如此走下去部队就能出去了。此时,所有人抱定了一个心思,即使碰不到救援,出去就遇上日本人,拼个鱼死网破也比死在野人山里强。

温正也在观察二毛的举动,第三天他终于看出了问题,二毛是在树边寻找一种植物呢。温正差一点把这小子枪毙,岔路口的树下大都生着几株半尺高的烟苗。他估计这是二毛来时种下的,当路标了。温正明白,大烟这东西生命力很顽强,随便种,随便生,在什么地方都能开花结果。用烟苗做路标是绝妙的主意,这保证是温义想出来的,只有他才会把烟苗当成救命稻草。由于关系着几百条性命,温正不愿意点破这件事,但心里恼到了极点,温义真是

182

个瘟疫!

罂粟是神奇的植物,除了南北两极,这东西几乎可以在任何气候、任何地形中生长。几天的工夫它们就能破土而出,十天左右便小有规模。温义了解大烟苗的习性,所以让二毛带着不少鸦片种子,让他在路口播种,作为寻找来路的标记。在人类历史上,以鸦片苗作为行军路标的事绝无仅有,温义是独创。

第三天中午,士兵们饿得不行了,温正只好命令休息,弄些野菜吃。不知为什么,部队刚停下,罗敷忽然哭了起来,她抱着一棵大树,哭得双肩颤动着,好不伤心。温正说:"别哭了,照这样走,明天就能走到森林边了。"

罗敷却摇着头说:"温义来了,来了。"

温正马上四下里张望着,周围连只兔子都没有:"人呢?"

罗敷死死盯着密林深处:"来了,已经来了。"

温正向她注目的方向望去,依然不见人影。他叹息着说:"是幻觉,你们医疗队里有个女医生,硬说悬崖上有一座铁桥,死活要走过去,结果摔死了。"

罗敷咬牙切齿地说:"来了,已经来了。"

温正让二毛看着罗敷,不许女中尉到处乱跑。他想温义最好是别来,万一走不出去,兄弟俩就全搭在野人山里了,不值。温家还没有子嗣呢,亲兄弟不能同入险地。

罗敷的确出现了幻觉,大家吃完了野菜也没有见到温义的踪影,叫花子似的部队又出发了。

七

部队再次出发,罗敷神色紧张地走在队伍的最前列。由于经受过近乎残酷的训练,她的身体素质比一般的男兵还要强些。突然,罗敷停了下来,二毛没留神,差点撞到她身上。他奇怪地问:"小姐,您倒是走……"话还没说完,二毛一屁股坐在了地上,哇哇大哭了起来,口里叫道:"二少爷,你总算来了,我还以为见不到你了呢。"

温义带着十几个精壮的帮众,背着大包小包从对面走了过来。他一眼看见了罗敷,哈哈笑道:"早就知道你们出不去,我是救世主。"

罗敷一阵风似的冲了过去,照着温义油光光的脸,劈头盖脸就是几个大

嘴巴。温义给打傻了，抱着脑袋说："你干什么你？"

罗敷骂道："你这个王八蛋，你来干什么？来送死吗？这地方连吃的都没有，全得饿死。"

温义回手把罗敷按在身后，对温正说："我带着好几百斤的压缩饼干，大家千万不要多吃，一小块就够了，多喝水。"

温正发现弟弟只带着十几个人，厉声问道："你的人呢？"

温义神气活现地把自己逃离野人山的经过，讲评书似的描述了一番。当说到在麦通歼灭敌人一个中队时，他简直把自己吹成了大英雄，话里话外地将中央军挖苦得体无完肤。

温正没心思与弟弟做口舌之争，忙着给部队分发给养，让大家补充体力。不知为什么，罗敷对温义的态度全变了。她如一只小鸟，蜷伏在温义身边，寸步不离，似乎担心他变成野人。温义嬉皮笑脸地说："嘿嘿，党国靠不住，军统也靠不住，只能靠我了。"

罗敷攥着他胳膊上的一块肉，使劲往下揪："回去你离婚。"

温义疼得直咧嘴："离就离，本来就想离。"

温正分发了食品，走过来问："从这里出去，需要几天？"

温义胡乱指了个方向："谈好了，咱们先到克钦人的寨子，换些粮食，然后走四五天就到麦通了。一定要抓紧，万一麦通再让日本人占了，咱们就只能打出去了，你们这帮人可不行，比叫花子都不如。"

"换粮食？拿什么换？"温正知道克钦人不要货币，卢比在他们那儿不好使。

"用枪换，你们手里有的是枪。"温义挑战似的看了看哥哥的枪套。

中央军教育士兵的方式和温家帮差不多，中央军也说过，枪是第二生命，人可以死，枪不能丢。进山时温正曾严令，禁止任何人以武器做交易，即使死了也要抱着枪死。但吃饭的本能是任何人都抗拒不了的，温正思考良久，最终妥协了。

几天后，克钦土司又异常欣喜地收到了几十支步枪，甚至包括一挺机枪。他们不会用，温义不得不又多停了半天，专门教他们如何使用机枪。

老鸦在克钦人的寨子里，正向他们传授如何熬制烟膏子。克钦人学得认真但笨得出奇，好几天才刚刚学会熬生烟土。通过这几次交往，克钦土司决定效仿云南人的做派，与温义拜把子当兄弟，以后相互支援。温义高高兴兴地答应了，从此，克钦人与温家帮穿上了一条裤子。

温义在寨子里忙活着，温正他们在寨子外面苦等。在他看来，弟弟做的事都跟小孩做游戏差不多。温义虽然聪明过人，但有些事做得太过无聊。更让温正奇怪的是老鸦居然也跑到缅甸来了,他是如何得到的消息?后来他从新编营士兵嘴里打听到,温家帮在普拉底配备了电台,新编营也有自己的电台,可以和云南直接联系上。温正气得半天都没说出话来,中央军的团级编制里都没有电台,温家帮却拥有自己的电台,而且还不止一部,真气人。

换到了粮食,部队在克钦人向导的带领下又上路了。填饱了肚子,混成旅终于有了几分部队的样子。大家沿着森林边缘行进,下一个目标是麦通。

路上,罗敷不离温义左右,二人找到了当年在保定的感觉。有天晚上,罗敷把自己接受性训练的事说了,质问温义能不能接受这个事实。温义哈哈笑着说:"我十五岁的时候,就知道女人怎么回事了。"

罗敷惊道:"那么小?你是怎么知道的?"

温义说:"窑子,高级窑子,干净。咱俩扯平了。"

雄性动物的困惑就是性,所以男人总希望独占某种性资源,也就是说男人的理想是霸占某女人或某些女人的性能力。对男人来说,霸占了女人的性能力远比征服一个女人的心更重要。所以罗敷认为温义是信口说说。温义则郑重地告诉她:"当初你以为我变心了,跑到云南不回来了,你爸爸又死了,所以当了女特务。我们在云南,以为我大哥死了,所以他们逼我结了婚,这就是战争!咱们都是受害者。"罗敷哇的一声哭了出来,她抱住温义的脑袋,死活不撒手。对于女特务来说,随意宣泄感情是大忌。在野人山,罗敷彻底恢复成女人了。

又到麦通了,混成旅在这里碰上了九十六师的人。九十六师没有和第五军一起行动。进山前他们筹集了大量的粮食,准备了指南针,他们沿着森林边缘走了一个月,竟然走出来了。他们本来准备在麦通补充给养,却发现这里到处是残垣断壁,连人影都没有。如今九十六师的人正在骂街,大意是万恶的日本鬼子,房子烧了,东西抢了,当地人也被杀光了,一颗粮食都没有了,混成旅的士兵也跟着一块儿骂。温义和手下人气得直翻白眼,因为这些事是他们干的。

九十六师是后期入缅的部队,没经历过什么像样的战斗,也没剩多少人。他们在野人山里转了二十多天,减员一半。混成旅的状况本来应该比他们更差,好在他们收编了滇军第四师,部队规模比入缅时还要大些。

温正和九十六师师长余韶见了面。二人是黄埔的老相识,但见面时依然相互打量了好久,都声称对面是一只大猿猴。两位高级军官例行公事般发了些感慨:这次莫名其妙的战败,完全是因为该死而不死的英国人折腾的。美国人也不是好东西,还号称鼎力协助,结果连个人影都没有看到。日本人就

不提了,他们本来就是疯子。之后,他们开始思考部队的出路。温正说:"我弟弟的部队在葡萄一带收集粮食,那地方可以坚守。"

余师长说:"我也查过,葡萄是缅北重镇,补充给养应该是没问题。咱们只要守住葡萄,日军就无法从那里进攻云南,也算是为党国分忧了。"

二人商量完毕,部队向葡萄进发了。

不几天,九十六师和混成旅抵达葡萄,让他们泄气的是新编营没有收集到多少粮食,反而收购了不少烟土。原来这地方人口分散,根本没有形成什么像样的集镇。另外当地土地贫瘠,种大烟比种粮食更划算,所以葡萄的粮食储备无法维持两支部队的需要。

两支部队加起来有数千之众,没有后勤保障,无法立足。地图上显示,从葡萄往北走,穿越几座大山可以直接到印度。向东去则有一条小路通到云南,士兵们思乡心切,纷纷要求回国。

余师长用师里的电台与重庆当局联系,要求补充给养,回国休整。重庆方面来电说,希望他们马上修个简易机场。这下将士们来了士气,两三天的工夫就赶修了一条简易跑道。又过了一天,重庆派来一架小型飞机,随机带来了电台和五万卢比的现金。温家兄弟当时都在机场,温正捧着白花花的钞票,脑子里一片空白。温义则哈哈笑着道:"委员长是让你们花钱买粮食。"

温正认真地说:"这地方,有钱都没地方花,钻石戒指只能换一碗稀粥。"

部队没有得到给养,只得继续前进。幸好有回国的信念支撑着,士气还不错。温正偷偷观察,全军中只有新编营士兵的身体状态最好,个个红光满面。他估计,新编营一定是把葡萄的粮食和烟土都瓜分了。温义偷偷地跟大哥说:"开饭时,到我们营来。"温正不愿意搭理他,依然与部下一起吃野菜。

罗敷是铁了心不回旅部了,也不搭理医疗队了,天天和温义混在一起。温正找了机会提醒弟弟说:"她是军统的人,你要考虑清楚。"

温义毫不在意:"早晚有一天我让你看看,军统的人也得跪地上求我。"

翻越高黎贡山便是云南地界,面对茫无边际的大山,余师长和温正担心部队会在山上彻底垮掉。温正把罗敷请来,温义担心他对罗敷不利,死活跟着。虽然军衔上差了几级,但罗敷终归是军统的人,余师长不敢小看。他低声下气地说:"罗中尉,能不能利用你在组织上的关系,为部队争取一些支援?"

罗敷非常为难,她知道军统管不了这种事。温义知道女朋友不好开口,冷笑着说:"你们是军官,军官也是官场中人,怎么连这点窍门都不懂?"

温正怒道:"余师长是少将,不许放肆!"

余师长摆着手说:"此等境遇,能者为王,别提什么军衔了。温二……少校,你有什么办法?"

温义欣赏余师长的态度,嘿嘿笑着:"师长,找军统的人不行,蒋委员长忌讳这个。其实这事儿不难办,会哭的孩子才有奶吃呢,你们使劲哭一顿不就行啦?"温正和余师长对望了一眼,这话似乎有道理,但具体该怎么操作呢?温义知道这两个家伙都是死心眼,便搓着手说:"给你们的委员长发一封绝命电,彻头彻尾的悲切。你们是黄埔的,是他的心肝宝贝,看他管不管。"

二人兴奋地相互击掌,一句话点醒梦中人,怎么把哭的本事都忘了?罗敷在温义手心里捏了一下:"你脑子里到底装了些什么呀?"

八

两位长官从善如流,立刻给校长发去了一封绝命电,电文内容是:学生无能,所率之部队陷入不毛,将士以野菜充饥,疾病缠身,野兽围堵。如无委座之垂爱,断无生还之望。学生今生不能效忠,来世必当效命于麾下,等等。

这封电报起了大作用,第二天部队正在行军时,天空上出现了一架画着青天白日标志的运输机。士兵们欣喜若狂,爬上大树,向空中挥舞衬衫。运输机投下了几个降落伞,甩了甩翅膀飞走了。将士们蜂拥而上,空投的物资有大米、咸鱼、蜡烛和火柴,有数千斤之多。温正含着眼泪,向空中高呼:"蒋委员长万岁!学生必效犬马之劳,死而后已……"

温义拉了他一把,小声嘀咕着:"哥,行啦,没有我的主意,委员长知道你是谁?"好在他声音不大,温正没听清,否则难免一顿争吵。

部队开始翻越大山,山上积雪没膝,寒风刺骨。每个小时都有士兵倒下,由于无法掩埋,全成了野兽的午餐。几天后,前方出现了一条宽阔的大江,波涛奔涌,断岸千尺,雷声般的涛声响彻云霄。新编营的士兵率先跳了起来,他们欢呼着冲到队伍的最前方,不少人竟哭了:"怒江,怒江,我们到家了。"

温家帮的人的确到家了,他们是喝着怒江水长大的,几十里外就能分辨出怒江的水声。此时有位九十六师的副团长兴奋地跳到岩石上,扯着嗓子唱了起来:"一马离了西凉界……"最后那个"界"字刚刚出口,这家伙一口气没有上来,一头栽了下去,死了。

　　远征军出国作战,以日军全面占领缅甸而告一段落。中国军队在最后关头炸毁了怒江上的惠通桥,靠着怒江水才把日本人挡住。此后西南战场也进入了相持阶段,双方在怒江两岸对峙,维持了一年多的平静。

　　中央军悲壮的败退赢得了悲剧性的结局,第五军主力在野人山里转了三个多月,人快死光时不得不取道向西,退往印度。数万大军,抵达印度时只剩了三千人。九十六师和混成旅在克钦人的帮助下,翻越高黎贡山,退回云南。虽然他们损失也不小,但编制还算完整。混成旅的情况最特殊,进缅甸时只有两千人,回国清点人数时变成了两千二百人。大家心里都清楚,如果不是温义力挽狂澜,这支部队要么在曼德勒拼个精光,要么全部葬身在原始森林。

　　结局最为凄惨的是滇军,他们的王牌主力第四师整体蒸发了,一个都没回来。此战后,云南军阀的实力被彻底削弱,龙主席再不敢与中央政府作对了。

　　除了日本人,缅甸之战还有个胜利者,那就是温义。他不仅收拾了廖贵和石成,毁掉了省主席的主力部队,而且温家帮的烟土在缅甸彻底站稳了脚跟。虽然人退回来了,但烟土稳稳地扎根在那片土地上。

　　脱险之后,温正又开始担心弟弟的未来,这样的人无论如何不能留在军队里,天知道他将来还会闯出什么祸端。但温正不敢现在就放手,弟弟一门心思想找省主席报仇,如果放他回温家帮,对国家是个威胁。另外罗敷也是个棘手的问题,如果这女人死活要与温义在一起,军统机关岂不是要与温家人拼命?人家好不容易培养出来的女特务,能便宜了你温义吗?这些事太让人头疼,温正连续琢磨了好几天,最后决定和弟弟好好谈一次。

　　温正正要找弟弟,温义竟自己跑来了。见面后他毫无商量余地地说:“大哥,赶紧给梅姐写一封信,把事情说清楚。”

　　温正奇道:“写什么呀?说什么呀?”

　　温义拍着大腿:“你向她求婚啊!你向她求婚,她就有后路了,这样我们离婚的事也能爽快些。”

　　温正拉着他坐下,亲手给弟弟倒了杯茶:“温义,咱们兄弟应该好好谈一谈,可能你认为我的话庸俗不堪,但是我还得问你一句,你真敢和罗敷结婚?”看到温义脸上出现了不耐烦的神情,温正不得不补充:“我知道,你不怕军统,你肯定有办法收拾他们,我信。如果不是你,咱们这几千人都会葬在缅甸。但你替梅兰想过没有?你必须面对现实。在中国,女人一旦贴上了某个男人的标签,还能摘得下来吗?还能洗得干净吗?别人可以不在乎,梅兰自己能不在乎吗?”

温义说："哥，人应该为自己活。我和梅姐没有什么，这个事我不在乎，你不在乎，她不在乎，不就完了？别人在不在乎与咱们有什么相干？你们为什么要把简单的事弄得这么复杂呢？"

温正瞪大了眼睛，看来自己的话白说了。按照温义的逻辑，这事简单得不能再简单了，只要自己觉得好，别人全是吃饱了撑的。这小子让自己向一个有夫之妇求婚，这种大逆不道的话，他说来为何如此自然？温正忽然想明白了，自己和弟弟是铁路上的两条铁轨，关系亲近却永远碰不到一起。他决定，你爱怎么着就怎么着，反正我不写这封信。后来他又谈到弟弟能否在军队里待下去的事，温义说："我根本不愿意留在军队里，是你让我来的。这次进缅甸，虽然生意上的事有进展，但温家帮终归是死了几十个人，不值。今天我跟你说实话，我们从缅甸带回来几千两生烟土，还有几十万卢比的现金。"

温正说："你是不是想用这些钱报仇？"

温义"哼"了一声："我不找他报仇，省主席就能饶了我？我在昆明差点把那老小子炸死，在缅甸把他的一个师给收编了，廖贵和石成也让我给弄死了。你说，他能放过我吗？"

温正仔细一琢磨，事情的确如此。如果把弟弟放回温家帮，他和省主席之间的恩怨早晚要爆发。他思考了一会儿说："我在黄埔的老师，如今是军令部的副部长，手握大权。我把你在缅甸的表现向我的老师汇报一下，争取能给你划一块地盘。你在自己的地盘上待着，别出来了，行不行？让我的老师再跟龙主席说一声，大家相安无事，行不行？"

温义知道，如果省主席破釜沉舟，温家帮的确胜算不大。缅甸暂时去不成，终归还要护着一群老幼呢。权衡再三，温义答应暂时不找龙主席的麻烦。

此后，温正向老师发出了恳求，要给弟弟找个落脚的地方。军令部副部长是权势通天的人物，一直喜欢温正，另外温义在缅甸确是立了大功。不久，任命书下来，温义被任命为普拉底—怒江保安团的团长，辖区在普拉底以北，怒江两岸，任务是监视日本人的小股渗透活动，不允许日军踏上怒江东岸。温正双管齐下，又托杜军长给龙主席写了一封信。名义上是问候，实际上是告诉龙主席，温义是自己人，国难当头，应该冰释前嫌，一致对外。龙主席一直在痛惜自己的第四师，正琢磨着如何收拾温家帮呢。没想到军令部以中央的名义，给了温家帮合法身份，中将杜军长又写了调解信，一时间堂堂的省主席还真不能把温家帮怎么样。

拿到委任状，温义带着温家帮旧部去了普拉底，路上与老鸦不期而遇。老鸦刚从缅甸赶回来，他告诉温义，克钦人虽然掌握了生烟土的熬制技术，但那些家伙都笨到姥姥家去了，熟烟土是无论如何也熬不出来了。温义说："他们的烟土只能用来生产白面，收购就是了。以后你负责这条烟路，一定要和克钦人搞好关系。"

普拉底在马吉之北，两地之间有百十里，大部分普拉底人与温家帮关系密切。温家帮出人意料地搬到了普拉底，这座边境小镇已经今非昔比。

温家帮是经济动物，搬到普拉底后，照方抓药，不仅收购了当地所有的大烟田，还在金先生的指导下开办了设备先进的白粉工厂，大半的当地人找到了工作。随着几条烟路的相继开通，各地的烟商络绎不绝，普拉底的市面彻底繁荣了。几个月下来，普拉底人对温家帮充满了好感，特别是那位女主人，不仅雍容华贵，还开办了免费学校和免费医院，简直是开创了普拉底历史的新篇章。刚刚传来消息说，温家帮二少爷要来了，人家现在是中央军任命的保安团团长，这让普拉底人钦佩得五体投地。

当地的镇长、保长以及所有头面人物，为温二少爷驾临组织了欢迎仪式，说要敲锣打鼓地欢迎团长大人。

九

温义带部队风风火火地赶到普拉底，受到了当地人的夹道欢迎。老镇长立在大路中央，念悼词似的将温团长在缅甸英勇杀敌、奋不顾身的事迹，添油加醋地颂扬了一遍，然后送上一顶黄罗伞盖。温义本来是骑在马上的，见了那东西不得不赶紧跳下来，这一刻竟有些黄袍加身的意思。温义急忙客气了几句，他让当地父老放心，说普拉底和温家帮是连体兄弟，大家是一家人。

温义刚说完，忽然听到罗敷在身后咳嗽了几声，眼神也有些不对劲。他赶紧向人群中望过去，只见梅兰站在众人之后，不错眼珠地盯着自己。不对，梅兰的目光没有落在自己身上，温义不自觉地回头看了一眼，罗敷把军帽摘了下来，示威似的甩了甩头发。

普拉底的位置比马吉还要偏远些，山川峡谷纵横交错，根本没有可以种粮食的土地，老百姓一向艰难。新官上任三把火，进了城，温义便当着乡亲的面宣布：免除当地百姓三年的土地税，费用由温家帮支付。大家先是静了一会儿，然后就是排山倒海的欢呼。大家早就听说温家帮急人所急，想人所想，所以个个拼命，今天看来果真如此！这事一经宣布，温家帮在普拉底算是彻底站稳了脚。

温义好不容易才从人群中钻出来，走到梅兰面前："梅姐，我回来了。"

梅兰眼圈红了一下，指着他身后说："这位就是罗小姐吧？"

罗敷的确在他身后，他有点不自然："在保定时，我们俩就挺好的。"

梅兰从温义身边绕了过去，抱着罗敷的肩膀，上下打量着："听说你受了不少苦？"

罗敷本来是准备应战的，但对方设下了温柔陷阱。她是经过风雨的人，淡然笑道："都过去了，会好起来的。"

梅兰微笑着说："原来我也是这么想的，事实上是越来越乱了，日本人快打到云南了。战争时期谈感情未免奢侈。"

罗敷目光坚定地说："老天爷要下雨，谁又管得了呢？"

温义木头似的站在旁边，听糊涂了。这两个女人在说什么？天上一句地下一句的，好像没一句是有用的。他急忙拉开二人："梅姐，营房安排得怎么样了？弟兄们都累了，要休整。"

温义从小就接触女人，但很少琢磨女人的心思，他的态度向来是以我为主。路上他问罗敷，在野人山里什么感受最强烈。罗敷说：想死。温义说：任何情况下都不能丧失希望。罗敷很悲愤。"活下去不见得是好事，还是死了好。那个上尉说得太对了，今天死了，明天就不必再死了。"温义哈哈笑道："这是废话。谁还能死两回？"罗敷冷冷地说："但今年战败了，明年还会战败。今年失散了，明年还会再失散。"温义明白，绝不能让失散的故事重演。

几天后，他们举行了隆重的葬礼，把狗子和其他牺牲的帮众埋葬了。当然，他们的尸体没带回来，埋葬的仅仅是每人的小手指。温义向大家发誓："以后专心做生意，再不干打仗这种不靠谱的事了。"

保安团的主要成员是温家帮的帮众，还有一小部分是第四师的弟兄，他们不愿意参加中央军，便成了温义的部下。保安团对外号称一个团，实际上只有七八百人。到了普拉底，有家的弟兄们回了家，没家的弟兄住在临时营房里休整。温义与当地士绅开了个会，商讨如何防范日本人。其实他不相信日本人会从这里进攻云南，主要原因是路途过于艰难，补给线也长，大军团行进简直是儿戏。所以会议开到中途就变了味，老镇长唾沫星子横飞，要求温团长扩大烟土和白粉的生产能力，一定要把生意做大，争取超过老帮主。这个提议正中温义下怀，他宣布从今天开始，整合土地资源，组织运输队伍，还要修建道路，所有事项都是为即将到来的烟土贸易的高潮做准备。他郑重地告知众人，他们撤退的同时也打通了一条从云南进入缅北的小路，烟土和白粉保证畅通无阻，大家等着数钱吧。众人很是欣喜，老镇长亲自筹划，分派

191

任务,会议沉浸在一片喜气洋洋的氛围里。

散会后,温义回到临时住所,梅兰正等着他。温义进屋后就四下寻找,梅兰说:"她去洗澡了。"

温义有点儿尴尬:"我想看看咱们的新家。"

梅兰表情淡漠,声音柔和:"罗小姐告诉我了,你是铁了心要离婚。"

温义坐下来,眼睛向着门外:"梅姐,不是你不好,可你是我姐姐。"

梅兰忽然激动了:"你们在缅甸时我就想好了,如果你碰上喜欢的,可以纳妾,我装着什么都没看见。但你想过没有,罗小姐的身份是军统中尉。你怎么敢招惹军统?他们比滇军难缠。"

温义从挎包里拿出一把大烟枪来,就是他送给罗敷的那支。他心不在焉地把玩着,脸上全是轻蔑:"因为大家惧怕权势,所以有权势的人肆无忌惮。我不信这个邪,来一个我就收拾一个,给钱不行我给色,给色不行,我就要他们的脑袋。"

梅兰腾地站了起来:"简直是黑社会。"

温义哈哈笑道:"梅姐,烟帮有白的吗?虽然咱们造福一方,但烟帮怎么说都是黑社会。我爸爸几十年如一日,一心想把自己打扮成好人,又是开学校又是办医院,但依然是烟帮。政府允许烟土买卖,咱们就明着干,不允许,咱们只能暗着干。一旦翻了脸就要死人,不是咱们死就是他们死。"

梅兰的面目有些扭曲:"你哥哥说,你现在是团长了,应该保一方平安,能不能不做烟土生意?"

"做什么?这种破地方能做什么?我不仅要保一方平安,我还要让普拉底的老百姓富起来,就像当年的马吉一样。人人有学上,人人有衣穿,人人有饭吃,生了病都有医生。少有所为,老有所养,这是孔老二的理想,我实现了。"温义说得大义凛然,铿锵有力。

"你说的都建立在烟土上,建立在别人的痛苦上。"

温义叹息着说:"姐,谁痛苦?抽烟土的人痛苦吗?我看他们都高兴着呢。我哥哥南征北战,风餐露宿,他痛苦吗?有心气的人,不痛苦。"

梅兰爱怜地叫了温义一声,语气完全是姐姐在叮嘱弟弟:"千万别好了伤疤忘了疼,我梦里全是马吉的事。"

温义使劲点了下头:"对,我马上开始布防,任何可疑的人都不能随便放进来,宁可错杀一千,绝不放进一个。"说着温义挎上手枪,跑着去营房了。

此后,普拉底实行了严格的军事管制,进出的人都要遭到盘查。如果有烟商表示不满,士兵们就说:这是防止日本奸细渗透,也是为了你们的安全,希望大家谅解。实际上士兵们对"昆明"、"重庆"之类的字眼更敏感,从这些地方来的人往往要问个水落石出。

普拉底的人都清楚,温家帮有位神通广大的金先生,他能把没人要的劣质生烟土变成价值不菲的白粉。但除了温义和老鸦,没人晓得这家伙是个日本人。金先生就是津井正雄,那个与温义打赌而输掉了人生的哲学家。前两年温义还觉得这个事太巧,怎么转来转去的又碰上了呢?其实每个行业的圈子都不大,只要在这个圈子混饭吃,迟早会碰上。金先生倒从没提过"后悔"这俩字,在温家帮,这家伙如鱼得水,几乎成了帮里的老人。而且云南这地方风景如画,山川绮丽,民风也比中原淳朴,大家都非常尊敬金先生,他常常受到特殊的优待。比如,温家帮里只有金先生是抽大烟的。温义出征时,老鸦曾关切地问金先生要不要女人,如果需要的话就帮他说一个,云南女人多。金先生颇有些感动,可惜白粉把他的性能力摧毁了,金先生只得道:"等二少爷回来再说吧。"温义回来后,特地请他喝了顿酒。温义说:"你要好好钻研业务,咱们的生意会越做越大。我想好了,咱们出产的白粉叫三九牌,意思是近乎完美。"

金先生说:"哪里有什么大生意?听说温家帮以前一年出十万两烟土,现在五万都难了。"

温义哈哈笑道:"不要低估了我的能力,也不要低估美国人的能力。知道中途岛吗?"金先生满脸茫然,温义拿出张世界地图,指着太平洋中部的一个小岛说:"在这儿,联合舰队和美国打了一场海战,你们有四艘航空母舰被揍沉了。也就是说,美国人和英国人掌握了海洋和天空。"

金先生倒吸了口冷气:"这么说,日本战败是迟早的事?"

温义嘿嘿笑道:"没错。我正在实施一个计划,如果成功了,咱们的产品就能覆盖整个远东和南亚。"

金先生不怀疑温二少爷的能量,天知道他能干出什么事。

十

梅兰当上了普拉底学校的校长,她不喜欢温二奶奶的身份,因为谁都知道温家有两个女人。前段时间,温正来了几封信,信中表达了对弟弟前途的焦虑。另外温正多少也受了些温义的影响,字里行间对梅兰关怀备至,甚至破天荒地承诺,休假时一定回来看她。

对梅兰来说,温正是希望也是噩梦,她不知道如何面对那个男人。几天前她做了一件蠢事,向温义提了一项天真的建议:希望将罗敷介绍给温正做老婆。这样一来,温家的问题就都迎刃而解了。温义半笑着问她是怎么想的,梅兰说:"我不愿意离婚,你哥哥没结婚。罗敷和温正在一起不是正好吗?"温义没做解释,而是拉着她进了自己的卧室。梅兰羞得脖子都红了,原来温义和罗敷一直住在一起,这就是传说中的同居!此前温义在她面前装得挺纯洁,梅兰根本不知道他们俩住一块儿。一个没结婚的女人与男人同居,这不是自己作践自己吗?梅兰跑了,从此住在学校里,再也没回温家。

最近这段时间是战争爆发以来温义最舒坦的日子。虎豹负责招兵买马、训练部队,老鸦掌控着三九牌白粉的销售业务,梅兰管理着学校和医院。他自己无事可做,便带着罗敷东游西荡,当起了旅行家。

前几天他们在虎跳峡住了几晚上,罗敷没见过如此壮观的峡谷,如此艳丽的江水,她预言家似的说:"如果和平了,这地方肯定能成旅游胜地。"

漫游了两个月,他们回到温家帮休整,估计温家的新房子也盖起来了。

他们从南部进入温家帮,离普拉底还有五十里时,前面就出现了保安团的哨卡。温义老远就发现有两个家伙在哨卡上正与哨兵吵架。温义急忙上前,哨兵发现是团长,立刻敬礼。那两个家伙面目阴森地看着他,显然并没有被他团长的头衔吓住。温义倨傲地说:"你们干什么的?这里是战区。"

这俩家伙根本没把这个小团长放在眼里,凌厉的眼神落在罗敷身上。罗敷的脸色有些变。其中一个家伙皮笑肉不笑地走到温义面前:"你是温团长?我姓张,重庆来的。"

温义说:"是找我吗?"

姓张的"哼"了一声,指着罗敷道:"找她。"

罗敷突然骂了起来:"姓张的,你这浑蛋,我早晚扒了你的皮。"

哨兵吓得直吐舌头:罗敷自来温家帮后,一向和蔼可亲,今天却要扒人皮,这才像是温家帮的人。

温义哈哈笑着挥了下手:"上。"哨兵们最熟悉二少爷的习惯动作,几支枪立刻顶在那俩家伙的后腰眼上了。姓张的"啊"了一声:这团长怎么笑着动手啊?

罗敷冷冷地说:"结果他们。"

温义点着头道:"对,然后扔到山沟里去,过几天就连骨头都没了。"

姓张的急忙大叫:"别误会,温团长,我们不是来抓人的。"原来这俩家伙都是军统特务,姓张的是中校,当年就是他化装成乞丐,完成了罗敷的最后训练。罗敷恨透了这小子，扒皮的图谋完全是真心话。

温义幸灾乐祸地说："不抓她？那你们跑到我温家帮来干什么？难道是看风景的？"

张中校作着揖说："本来是让我们把罗中尉找回去，但走到中途命令变了。温团长，在这里说话不合适，不方便。"

温义使个眼色，士兵把他们缴械了，然后做了一次彻底的搜身。

回到普拉底，温义在戒备森严的营房里接待了这俩人。特务大多是城市动物，在农村和军营里没有胆量造次。路上罗敷说了几次，干脆杀了完了。温义说："早晚让他们跪在你面前，比杀了好。"

在营房里，温义摆开了架势，让他们随便说。张中校苦笑着："温团长，你胆子也太大了。普天之下，找不出第二个来。你拐走了我们的军统之花，还敢动用十四航空队的飞机运白粉？你比蒋委员长都有魄力。"

这一来罗敷傻眼了。第十四航空队是为中国运输抗战物资的美国空军，集团军编制，温义几时把他们也收买了？温义不慌不忙地说："中校，那个事不是我干的，是英国人干的，你们有本事就找英国人去。"

十四航空队集中了盟国在远东的空中力量，也包括一部分英国飞机，那是方敦的部下。如今这家伙是上校，常驻昆明，主管英国的对华援助事务。他派人找过温义，询问欠款几时能还。温义不仅让来人把钱带走了，还顺手白给了他一千两白粉，希望他们运到印度销售。方敦琢磨着，反正从昆明起飞的飞机都是空的，便把白粉运到印度，给豆敦了。从此温家帮的白粉正式进入印度市场。

一百年前，印度是鸦片的主要生产地，行销全世界。如今，云南的烟土和白粉不仅产量大，其品质也远远超过了印度货。由于云土云面拥有价格优势，这几年印度的鸦片种植业已呈现没落的态势。当然，这一切都是在英国人的配合下得以实现的。

军统机关因为罗敷逾期不归而恼火，派了张中校去查办。半路他们得知温家帮用飞机运白粉的消息，更加气恼，实际上是让张中校格杀勿论。这群家伙平时作威作福，把谁都不放在眼里，本以为温义不过是一盘小菜。路上张中校四处一打听，心里早犯了犹豫。温义绝不是好惹的货色，如今在人家的地盘上，收拾个把特务就跟宰只鸡一样。所以张中校见到温义之前就害怕了。

温义并不是传说中的凶神，这家伙笑呵呵地把英国人抬了出来。张中校歪着嘴说："方敦手里攥着援助呢，我们根本惹不起。可你温团长终归在党国的地盘上。"张中校发现温义的眉毛挑了一下，立刻补充："你就是杀了我们也没有用,组织上掌握了全部情况,我一死,他们就知道是你干的。当然了,你温团长可以软硬不吃,你有人有枪,你实力雄厚又地处偏远。可你想想,我们动不了你还动不了你哥哥吗?"

这句话捅到了温义的软肋上,他眯着眼睛说:"我哥哥和这事没关系,他是委员长的爱将。"

张中校笑了笑:"没错,令兄的确是党国忠良,党国的前途就是令兄的前途,我们也不愿意背上残害忠良的名声。温团长,我出个主意。用军用飞机运白粉绝对是杀头的事,如果……啊……哈哈。"

温义仰在椅子里想了想,忽然道:"好啊,如果那样,昆明的事情就全交给你们了,给你们百分之十五,怎么样?"

张中校面露喜色:"只要我在昆明,事情就包在我身上。戴先生那儿我去说。"

温义指着罗敷:"她怎么办?"

张中校立刻沉痛起来:"牺牲了,罗中尉为国捐躯了。"

强硬的人,让别人不敢算计。有手腕的人,可以把好处分给需要好处的人。一旦二者兼备,所有的凡夫俗子就会心甘情愿成为你的走卒。就这样,温家帮和军统形成了联盟。此后,先后又有很多英国运输机参与了白粉走私,军统在昆明的机关承担起保驾护航的职责。如此一来,温家帮又成了最大的赢家,三九牌白粉在南亚和东南亚确定了第一品牌的形象。温家帮的生意规模达到了战前水平。

温正在军中听到一些关于弟弟的传闻,但他顾不上这些事。如今中国远征军再度组建,他们很快要再杀回缅甸了。

第八章 烟满楼

一

民国二十三年,春天。日军突然进攻贵州,国军毫无准备,出现了抗战史上空前的大溃败,重庆告急。

那段时间温正在家休假。消息传来时,他正和弟弟喝酒,他拍着桌子骂娘:"日本人在其他战场上节节败退, 偏偏在中国战场上耀武扬威! 这群废物。"

"共产党的势力做大了,委员长是不会拿家底和日本人硬拼的,反正日本人败局已定。战后,无论谁当权都会跟老百姓说:在我的领导下,中国人民取得了抗战的伟大胜利……"温义做了个鬼脸。

温正冷着脸说:"难道我们没有英勇抗敌吗?"

温义使劲点头:"英勇,可没什么用,顶多是拖着日本人的后腿。这场战争是美国人打赢的,咱们是嫁对了郎,上对了船。"

温正不愿意与弟弟争论,他刚接到命令,卫立煌挂帅,自己的部队再次划归远征军序列。想起第一次入缅,士兵们至今心有余悸。温正一直盘算着,是不是把弟弟推荐给卫帅?十几年来他第一次休假,其实是有目的的。征战了十几年,温正的家当仅仅是一张行军床,同僚都把他当怪物。

温义的心思在喝酒上,他从桌子下面捧出个罐子来,给哥哥倒了满满一大杯。那酒油汪汪的,几乎是黑的。温正问他是什么。温义说:"虎豹他们打到了一只老虎,我把虎胆泡酒了,专门给你留的。英雄配虎胆,前路必成功。"

温正喝了一口,有股子腥气,但看到弟弟殷勤的眼神,只得全喝了。酒喝

完了，温正的头晕了。温义把哥哥扶到榻上说："你休息，我还有点事要处理。"温正躺着，身体越来越热，头也越来越迷糊，渐渐的，他眼前出现了幻觉，都是些女人的胴体。她们在森林里，在水中，在战场上，在弹坑里向自己招手，微笑，卖弄风情。温正糊涂了，自己怎么了？此时梅兰进来了，关切地问："温义让我来看看你，你没事吧？"

温正喘着粗气："我没事，你快走。"

"温义说你不舒服。"梅兰不明所以，伸手摸温正的额头。

温正一把将她推开："你赶紧走，赶紧走！"

梅兰没见过这等莫名其妙的事，更加关切了："要不，去看看医生。"说着她抄起温正的胳膊，要把他搀起来。温正忽然大吼一声，翻身把梅兰压到身下。梅兰被压得上不来气，想叫又叫不出声。此时，整个房间都充斥着温正粗重的喘息声，他疯子一样撕扯着梅兰的衣服，自己的衣服骤然间就飞到了门外。

如一颗火种落入干柴，一枚流星坠入了大海。无数条热流在温正的四肢百骸充溢着，激荡着，奔腾着。它爆发、咆哮、沸腾，裹着无数尘埃和灼热的蒸气腾空而起，冲向空中那从未触摸过的白云、从未吸吮过的太阳。他们赤裸着身体，大汗淋漓，相互扭打，梅兰甚至咬了他一口。温正一把将梅兰托了起来，滚烫而奇痒的双唇于慌乱中播撒着热吻。吻着，似乎浸入水中，耳边嗡嗡作响的是急流的脉搏。吻着，身体似乎被分割成无数的小块儿，在空中飞舞着，每一块儿的感觉都那么清晰而各不相同。吻着，逐渐，月光下两条硕长的身影拥在一处，如一枝含苞待放的花。

不知几时，两人分开了。通红的面孔，粗重的喘息，微微发颤的双唇以及梅兰奔流不止的泪水。

温正恢复了理智，赫然看到榻上有一摊粉红色的鲜血，是梅兰的。难道弟弟根本没和梅兰圆房？他颓然坐在地上，脑子一片空白。

梅兰用头发和双手遮挡住自己的身体，哭着问："你到底是怎么了？我们到底怎么了？"

温正在榻上狠狠捶了一拳："这个小王八蛋，他给我下了药。"

温正红着眼睛冲出大门，提着手枪要找弟弟算账。

他跑到军营，发现温义正在审问犯人呢，温正不得不把怒气暂时收敛起来。原来保安团竟然抓到了一个日本奸细，这家伙是以烟土贩子的身份来的，伪装得惟妙惟肖，中国话说得比云南人还地道。但这小子倒了霉，无意中与金先生搭讪了几句。金先生立刻断定他是日本人，出于对白粉事业的忠诚,金先生毫不犹豫地把日本同胞送到了虎豹面前。

大家从奸细身上搜到了一张从麦通到普拉底的地图,温家帮新近开辟的烟路是这张地图的精华所在,路线描述得极其详尽。温义赶来之前,虎豹他们已审了一个钟头。这日本奸细铁嘴钢牙,拳打脚踢根本不起作用,虎豹已经准备下刀子。温义急忙制止,煞有介事地说:"不能动刀,虐待俘虏违反《日内瓦公约》,不人道。"

日本奸细诧异地看了温义一眼:这地方还有人知道《日内瓦公约》? 虎豹怒道:"公约? 我看母约都不行。剁他个手指头看他说不说。"

温义脸上闪过一丝坏笑:"把这小子平着捆在桌子上,手脚都捆上,然后把鞋脱下来。"

众人不知道二少爷要干什么,只得依言行事,日本奸细被绑在桌子上,如一头待宰的猪。处理完毕,温义让手下找来一把扫帚,他扯下了几支扫帚苗来,递给虎豹说:"挠他脚心,我看他说不说?"

日本人惶恐地大叫起来:"八格! 八格!"

温义大笑道:"八个? 十个也不行啦。动手!"

虎豹尚未动手,与温义一起进来的罗敷哈哈笑着跑了出去。温正进门时正好看到这个情景,都蒙了。这是哪家的招数? 亏他想得出来。

歪招管大用,虎豹仅仅挠了十几下,日本人就乐得不能自制了,只得把祖宗八代的事全说了。原来日本军方听说了麦通之北有条小路,虽然只输送烟土但可以直通云南。怒江防线无法突破,中国军队正在酝酿返攻。日军决定先发制人,穿越这条小路,南下保山,打破怒江防线,然后直取昆明,与贵州的日军遥相呼应,逼国民政府签城下之盟。日军的这个计划就是要从三个方向威胁重庆,彻底解决中国战事,之后腾出手来与美国人做殊死一搏。此作战计划极其冒险,但也是日本人唯一的机会了。他们先后派出了几批勘测路线的工兵,还偷偷在麦通周边建立了后勤基地。据这个奸细说,大部队都出发了,他是准备埋伏在东岸,到时来个里应外合的。日本奸细说到这儿,温义下令停止了扫帚苗的攻击。此时日本奸细泪流满面,肩膀一个劲儿地抽搐。温义说:"你们来了多少人? 哪支部队?"奸细流着眼泪不说话,虎豹又把扫帚苗举了起来,奸细泄气地嚷嚷道:"大阪师团的一个联队。"

温正冷冷地说:"我和他们交过手,一群窝囊废! 命令部队立刻进入一级战备,准备迎战。"此刻温正把温义下药的事抛在了脑后,脑子里只有一个字:打。

老鸦风风火火地跑了进来。前几天温义指派他去野人山收购生烟土,这家伙半路上碰上了日本人,就急急忙忙往回跑。这事恰好证实了奸细的口供,日军果然要进攻普拉底。温正问:"日本人到怒江对岸,需要多长时间?"

老鸦掐指算了算:"他们的零碎多,走得慢,最少还得两三天。"

温正下令,在沿江地带修筑防御工事,准备迎敌。温义急忙制止:"哥,你那一套在这儿不管用,也来不及了。"

无论在温家帮还是保安团,大家都对温义言听计从,作为大少爷的温正反而没有权威。温正握着手枪柄说:"危亡时刻,你要是想逃跑,我现在就毙了你。"

温义"哎呀"了几声:"大哥,你别捣乱了。听我的,收拾日本人,我比你明白。"之后,温义开始命令,他要求大家搜集干柴、火药、汽油以及一切引火之物,而且越多越好。半天的工夫,保安团竟收集了几十船。温义让大家把东西全部运过江去,堆放于小路两侧和山林的边缘地带,要隐蔽起来。

温正估计到了他的用心,担忧地说:"用火攻?万一大火烧到江这边怎么办?龙头火能飘出好几百米呢。"

温义咂了下嘴:"大哥,你还是不是云南人?现在是旱季,只有西风。"

温正在心里暗叫了声惭愧,不好意思再说什么了。

云南属于热带季风气候,节气与内地完全不一样,每年只有旱季和雨季,旱季里刮西风,不下雨,森林见火就着。

二

第二天中午,一切都准备停当了,怒江对面的几座山包变成了干柴堆。温义下达了撤退令,怒江西岸的人员全部撤了过来。温正又糊涂了,人员都撤回来,谁放火?难道等日本人自己烧自己不成?

第三天,对岸的山头上飘起了膏药旗。温义没有让部队沿江设防,只是把所有的迫击炮和部分弹药搬到江边。温正心里有说不出的疑惑:这小子到底要干什么?他脑子里怎么会有那么多怪异念头?昨天他怒冲冲地质问弟弟,是不是没有和梅兰圆房。温义说:"她是我的姐姐,是你的女人,我敢吗?她不好意思提这事,我只能把你送上去了。"温正说不出心里是个什么滋味,更不知道该不该责怪温义。什么事情一旦到温义手里,总要迸现出几分荒诞

色彩。这样的人居然是自己的亲弟弟!

对岸的日本人越来越多,望远镜里甚至出现了几名高级军官,估计正商量着如何过江呢。温正看得明白,日本人认为江对面没有部队,所以几乎把整个联队都聚到了江边,现在正是点火的好时机。正想着呢,温义下令开炮了。迫击炮轰隆隆地来了个齐射,对岸山上马上出现了火光,继而火势蔓延开来,火舌猎猎,火焰腾空。温正挥舞了几下拳头,他没想到迫击炮发射的居然是燃烧弹,怪不得温义这小子如此胸有成竹。迫击炮打了十几个齐射,对岸的山变成了红的,日军携带的弹药也开始爆炸。隔着宽阔的江面,温正依然觉得一股股热浪扑面而来,脸被烤得生疼。此时,对岸的日本人早乱了,呼号声惊天动地,无数条人影鬼魅一样在火海里舞动着。温义大声道:"打跳河的,一个也别放过。"

二十分钟后,怒江西岸的几座山峰沸腾得如几个大炭盆,噼噼啪啪的爆响声跟过年一样。火光中的日本人像一群跳大神的巫婆,没头苍蝇似的乱撞。不少人干脆就跳了江,这下,保安团的兄弟总算找到练习枪法的活靶子了。温正叹息几声:即使没被打死,也必然淹死。这一段的怒江是三江并流的地形,峡谷深达数百米,水势汹涌,跳下去就没个活。

三十六计有一招叫做隔岸观火,温正总算见识了。他在怒江东岸整整看了两天,大火也整整烧了两天。几座林木茂密的山峰给烧成了秃子,日军的一个联队全部变成了焦炭,估计他们的联队长也完了。

日军的东亚战史上有这样一段记载:冒山联队由缅北入滇,不知所终,疑为迷路深林,全体殉国。可怜的大阪师团,本来是可以投降的。但温义的一把大火让他们集体见了天皇。此战不见于中国历史,没有人知道那是烟帮的丰功伟业。

大火之后的第五天,温义和哥哥才跑到对岸视察,他们在火堆里发现了众多焦炭般的尸体,那些尸体扭曲成可怕而怪异的样子。还有些尸体燃烧得不彻底,从肉里往外冒黑油,活像沥青。

温正看得又痛心又恶心:"军国主义的炮灰!"

温义喜笑颜开地说:"哈哈,日本人敢打烟路的主意,胆大包天!在云南,惹谁也别惹咱温家帮。"

后来他们找到一个山洞,这里面居然有些完整的日本兵,都是被熏死的。有几个还没有完全咽气,这些家伙一水儿的面目漆黑,浑身烧伤,表皮全翻了起来,如几个喘着气的胡萝卜。温正与弟弟达成了一致,补一枪,省得受

活罪。再后来,保安团又发现几个小山洞,居然遭到了零星抵抗。温正命令,见了山洞就扔手榴弹。如此收拾几天,对岸山上连老鼠都没了,普拉底的威胁解除了。

有些事总在意料之外,温义的这把火烧出了些经济效益。由于森林给烧干净了,土壤获得了意外的滋补,温义干脆让人在对岸山上撒下了不少鸦片种子。几个月后,怒江对面就郁郁葱葱,不久连花蕾都看见了。

战争使女人被彻底地遗忘了。就在温家兄弟收拾日军联队时,梅兰曾经自杀过几次,幸好被罗敷及时制止了。女特务是特殊材料制成的,梅兰根本不是对手。有一次,罗敷干脆把她绑了起来,梅兰流泪哀求着:"都是女人,你就成全我吧!"

罗敷说:"我和温义就是想成全你。你的心是大哥的,现在你的身体也是大哥的,这不是挺好的吗?"

梅兰的眼泪流干了,这两个人是一对儿浑蛋,简直不可理喻!

罗敷冷冷地说:"在保定的时候我就知道我们俩是浑蛋,但我们活得真实,你不觉得你虚伪吗?"

梅兰低着头不说话,其实她也说不清为什么一定要死,虽然和温义拜堂了,但温义的确没碰过自己,或许是有意的,或许是命运。当然他有过那想法,新婚之夜温义凑上来亲了她一口,梅兰毫不客气地给了他一个嘴巴。温义小孩似的撅着嘴说:"你比我大,你怎么能欺负我呢?"

二人还没理出头绪呢,便发生了滇军血洗温家帮的惨祸。温义忙于重振家风,或许也有些心理问题,便再没有进过她的房间。有一段时间,梅兰产生了几分自卑,难道自己连女人起码的吸引力都没了?难道自己要做一辈子老处女吗?后来温正复活了,温义更是堂堂正正地与她拉开了距离。再后来罗敷闯进了温家帮,有好几次她甚至想找借口把罗敷赶出去,但想到罗敷的遭遇她又狠不下心。如今好了,温义把自己送到了他大哥手里去,这次是跳进黄河也洗不清了。梅兰一直爱着温正,但这种爱与身体无关。

罗敷见她不说话,担心梅兰又犯小心眼,轻声问:"你没事吧?"

梅兰说:"你真喜欢温义吗?"

罗敷的神色扭捏了一下,大胆地说:"我一天看不见他,心里就没底。"梅兰惊异地看了她一眼,这种话女人怎么能说得出口?罗敷脸红了,但那是兴奋的:"温义是个没遮拦的人,他敢脱光了衣服在大街跑,咱们谁也做不到,

但我就是喜欢他这样。"

罗敷给梅兰松了绑,梅兰活动着手脚。此时几个孩子嘻嘻哈哈地从院门口跑过去,梅兰望着孩子的背影说:"温义挺纯洁的,太纯洁了。"

罗敷干笑了两声:纯洁?！这个词太让人难为情了,似乎是骂人。

两天后,梅兰向罗敷发誓坚决不自杀,罗敷这才放松了监视。

作为副师长,如今温正又要出征缅甸了,梅兰只说了一句话:"活着回来。"

由于普拉底出现了日军,温义的保安团正大光明地留在了原地,他们的任务是负责保山以北的安全。这是温义求之不得的,他担心哥哥,于是专门给他挑选了四名保镖,由虎豹亲自率领,负责温正的安全。

温正走后,温家帮空前地忙碌起来。温义要在普拉底举行一次盛大的欢迎仪式,热烈欢迎克钦土司来访。两年来,土司大人是老太太摸电门——抖起来了。这家伙是克钦部落里最先掌握生烟土提炼技术的,枯门岭周边的大烟全部控制在他手里,土司俨然成了全体克钦人的领袖。最近,他老人家想出来动一动,温义便发出邀请:温家帮随时欢迎土司。

早在缅甸,温义和土司就结拜了,这次,二人见了面分外欢喜。温义准备了鞭炮、美酒、佳肴、漂亮女人,还送给他一辆崭新的吉普车。土司久居深山,哪里见过这等豪华的场面?洗澡时,这家伙险些把盆里漂着花瓣的热水直接喝掉。

烟土是温家帮与克钦人的纽带。在主人的带领下,土司穿上白大褂亲自参观了迷宫般的白粉工厂。温义向他介绍各种仪器、设备的用途,以及提炼白粉的工艺,还把金先生隆重地引见给土司大人。从工厂出来,土司在门口站了好一会儿,眼珠子都不会动了。温义忙问原因,土司咧着嘴说:"本来我希望你把制造白粉的技术也教给我们,看了工厂,我灰心了。这东西我们弄不了,连我们的山神也弄不出来。"温义拍着胸口保证:"哎呀,有我的就有你的,咱们是兄弟。你只要把生烟土运过来,我就把白粉运过去,少不了你的。"土司叹息一声:"没有你,我们还真不行。"

边境两侧的土著部落大多有血缘关系。克钦土司难得来一次云南,不少当地的土司们都跑来会亲戚,一时间温家帮成了滇西北最大的社交场。

云南土司大多与温家帮有来往。当年如果不是他们鼎力相助的话,温家帮没准儿就真让龙云给剿灭了。所以温义在普拉底大排流水席,简直比过年都热闹。无论是谁,来了就热情招待,临走还送上几百两烟土。莱莫德高望重的张土司与温长生、克钦土司是老朋友,这次也来了。温义特地带着手下人,

跑到十里以外迎接他老人家。张土司白须飘飘,颇有长者风度。他拉着温义的手说:"有出息,比你爸爸还有出息,听说你的保安团有两千多人了？了不起！"

"精兵简政,人太多了也不行。"温义看到张土司身后站着个少年,笑着问:"这位小哥是谁？"

张土司说:"我孙子,张奇夫。他爸爸跑到缅甸打仗,死了。"

温义大约知道这事,据说这孩子跟着他妈改嫁了,可他妈没几天也死了。这孩子自己从缅甸找了回来,跟着爷爷过了。温义敲了下脑门:"真是自己找回来的？"

张土司摸着孙子的脑袋:"这孩子十来岁,自己在山里走了十几天,差点死半道上。"

温义在心里感叹许久:这个孩子是自己从缅甸走回来的？难道是吃了熊心豹子胆？他不得不认真地看了看小奇夫,从面相上也看不出什么不同来。他想,人不可貌相,海水不可斗量啊！

三

张土司和克钦土司很久没见了,见了面自然要喝个一醉方休。后来二人都喝多了,张土司拉着克钦土司要比试枪法,克钦土司说:"我们的枪是温兄弟给的。打枪我们不行。这样吧,你打枪,我射箭,看看谁的准头儿好。"

张土司站起来,四下寻找着,打什么呢？温义为了给白粉厂提供电力,在怒江的小支流上搞了个小型水电站,捎带着连普拉底的照明也解决了,实际上普拉底是滇西北最先用上电灯的镇子。虽然是晚上,温家帮的大厅照样灯火辉煌,能见度不成问题。温义见张土司为难,大声说:"让他们在门口立个靶子。"张土司正要答应,张奇夫托着个苹果站到大家面前:"打苹果吧。"说着,这孩子走到大厅门口,把苹果顶在了脑袋上。

温义叫道:"别胡闹,万一失了手小命就完啦。"

小奇夫说:"我爷爷的枪法我知道。"

温义看了看张土司,老头的脸色有点绿。克钦土司喝得浑身摇晃,大笑着说:"好样的！"他从怀里掏出一把小弩,照着门口就射。众人集体把眼睛闭上了,再度睁眼时,只见张奇夫挂了一脸果肉,正往下擦呢。弩箭正好射到苹果上,苹果立刻炸开了,张奇夫脸上都是苹果渣子,这孩子笑着说:"伯伯射得真准。"

温义惊得半晌未语。这孩子不仅是亡命徒,还是个不吃亏的主儿,他竟然给克钦土司降了一辈儿。此时大家的目光落在张土司身上,手枪在他手里掂了几下,他举了几次又放了下来。最后张土司苦着脸道:"老兄,你赢了,我下不了手。"

克钦土司眉飞色舞地又喝了一大杯酒,然后一头栽下去,睡了。

宴席将散,温义将小奇夫拉了过来,指着他的脑袋说:"你这小子,你不怕死啊?"小奇夫盯着他的眼睛说:"他们说,你也不怕死。"温义心道:我怕死。小奇夫接着说:"他们说你三头六臂,有九条命,谁都杀不了你。"温义来了兴致:"谁说的?他们怎么说的?"小奇夫一脸庄重,一字一顿:"他们说,你最王八蛋了。"温义咳嗽了几声,险些把酒吐出来:"说,你愿意说什么就说什么。"小奇夫摇头晃脑地说:"他们说,你一个人干掉了滇军的一个师,你把省主席大人吓得三个月不敢出家门,你放个屁就把日本人烧死了。他们还说,如果不是你头上罩着神光,远征军全得死光光。你能把黑色的烟土变成让人发疯的白面。他们还说,你把你嫂子给娶了,连你哥哥都不敢把你怎么样……"温义一把捂住他的嘴:"别说了,这事不许说。"

温义晃悠着向后院走,心里骂道:人言可畏,那帮家伙指不定还说了什么呢。刚走到后院门口,老鸦拎着杆大烟枪,迎面跑出来:"二少爷,恭喜恭喜。"说着老鸦抱着烟嘴,狠狠抽了一大口。温义居高临下地瞪着他。温家帮不许抽大烟,谁都不能例外,今天老鸦是疯了不成?老鸦兴奋地说:"你就让我抽一口,我是高兴啊。"温义说:"你再抽就要挨鞭子了,这是我爸爸的规矩。"老鸦居然又抽了一口,吐着烟说:"两位少夫人都有喜了,温家有后了。"

温义一把拽住他:"谁……谁有喜啦?"

"两位少夫人都有喜了,大夫刚出门,你赶紧看看去吧。"老鸦的话没说完,又抽了一口。

温义三步并做两步地往后跑,只见梅兰和罗敷并排坐在堂屋中央,活像一对儿土地奶奶。温义不知道说什么,搓着手嘿嘿地笑了起来。梅兰表情尴尬,扭过脸,望着窗外的星星发呆。罗敷大大方方地说:"你们家双喜临门了,一下子来了两个。"温义向她眨了眨眼,走到梅兰面前:"梅姐,我大哥要是知道,估计得乐疯了。"梅兰忽然呜呜地哭了起来:"你们兄弟俩都是浑

蛋,放着好日子不过。"温义争辩道:"这事不能怪我,我大哥说匈奴不灭,何以为家。匈奴跟咱们有什么关系?他下次回来,你一定好好劝他,当什么兵,早晚做了人家的炮灰。有了孩子了,正好借此回家。"说着温义把军帽扔到了窗外,兴奋得在房间里来回转悠,挥着胳膊说:"我要送给大家一个礼物,我要收复马吉。"罗敷站起来,万分吃惊:"你要动滇军?"温义挑着眉毛说:"马吉是我温家帮的发源地,现在我爸爸和梅伯伯的尸首我还没找着呢。梅姐,你等着。"

第二天,克钦土司告辞了,临走前他拉着张奇夫说:"好小子,有种!"

克钦土司走了,张土司却抓着温义不撒手:"把我孙子留你这儿,跟你学点本事。"

温义哈哈笑着说:"你孙子本事不小了,一般人收拾不了他。"

"学点收拾别人的本事。"张土司招手把张奇夫叫过来,严肃地说,"磕头,认干爹,以后跟着你干爹学本事。"张奇夫扑通跪倒,咚咚咚就是几个响头,口中高叫:"干爹,给你磕头了。"

温义本想推辞掉,但这爷俩根本不给他机会,连头都磕了,他只得认了,从此张奇夫便成了温义的尾巴。

克钦土司的来访,给温义创造了难逢的机会。他大排宴席,送枪又送烟土,滇西北的所有部落都被他笼络了。温义在整个滇西北树立了权威,声望比他父亲有过之而无不及。现在谁敢对温家帮动手,温义能聚集起上万人。

土司们相继告辞,温义则偷偷跑到了昆明。他把张快找了来,商量如何夺回马吉。张快幸灾乐祸地说:"龙主席势力萎缩,大不如前了。温家帮名义上属于中央军,如果能找到合适的借口,敲他一下他也只能干瞪眼。"温义说:"马吉只有一个营,消灭他们不在话下,关键是借口。"张快哈哈大笑道:"日本人日没西山了,折腾不了几天。当局最担心的是什么?"温义使劲敲了下桌子:"共产党!"张快微笑着点了点头。

当天下午,温义来到军统机关驻昆明办事处,找到了张中校。云南的军统机关早是温义的合作伙伴了,双方亲密无间,获利颇丰。温家帮利用他们的关系,不仅把白粉出口到缅甸、印度,在重庆、成都的市场也占有了很大份额,据说连敌占区的武汉,街面上也有温家帮的白粉了。其实白粉的品质都差不多,温家帮的白粉是有品牌的,包装上印着三个九,那是纯度和权威的象征。

张中校见财神爷来了,立刻要带他去昆明最豪华的大烟馆耍一耍。温义摆着手说:"我不抽烟,有个事向你们汇报。"张中校从没见温义如此客气:"谁想断了咱们的财路?"温义说:"首先我声明,我哥哥是黄埔的,是领袖门生。我本人是保定军校毕业,我们都是忠于党国的。"张中校核查过他的家底,立刻说:"我知道,你们靠得住,党国需要你们这样的干将。"温义满脸神秘:"所以党国的敌人就是我的敌人。最近我得到了情报,驻守马吉的滇军有通共嫌疑,他们的营长很可能是北方派来的。"张中校严肃地问:"有证据吗?"

温义在心里骂了一句:通共还需要证据?你们抓了那么多人,真凭实据的有几个?他煞有介事地说:"那支部队组织严密,不像一般滇军。另外他们也偷偷卖烟土,但钱从来不给龙主席。"张中校说:"给了龙主席就对啦?你什么意思?"温义说:"问题是钱到哪儿去了?你仔细想想。害群之马不能留着,早晚是祸害。干脆我替党国把他们给收拾了。"张中校想了想说:"你是不是想把他们的烟田占过来?"温义嘿嘿笑了,取出个大信封放在桌子上。张中校打开信封看了一眼,然后拍着桌子道:"这个营通共,一定要干掉。"

四

军统的怀疑,就是尚方宝剑。温义回到普拉底,决定立刻采取行动。温家帮对马吉太熟悉了,如今滇军的营部就设在当年的学校里。温义不愿意杀戮太重,挑选三十个单兵作战能力强的手下,打算给滇军来一次突袭。张奇夫第一个跳了出来,声称要打头阵。温义板着面孔:"你还小呢,过两年再说。"

行动开始后,温义命令部下偷偷凿开了当年的秘道,收拾了警卫,摸进滇军营部。没想到,刚进门,就看见张奇夫在营部里坐着呢。这小子浑身上下捆满手榴弹,拉着导火索,另一手揪着营长的头发。滇军营长正筛糠似的发抖呢,营部的士兵一律大眼瞪小眼地站着。事后温义才弄明白,张奇夫仗着自己是个小孩,偷偷混进马吉。他掐算着干爹行动的时间差不多了,便只身闯进营部,以性命相威胁,把营长及其手下全变成了人质。人小鬼大,张奇夫后来成为名震全球的坤沙,那绝不是吹出来的,他从小就不是东西。

偷袭马吉的战斗兵不血刃,营部被打掉了,其他士兵听说温二少爷回来了,立刻缴了械。

马吉收复,当地人回到了温家帮的怀抱,兴奋得唱了三天的山歌,这些年他们让滇军压榨得不成样子。温义把当地人安排好后,命人把营长带到原来的校长办公室。他指着桌上的一张纸，说："念，然后签字。"营长战战兢兢地念了起来："我来自陕北，奉命打入国民党地方部队……我……我不是，长官，我是昆明人，我没去过陕北，我不爱吃面食。"营长双手哆嗦，急得脸蛋子左右直甩。温义一板一眼地说："签字、画押、按手印，然后给你两千块大洋，走人。"此时有人把大洋搬进来，放到桌子上。温义接着说："你后半辈子的开销够了。如果不签字，就直接拉出去枪毙。我向上面报告说，你们都是死硬分子，顽抗到底，不得不就地正法。"营长听出了这家伙话中的话："长官，您是奉命来的？"温义说："没有命令，我敢搞火并吗？你怎么不明白？龙主席的好日子到头了，中央军要逐个收拾你们。"营长面如死灰，双手死死地按住桌子："温二少爷，你不会让人半道上收拾我吧？"温义轻蔑地坐下了："就冲两千块大洋？我现在杀了你，一样让你按手印，死人的手也是手。我这人不愿意杀人，没意思。"营长不敢再说什么，按部就班地按手印画供，然后把大洋装在马背上，跑了。

温义收复马吉的消息震动了滇西北，省政府气昏了头，本来想找他算账，但龙主席得到了军统的通知，说营长通共，已经招认了。龙主席明白这事有鬼，但抗战即将胜利，中央军的势力越来越大了，他只有忍吞下去。

两进缅甸，两次为人！

这次中央军鸟枪换大炮。自从抗战以来，温正从不敢设想，中国军队能在装备上压倒日军，这一次则完全做到了。美国飞机乌鸦群一样追随着远征军的步伐。步兵团都配备了大口径火炮，集团军都装备了坦克营。一旦战斗打响，日军的阵地顷刻间就能变成一片火海。温正想，早有这样的装备，打下东京都不成问题了。

民国三十三年五月十一日，远征军强渡怒江。此后部队攻城夺寨，高歌猛进。而日军则坚壁清野，节节退守。日军都是吃过秤砣的，他们凭借坚固的工事让远征军吃了不少苦头。

如今温正是第八军荣誉第一师的上校副师长，少将军衔指日可待，他的上司是后来赫赫大名的李弥。有时温正也觉得奇怪，营长之后，自己就没有任过正职。副团长，副旅长，如今又成了副师长。好在他再三提醒自己，他是为了国家民族，是为了振兴华夏，升官发财不过是个人得失。

过了怒江，中央军连打了几个胜仗，不免骄横，进攻松山时便吃了大亏。

新二十八师整整打了半个月,伤亡两三千人却寸步未进。上司命令荣誉第一师担任主攻,温正当仁不让,带着两个团就上去了。

七月初,在温正的指挥下,松山攻击战的第二阶段打响了。

以前国民党军队装备低劣,弹药不足,打仗只能拼人力。最近中央军成了暴发户,温正先是调来八架美军轰炸机,用重磅炸弹轰炸敌人的堡垒。然后又命令炮兵自由射击,一口气打出了几千发炮弹,日军的地面阵地全被清理掉了。松山地形异常复杂,日军用了两年的时间修筑了极为坚固的堡垒。炮火延伸后,第一师的将士们进攻时,依然遇到了顽强抵抗。日本鬼子就如鬼魅一样,似乎是从地下钻出来的。几次进攻,阵地前扔了一堆尸体,战线只前进了两百米。温正没了主意,有几次他想亲自打头阵,被虎豹等人死死抱住。此时军长召开紧急会议,原来其他进攻部队也遇到了麻烦。会上,军长命令,不要进行表面阵地的争夺,主要目标是敌人的堡垒,鬼子都在里面藏着呢。

日本人的工事大多建在险要之地,炮弹很难打到。碰巧打到了,也难以伤及堡垒的筋骨。几天下来,第一师还是被困在原地。

那天温正在前沿视察敌情,虎豹悄悄跑了过来:"大少爷,啊,不,副师长,有办法了。"温正从来都把他当成一介武夫,撇着嘴说:"你有什么办法?"虎豹瞪着铜铃般的大眼:"烧!"

温正想起来了,当初温义以火攻消灭了日军一个联队,或许这计策可行。他向阵地上看了一会儿,松山已经被炸成了一片焦土,连像样的树都没有,烧什么呀?虎豹明白大少爷在想什么,补充说:"把火焰喷射器凑到一起,走一步烧一步,是活物,全烧死,铁东西,咱也把它烧化喽。"

温正脑门上的青筋立刻跳起半寸高。这的确是个可行的主意,但太损了。远征军每个团都配备了七八具火焰喷射器,一个师就是几十具。不知道火焰喷射器是谁发明的,这东西太缺德,扳机一动,几十米之内连空气都能烧起来。如果几十具喷射器凑在一起,一步步向前推进,神仙都得成烤鸭。这办法太过残忍,这不是打仗,简直是实施酷刑。他转着眼珠想了一会儿,揪着虎豹的领子问:"这是谁的主意?"虎豹从不会说瞎话,瞪着眼睛说:"二少爷的。"

原来虎豹见松山久攻不下,大少爷想玩命,于是就给温义发了电报。二少爷的回复非常简单:烧,集中火焰喷射器,使劲烧。

和平时期,善良和谦逊是最好的品质,一旦爆发战争,人不得不成为野

209

兽。但温正不明白日本人是不是天生的野兽。渡江后他审问过一个日军小队长，这家伙被炮弹震晕了。温正问："被合围了，你们为什么不投降？"小队长说："没长官的命令，绝不投降。"温正说："长官为什么不允许投降？难道希望你们全部阵亡吗？"小队长说："武士道精神里，没有投降这个概念。"温正不可理解，小队长索性反客为主："如果长官让你走向悬崖，你怎么办？"温正说："走到悬崖边原地踏步，等待长官的下一个命令。"小队长满脸不屑："我们就直接走下去，这是武士道精神的精髓。"温正在他脸上啐了一口："你们是没脑子的猪！"

面对这样的敌人，如果还要讲究战争法则，就未免迂腐了。温正思虑了半天，决定接受弟弟的建议，用烈火烧出一条路来。

第二天，松山战场上出现了史无前例的一幕。二十几具火焰喷射器在重机枪的保护下，集合在一处并排着向前推进。为了保证攻击效果，他们向三个方向同时喷射烈焰。阵地上浓烟弥漫，日军的前沿被烧成了白色。烈火方阵一寸寸地推进，日军的阵地一寸寸被蚕食。绝望的日本鬼子冲出战事掩体，举着手榴弹来拼命。重机枪毫不客气地向烈火前方扫射，一排排日本兵倒下了。

日本人的顽强让人无法接受。火烧过之后，阵地里还能冲出几个日本兵，嗷嗷叫着拼刺刀，有几个喷射手居然让他们捅死了。有士兵向虎豹请示，烧到什么程度才可放心进攻？虎豹瞪着眼说："闻到烤肉的味儿就可以进攻了。"

松山战场变成了一个巨大的烧烤营地，到处都是人肉冒油的吱吱声。如果碰上坚固的堡垒，几具火焰喷射器便对着射击孔喷，直到把堡垒喷成一座地狱。此后战线推进顺利，国军的伤亡降低，但液化石油气竟用掉了几百罐。这下长官急了眼儿，在电话里大声嚷嚷："几百罐？那得多少钱？你不能把全军的配备都用光。"温正说："用完了就向美国人要，人命值钱还是石油气值钱？"长官怒道："石油气值钱，咱们国家没别的，就是人多。"温正气得把电话扔了：这是什么屁话，难道为了节省燃料就可以牺牲人命？

中国军官抠门儿，美国人倒挺大方，有求必应。温正就以火焰喷射队为盾牌，步步推进，逐渐扫平了表面阵地。眼看松山唾手可得，此时却天降大雨，火攻战术只得暂时搁置。日军刚有了喘息机会，便从几个方向发动了反攻。温正下令全力保护火焰喷射队。在阵地争夺战中，以两个营长牺牲的代价才把日军赶了回去。温正真希望到堡垒里看看，这帮日本人难道喝了符水不成？

五

远征军前锋攻入缅甸数十公里了,后卫依然在松山鏖战,部队有被日军拦腰截断的危险。蒋委员长让卫立煌亲自去松山督战。由于伤亡太大,第八军军长当着长官的面嚷嚷:"日本人用两年修筑了铜墙铁壁,成排成连的弟兄都完蛋了。"卫长官的回答更干脆:"攻不下来,你亲自上。"这一来,军长自杀的心都有了。

压力又落到了温正的头上,他干脆把炮兵移上前沿,用大炮平射轰击日军的堡垒,然后以火焰喷射器封锁堡垒的射击孔,甚至让士兵直接往堡垒里扔集束手榴弹。进攻主堡垒时,炮弹对堡垒起不了任何作用,日军仍是在里面疯狂射击。又是虎豹想出了好主意:用火箭筒打击堡垒的石头墙,照准一个地方打,一连打上七八发,三尺厚的石头墙给打出了个窟窿。之后,虎豹等人扛着火焰喷射器,对着窟窿一阵猛喷。堡垒就这样轰的一声被炸开了,黑烟直冲霄汉,空中飘舞着无数胳膊、大腿以及连着半个身体的脑袋,那些家伙嘴里似乎还呼喊着什么。

这个主堡垒夺去了几百条性命,前后打了半个月才打下来。温正亲自下到堡垒视察,看来日本人的确不惜血本,堡垒的中下层全是钢筋混凝土浇筑的,难怪这么结实。下层堡垒中还有几个日本伤兵,好歹是投降了。堡垒里依然储存着粮食弹药和其他物资,温正转了一会儿,看不出过人的精巧设计,于是准备离去。此时一个中士指着下层堡垒的角落问:"长官,您看看那是什么?"

角落里堆着十几层纸箱子,箱子上贴着红十字,地面上散落着不少使用过的注射器。温正让士兵们把箱子撬开,里面都是注射器。他赶紧又把旁边的几个箱子打开,箱子里是牛皮纸的小包。温正撕开小包,里面是雪白的粉末。中士瞪着眼睛问:"长官,什么玩意儿呀?"温正几乎不敢相信自己的眼睛,这是白粉!他好像明白了,怪不得日本人的抵抗如此顽强,不会是注射了这玩意儿吧?

他叫来两个日本俘虏,命令他们挽起袖子,俘虏的胳膊上没有注射的痕迹。温正指着那些注射器说:"谁用过这些东西?"俘虏面面相觑,脸上是疑惑和不解。有个不到二十岁的小俘虏站出来,嘟囔着:"中佐和少佐他们用,从来不给我们使。"

温正又问："知道这是什么东西吗？"

小俘虏摇着头："是我们日本的科技结晶，打一针不吃饭都行。少佐用完了，精神头儿就大了，就是不让我们用。"

温正命令士兵们寻找日本军官，不一会儿就找到了个少佐的尸体。那家伙面目扭曲，半光着身子，手里握着战刀，胳膊上的确有不少针眼。温正上前抓了一把，却从他胳膊上抓下一块肉来，少佐已经熟透了。

在普拉底，温正曾规劝弟弟放弃烟土生意。温义说："大哥，任何人都需要鸦片，我不过是为他们提供需要的一种罢了。"温正认为这是胡言乱语，怒道："你胡说，我就不需要鸦片。"温义说："你的鸦片是些虚无的概念，你拿它们挺当回事的。"温正拿这个弟弟没办法，有时他琢磨或许他们二人的大脑构造有所不同，所以温义总有那么多怪异的想法。

这次温义的话又应验了。有人的鸦片是金钱，有人的是美色，有些人或许沉湎于某种游戏，某种爱好，某种偏执。温正的确在追求些虚无飘渺的信念。所谓鸦片就是沉迷，一旦被它控制就成了奴才。烟帮是卖鸦片的，商业是卖金钱的，娼妓业出卖肉体，而现今的政府是贩卖口号的。

温正本人有强烈的民族理想，但自从与梅兰有了夫妻之实，所谓的民族大义时不时地从脑子里被挤出去。他甚至理解了，为什么有人在战场上贪生怕死，因为有牵挂。他不得不强调自己的职责，但梅兰的幻影总是跑出来捣乱。人一旦成家立业，生活的重心也将随之改变，不怕死的人都怕死了。至于野兽般的鬼子，难道这些家伙就没有七情六欲？难道他们就不会为生活所困？现在看来，日本人的确是人。军官们的见识多些，迷惑也就多些，信念自然不那么坚定，关键时刻只能靠毒品维持神经。最懵懂的是那些小兵卒子，人家灌输什么他们就信什么。人们总把十七八岁的孩子当未成年人，事实上这些半大孩子处于野兽年龄，行事最为凶残，因为他们还没有领略过真正的生活。

从堡垒出来，温正变了个人。以前他总担心伤亡问题，现在明白了，小兵就是送死的，这是他们的命。

最后的攻击开始了，温正残忍地下达了进攻命令。火焰升起来了，人倒下了，阵地换颜色了。

所有细节都预示着胜利即将到来，包括女人的生理反应。罗敷、梅兰在一个月之内，先后生下两个儿子。罗敷先生的，高兴得哭了好几天。梅兰却在自己的孩子满月后失踪了。大家在方圆几十里内展开搜寻，最后在怒江的江

212

叉子里,发现了梅兰的尸体。梅兰投江了。

曾经的乡村诗人梅兰,死时连片言只语都没留下,就那么死了,她是死给自己的。温义忍着悲痛,办了丧事,却不知如何向大哥解释。他扳着手指头,也想不出梅姐自杀的原因。在温义看来,梅姐的生活目标都达到了,怎么会自杀?罗敷冷冷地说:"你们这些男人把她的人生毁了。最后,她连自己是谁都不知道了。其实她一直没断自杀的念头。后来她知道自己怀孕了,才勉强活下来。现在她把孩子留给你了,你怎么办?"

"侄子和儿子都一样。"

世间事全在温义的掌控中,除了女人心,特别是梅兰这种天天看小说的女人。他觉得梅姐是小说看多了,人也糊涂了,他索性把家里的小说全部扔进了江里。丧期后,温义给孩子起了名字,自己的儿子叫温质,梅兰的儿子叫温朴,他觉得为人质朴些好,质朴的人活着踏实。俩孩子是堂兄弟,但温义把他们都当成亲儿子,他给自己选了个响亮的称呼:二爹。因为大爹在缅甸呢。

想起缅甸战事,温义的心一直挂在嗓子眼。据说缅甸战局异常艰苦,中国军队打到了密支那,但日本人的反扑远比想象得猛烈。回来的伤兵说,日本人根本不想活,都他妈跟抽了白面似的。

民国三十四年五月,温义在收音机里听到了德国投降的消息。他把消息通知给大家,可温家帮的父老根本不知道德国是什么东西。温义只得说,德国人是日本人的哥哥,现在哥哥投降了,弟弟眼看就完了。父老们这才明白其中含义,于是准备了酒菜,好好地庆祝了一番。宴会上,温义碰上了金先生,这家伙足吃足喝的,看着还挺高兴。温义说:"当年在保定时,没想过日本会战败吧?"温义不是有意刺激他,实际上金先生早把日本的事忘了,提起日本人就跟提起工厂的狼狗一样自然。金先生鄙夷地说:"日本那帮当官的都是山里人,猪脑子,小国怎么对抗这么多大国?失败是必然的。"

温义好奇地问:"你这辈子是回不去了,你就不后悔?"

金先生仰头想了想:"十几岁时我认为生很简单,过得很幸福,天皇是我们生活的中心。二十几岁时烦恼就多了起来,又是家庭又是女人的,还有什么个人荣誉,出人头地,学问啊,人际关系呀,特别累心,觉得活着没意思。这些年,我的生活又平静了。"温义快被这小子说傻了,这家伙到底要说什么?金先生接着道:"每天一睁眼,我脑子就一个事。"他从后腰里拎出一把大烟枪,掂量着,"就这事。有了烟土我就什么都不想了,有了白面我就什么都不琢磨了。简单的生活是生活的最高境界,我找着了。"

温义嘿嘿笑了两声,这家伙不愧是学过社会学的。

六

五月下旬,温家帮里来了一位神秘客人。那是个身材高挑的北方女人,这女人进了温家帮就嚷嚷着要见罗敷。卡子上的士兵从她身上搜出一把手枪,温义听说有带枪的女人要见罗敷,立刻警觉起来。

罗敷以女主人的身份接见了来访者,温义陪着。那女人艳丽妩媚,进门时整个房间都亮了起来。温义明显地感到妻子的身体哆嗦了一下,她一把揪住温义的袖子,惶恐得说不出话来。

前些年罗敷虽算不上杀人魔头,但面对小事绝不会变脸色。自从生了孩子,性情有些疏懒,但依然敢作敢为。今天怎么胆小了?温义在妻子手背上拍了几下。那女人先开口了:"罗敷,当了少奶奶就不认识我啦?"

罗敷哆哆嗦嗦地伸出手指头:"你……你不是死了吗?"

女人无奈地说:"是他们说我死了,我知道你在洛阳还给我立了碑。"

温义见罗敷还是将信将疑的样子,就问:"你到底是谁?"

女人笑了,面如桃花:"你是温义,人如其名啊。我是冯娜。"

温义看了妻子一眼,这名字他的确听说过,还见过她的墓碑。罗敷诧异地站起来:"你到底死没死啊?"

冯娜眼圈红了:"我真没死,你摸摸,看我是凉的还是热的?"

罗敷在她手上摸了一把:"凉的。看来你是真的。"

温义笑出了声,人凉了就死了,怎么会是真的?其实这是罗敷和冯娜早年间的一段对话,冯娜的手永远是冰凉的,罗敷就说一旦你手热了,估计你就死了。所以她才蹦出这么一句没头没脑的话。两个女人相互拥抱了一下,罗敷还是不大放心,退回座位上:"这些年你怎么过来的?"

冯娜找个地方坐下:"我让日本人抓住了,投降了,在热河、察哈尔一带活动了几年,最近才跑出来。"

温义毫无表情,显然是没把投降当回事。罗敷说:"怎么能投降呢?"

冯娜一脸苦相:"我想死都死不了,不投降又能怎么办?咱是女人,男人打仗跟咱们有什么关系?"

温义翻了翻白眼,心道:谁让你掺和的!罗敷又看了温义一眼,她担心丈夫瞧不起她的朋友。温义立刻道:"投降就投降,我不在乎这个。世界不公平,男人挑起战争,让女人跟着受难,这不是浑蛋逻辑吗?"

罗敷长出了口气,冯娜感激地说:"果然不同凡响。罗敷,你算找对人了。今年一月份我偷偷跑出来,没地方可去。我背叛了党国,也杀过共产党,现在又把日本人给得罪了,想了半天,只好来找你们了。"

罗敷狠狠地说:"不给他们卖命,生命属于咱们自己。"温义见老婆首肯了,立刻应承下来:"放心,只要遵守温家帮的规矩,谁也找不着你。"

冯娜赶紧站起来,恭恭敬敬地鞠了三个躬。

当晚,温义设宴款待冯娜。罗敷把两个孩子都带了来,两个女人唧唧喳喳地谈论着孩子的未来,温义插不上话。饭吃到一半时,他声称要透口气,便跑出去躲清静了。张奇夫正在门口站着,温义坏笑道:"你小子看谁呢?"

小奇夫贪婪地半张着嘴:"干爹,那个女人真好看。"

温义"哼"了一声:"再过两年,干爹给你找个更好看的。她没几年好看了。"

罗敷要照料两个孩子,温义公务缠身,最近他们俩难得睡在一起。后半夜,温义觉得被窝里钻进个东西,他伸手就要拔枪,却听到有人在耳边说:"对付女人,不需要那个。"原来是冯娜!她是光着身子钻进来的,两条胳膊蛇一样地缠在温义腰上。

温义冷冷地说:"我们家不纳妾,这是我爸爸定的规矩。"

冯娜在他腰上按了一把:"我不做你的妾,我是独立的女人。"

温义哈哈笑道:"我就喜欢独立的女人。"说着他把冯娜压到身下,将积攒许久的精力都发泄到冯娜身体里。

男女构造不一样,完了事男人往往就半瘫了,女人大多正在兴奋的顶点上,常常会聒噪个不停。温义离开了冯娜的身体,闭目养神,冯娜爬着追了过来,把脸靠在温义胸口上,似乎在聆听他的心跳。温义点燃一支香烟,冯娜也点上了,此时温义竟担心这女人会把烟灰弹到自己胸口上。冯娜勾着他的脖子问:"战争快结束了,你有什么具体打算?"

温义说:"过一天算一天,我还没有发现什么东西能取代白粉呢。如今鄙人是滇西北保安团团长,另一个身份是温家帮的帮主,全是责任重大的,维持现状是最好选择。"

冯娜嘿嘿笑道:"什么保安团的团长?你就是温家帮的二少爷,其他身份是假的。"

温义很欣赏这个女人,他以胳膊肘支着身体说:"总得有个掩护,战后万一烟土贸易又被禁止了怎么办?"

冯娜坐了起来："这正是我来找你的目的。"温义吃了一惊,难道冯娜不是寻求避难的?如此说来,这女人的确不简单。

冯娜下了床,穿好衣服,梳理完毕,正经八百地坐到床铺对面。"我是代表江户川下组,专门来拜访云南温家帮掌门。我们希望就战后的烟土贸易开展合作。"

温义又点上一支烟,另一只手偷偷握住了枕头下的手枪："我们与川下组井水不犯河水,你怎么来了?"

江湖中人都知道川下组的名头,那是日本声名显赫、历史悠久的黑社会组织,地位相当于中国的青帮或者哥老会。古代日本有两大支柱,幕府和黑社会,幕府将军被打倒了,川下组这样的黑社会依然势力庞大。川下组的影响遍及东南亚、中国大陆,他们贩卖烟土、海洛因,开办妓院,为商人提供保护,据说华北地区的白粉馆都是他们开的。有一种说法,川下组在日本军队中有自己的组织,能影响军部决策。当初日本放弃北进战略,就是因为川下组觉得西伯利亚人烟稀少,市场不发达,力主南下。当然这种说法太过危言耸听,温义不大信。如今冯娜是代表川下组来的,到底有什么目的?

冯娜与温义面对面,眼睛对眼睛,完全是一副谈判的架势："温先生,川下组一直在关注你,非常钦佩你的所作所为。我们清楚你的能量和胆识以及温家帮不凡的战斗力,所以组织上专门派我来与阁下接洽。"

温义冷冷地说："你的身份是?"

冯娜说："我是军统特务,后来是特高课的特务,再后来我加入了川下组。我是仰仗他们的力量,才从特高课里脱身。现在我负责川下组南亚地区的活动。"

"你真脱离日本特务机关啦?"温义突然拔出手枪,直指冯娜的额头。

冯娜面不改色,昂着脑袋说："日本人的军事力量将被彻底摧毁,投降迫在眉睫,没必要与他们一起沉进太平洋。"

温义冷笑道："日本军部的新口号是'要与美国人抗争到底'。"

冯娜脸上现出了轻蔑的表情："川下组不愿意陪葬。"

温义认为这话有道理,把手枪收起来："川下组真能影响当局决策?"

"战前,川下组鼓动战争,因为战争可以为组织带来利益。事实上,川下组的确通过战争聚集了大量财富。如今川下组主张投降,如果日本投降了,倒霉的仅仅是军部的那几个废物。川下组可以继续生存,可以继续做生意。玉碎了,就什么都没有了。"冯娜见温义满脸的不可理解,继续道,"哪个政府

能够脱离黑社会？有的本身就是黑社会。在远东，这个现象尤其如此。"

温义会心地笑了，蒋委员长就是靠上海黑社会夺权的，日本与中国文化背景近似，川下组影响政府完全可以理解。他嘿嘿笑着说："日本玉碎不玉碎的跟我没什么关系，我做生意，不问政治。"

此时丝毫看不出冯娜与这个对手刚刚做过爱，她冷静异常："政治这东西谁也躲不开。你躲着它，它也会自己找上门。国民政府正在进行战争，为扩大税收才允许烟土行业存在。一旦胜利了，烟土行业必然转入地下，到时候你们就成人人喊打的角色了。"

温义有点不耐烦："说，你们到底想干什么？"

"温家帮百年如一日专注于烟土行，川下组非常钦佩。你们在缅甸、印度、泰国以及西南地区拥有自己的销售网，你们在长江流域也有很强的人际关系，你们还与秘密机关有往来。所以我们希望双方合作，取长补短。"

温义摇着头："我们自产自销，咱们之间没什么可合作的。"

冯娜把手探进怀里，拿出一个小包，扔了过来："看看这个。"

温义接过小包，里面是白粉。他把白粉倒在桌子上，用手指仔细捻了捻，不以为然地说："如果以上好的烟土做原料，这个品质完全可以做出来。"

冯娜一笑："劣质的烟土同样能做得出。说起化学工业，日本的研究能力是中国无法比拟的，你们温家帮同样不行。另外我们在全世界拥有五十万成员，网络遍及整个东亚、东南亚和拉丁美洲。与我们合作，市场互通有无，产品相互借鉴，有百利而无一害。"

"条件呢？"

"帮我们保住华北和东北的网络，我们让出一部分利润，提供新技术。"

温义哈哈笑了两声："我有这本事吗？一旦日本人投降，华北的白粉馆肯定被没收。"

冯娜说："你在军统里有人，你什么主意想不出来？换成你们的招牌不就行了？有钱大家赚。"

温义不说话了，川下组对自己的情况了如指掌，他真有点害怕了。

七

生意就是生意，没有任何意义。

　　理性上说，温义当然清楚温家帮的黑社会性质，但他们和一般的黑社会不同。他们做烟土生意向来是光明正大的，在这一点上他们与黑社会有本质区别。但川下组却是典型的黑社会，他们躲在日本的国家大厦后面赚取利益，如今又希望伙同温家帮，瓜分远东的毒品市场。按说黑社会的政治就是谁能帮着赢利，就与之合谋。日本黑社会也不例外，他们不希望随着军队的船一起沉下去。从这个意义上说，温义判断川下组一定会利用他们的影响，让日本尽快投降。现在的问题是一旦温家帮与他们合作，川下组会不会把温家帮吞并掉？如今他们的方案极有吸引力，日本本土、东北、华北以及菲律宾市场由川下组独占，温家帮在名义上统辖华北和东北市场，西南地区、印度以及中南半岛划归温家帮，长江流域由两家共同开辟；另外温家帮负责在云南等地征集烟土，川下组提供白粉的成品，双方利润分成。从实力上来说，温家帮根本没能力控制长江流域，那是青帮的地盘，连国民政府都无法动摇他们的根基。冯娜解释说："你们有军统的关系，咱们有上等白粉，到时候不怕青帮不听咱们的。"

　　温义摇着头说："如果与日本人合作的消息传出去，国人怎么看我？温家帮的名誉就完了。"

　　冯娜说："你们同英国人也合作，怎么就不能与日本人合作呢？另外，川下组在国内有不少成员，实际上你们用不着直接和日本人打交道。"

　　温义突然掉转话题："我温家帮的事，你们知道的也太多了。"

　　冯娜一愣，然后便是嫣然的笑容："川下组是能左右战争进程的组织，了解你们的底细并不太难。罗敷跟我说过，你是商人，你只关心利益。"

　　温义狡猾地笑了一下："明天我与属下商量商量，这事关系重大，不能独专。"

　　冯娜凑过来，双手捧着温义的脸，哄小孩似的说："有我在，你放心，明天送你一样礼物，你保证喜欢。"

　　温义在她胸口上点了几下："这礼物我消受过了。"

　　冯娜在他裤裆里掐了一把："真讨厌！"

　　天还没有亮，温义被张奇夫拉了起来。他对这个干儿子非常信任，什么也没问就跟着去了。二人来到白粉工厂的后院，这里有几间房，是供技术人员居住的。温家帮的主要技术人员是金先生，张奇夫拉着他进了金先生的卧室。进了门，温义大吃一惊，金先生被人仰面绑在床上，嘴里塞着臭袜子，汗珠子噼噼啪啪地正往下落。温义心里咯噔了一下，原来金先生的左手上插了

一把匕首,匕首直穿手掌,直接扎在床帮上,怪不得这家伙如此痛苦。

温义叫道:"这是怎么啦?"他上前要给金先生松绑。

张奇夫拉着他道:"干爹,是我把他捆上的。"

温义喘息着说:"刀子是你扎的?"

张奇夫说:"不把他固定住,他折腾。"

温义哼哼了几声,干儿子虽然对自己崇拜得五体投地,但这小子心黑手毒,这一点比自己厉害。金先生正用眼睛向温义求饶,温义觉得大有蹊跷,干脆坐到床上,教训干儿子:"金先生是我的客人,为什么把他害成这样?"

张奇夫冷冷地说:"他和那女人是一伙的,昨天晚上他一直在门外盯着你们。女人出来后,他们俩说过话。"

温义把金先生嘴里的袜子抽出来:"金先生,这小子是不是冤枉你?"

袜子一拿出来,金先生的鼻涕眼泪就下来了,他嘴里发出呵呵的声音,眼珠子翻进了脑门子。温义向干儿子使了个眼色,张奇夫从抽屉里拿出个小包来,又取出一支香烟。他将香烟在桌面上蹾了几下,然后把包里的白粉倒进烟筒,将烟卷塞到金先生嘴里,划根火柴,点上了。金先生猛吸一口,半根烟卷就不见了。

等金先生的眉眼恢复到原位,温义和蔼地说:"金先生,当初抽大烟是你自愿的,这事不能怪我。这些年我对你也算不错,你不能做有损于温家帮的事。"

虽然抽足了白粉,但手上还插着一把匕首,金先生艰难地说:"她是川下组的,我也是。如果大家能合作,就是一家人了,我也是为了温家帮好。"

温义:"怪不得她把温家帮摸得那么清楚呢。你是黑社会?"

金先生说:"不进川下组,谁能把制造白粉的技术教给我?当初去热河是组里让我去的。后来工厂被毁,我找不着他们了,这才去上海。去年他们才找到了我。不过你放心,我一句温家帮的坏话都没说,人家是找咱们合作的,我怎么能说温家帮的坏话呢?我说,咱们的部队有四千多人。"

金先生的确是好人,还帮着温家帮吹牛。温义给他松了绑,然后将匕首拔出来。金先生疼得怪叫一声,温义赶紧找了块干净布,让张奇夫给他裹上。好一会儿,金先生才安静下来,温义皮笑肉不笑地说:"你认为你给温家帮干了一件大好事?"

金先生使劲点头:"当然,能和川下组合作,那是何等的身份!当年日本没钱买西方人的机器,川下组组织了十万女人下南洋,日本的现代化是靠她们起步的。在中国,青帮也未必有这个资格。跟着川下组,能把整个远东纳入

旗下,征服全世界也未可知。"说到后来,金先生脸冒红光,很是激动。

温义心里骂道:日本人终归是日本人,抽大烟的都梦想着征服世界。做生意不过挣点钱而已,指使别人的念头都是无聊的。他说:"如果我不愿意合作呢?"

"那你就死了。"金先生直勾勾地看着他,似乎面前这人马上要变成厉鬼,"我们日本人讲究面子,川下组要和你合作,是给了你天大的面子。如果你拒绝,那么全日本的同道就会笑话他们,所以他们一定会想办法把你弄死。一年不成就三年,三年不成就十年,反正你没好日子过。"温义险些把这家伙踹到门外:这个逻辑太霸道,不愿意合作就弄死人家,这是流氓。金先生从床上下来,规规矩矩地半躬着身子说:"温二少爷,只要赚钱就行,和谁合作都一样。"

温义坐了一会儿,把张奇夫叫过来:"下午把那女人请过来,把营长以上的人都请过来,开会。"

金先生高兴得想拍巴掌,又怕手疼,没敢。他一个劲地向温义祝贺,似乎温家帮真要和川下组联手了。

下午三点,温家帮的头面人物都到了,包括各营的营长、老鸦、普拉底和马吉的镇长,连罗敷都到场了。温义当众宣布,温家帮准备和川下组合作,要独霸远东的毒品市场。几个营长是温二少爷的坚定追随者,觉得他说什么都是真理。老鸦发表了不同看法,这家伙以前只是个仆人,跟着温义走南闯北的,也积累了不少见识。最近他负责缅甸烟路,成绩显著,在温家帮内有相当大的发言权。老鸦不顾别人的感受,当着金先生和冯娜的面说:"我们温家帮从来都独立自主,谁也不能打温家帮的主意。即使合作,也应该温家帮说了算,日本人算个什么东西?打仗打输了,玩烟土也不见得是咱们的对手,出不了几年,他们就得吃屎。"

罗敷嘻嘻哈哈地笑,温义也微笑着不说话。营长们不知道川下组的规模,听了老鸦说的一席话,纷纷站到了他一边,两位镇长也表示支持。

金先生和冯娜有点儿尴尬。金先生不愿意得罪温家帮的人,冯娜只得站出来道:"先生们,古话说合则两利,分则两伤。谁也没有吞并温家帮的想法,凭在座诸位的本事,我相信谁也吞不了温家帮。我们川下组,不过是希望利用你们的政治资源和经济能力,在中国的市场上存活下去,分一杯羹,有钱大家赚。但是……"她看了温义一眼,温义做了个请继续的姿势。冯娜接着说:"我们川下组旗下五十万子弟,遍布全世界。如果无法达成合作,未来必然会与温家帮狭路相逢,到时候大家都不方便。"

一个营长腾地站了起来:"老子先毙了你这个臭婆娘。"温义咳嗽了一声,营长又坐下了。

冯娜颇有大将风度:"温二公子,你的手下真是精干!看来你的权威还是不够,大家不愿意听你的。"

温义没当回事:"我们温家帮从来不是一个人说了算,大家手里都有股份,都是股东。树立权威还不容易?每天早晨让大家对着太阳喊三次,某某人英明神武,举世无双。我看出不了三个月,傻瓜也能当领袖。"他站起来,在厅堂里来回溜达着,眼睛落在门口的张奇夫身上,笑着说:"川下组的名气,鄙人早就听说过。但事实与传说究竟是不是一回事,谁也说不准,大家有疑虑可以理解。"

冯娜皱着眉道:"川下组创立三百年了,在日本无人不知。现在川下组已经取代了青帮在上海的位置。就是说,在中国,我们的实力同样不可小视。"

温义摆着手:"我是生意人,当然希望生意越大越好,温家帮不怕生意做得大。但是我们的实力摆在这儿,川下组到底怎么样?我们需要考察考察。"

金先生插话了:"温二公子的话有道理,两国人民缺乏了解。我看,请温家帮组织个小型代表团,考察一下川下组的实力如何?"

冯娜想了想说:"也行。海上的路已经不通了,美国人的封锁太厉害。实在不成,只能找飞机,但人数不能太多。"

温义好不容易才把舌头咽回去,心想川下组果然能量不俗。他本来不愿意得罪人,想找个借口难为难为冯娜,没想到如此艰难的事她都敢答应。张快消息灵通,温义对外面的局势了如指掌。由于美国人的封锁和轰炸,日本轮船十之八九都葬身海底了,日本人不仅面临能源短缺,老百姓都开始挨饿了。现在日本本土唯一与外界的有效联系是航空,但同样是危险的,运送达官显贵以及重要的物资时才会起用。川下组能为考察团找到飞机,那绝对是通天的本事!

话说出口就不能收回去,温义索性命令老鸦带着张奇夫,跟冯娜去日本考察,为期三个月。张奇夫听说能到外面耍耍,高兴坏了。老鸦却满肚子不乐意,温义不得不与他长谈了一夜,老鸦才勉强答应。

冯娜带着人走了,金先生原本也是好意,温义没怪他,依然让他帮着温家帮制造白粉。

八

温家帮里清净了几天。这天，罗敷找到温义，笑嘻嘻地说："是冯娜上了你的床，还是你上了冯娜的床？"

温义叫得岔了声："没有，我没有。"

罗敷毫不在意："没关系，你要是主动上别人的床，我就把你的儿子扔进怒江，然后我也跟着跳。"

温义不得不打千作揖拜大年，罗敷却死活不肯原谅他。二人争执不下时，一辆吉普车冲到了温家门前的小广场，开车的人竟是虎豹。温义立刻意识到：坏了，大哥出事了！

虎豹从车上滚下来，哭着向温义报信。温正在密支那受了重伤，一块弹片飞进右眼，如今正在保山的医院里抢救呢。温义差点昏过去：梅姐死了，大哥要是再出事，温家就剩自己了。罗敷不敢再提冯娜的事，赶紧把孩子托付给镇长，要跟着温义去保山。

温义亲自开车，一路没停车，一口气开出了一千公里。路上虎豹把温正受伤的经过大致说了说，温义简直不知道说什么好。

攻下松山，中国远征军全部进入缅甸。当年孙立人的部队退到印度，组成了驻印军。如今那支部队正从印度向东打，远征军和驻印军计划在密支那附近会师，之后一起南下，进攻曼德勒。温正是出了名的能打恶仗，上司命令他先期率部赶往密支那，接应驻印军。

温正名义上是副师长，但师长的老丈人死了，回家奔丧去了，所以现在这个师由他全权指挥。部队且战且进，日本人扛不住美国人黄蜂般的机群，正在南撤，抵抗并不激烈。快到密支那时，部队里的美军顾问团出事了。远征军的每个团都配着几个美军顾问，主要职责是呼叫空中支援。温正手下有十几个美国顾问，其中一人是美国的纨绔子弟，吸过大麻，玩过女明星。进缅甸后，这家伙发现这里到处都是鸦片，仗着手里有枪，向当地人强要烟土。远征军的士兵们认为反正美国人也没欺负中国人，索性睁一只眼闭一只眼。

可当地人是克钦人，是吃生肉长大的，根本不吃他这一套。据说交涉不成，双方动了手。克钦人的装备并不差，双方打得不可开交。两个中国兵被打

死,美国人被俘了。

美国顾问出了事,顾问团自然不肯善罢甘休。顾问团团长找到温正,希望他不惜一切代价把美国人救出来。温正说:"活该,谁让他招惹当地人?"美国团长吃了瘪,向军部打了小报告。上峰只好命令温正:一定要把美国顾问救出来,这是国际问题。温正只好派出参谋去与克钦人交涉。第二天,参谋跑了回来,他惊魂未定地捂着裤裆:"妈呀!美国人让人家给阉了,已经疼死了,那东西在树上挂着呢。"

人死了,而且死得极其不雅。顾问团团长暴跳如雷,嚷嚷着要把温正送到军事法庭。温正只得放弃面前的日军,进攻克钦人,为美国顾问报仇。虎豹知道克钦人与温家帮的关系非同一般,而且个个不怕死,就劝他不要招惹野人。温正没有办法向上司交代,只得下令进攻。他以为,对方是不开化的土著,不值得一打,一旦动了手,对方就会逃进大森林。交了手他才发现,克钦人今非昔比,他们不仅装备精良,连战术都玩得像模像样。一开始远征军进攻顺利,逐渐被对方吸引到森林边缘。眼看就要进入野人山,温正立刻就怕了,他知道野人山进得去,出不来。但美国顾问一个劲督促他进攻,温正只得命令士兵向森林里射击。其实克钦人完全可以躲进森林,一走了之,可这些家伙不愿意服输,藏在森林里向远征军射击,连迫击炮都用上了,远征军被打得一点脾气都没有。此时温正犯了个轻敌的毛病,他的指挥部太靠前沿了,结果一颗炮弹正好落到指挥部里,不仅炸死了两个美国顾问,连温正这副师长也被当场炸倒了。事后查明,他眼睛里飞进一块弹片,军队只得把他送往后方医院抢救。温正痛苦得无法形容,心想自己没有伤在日本人的手里,倒让保卫烟土的土著人给打了,这叫什么事啊!另外还有些事他实在想不通,克钦人以前连步枪都不会用,如今怎么连迫击炮都使上了?这才几年的工夫,克钦人难道实现了千年的技术飞跃?

听完虎豹的陈述,温义不得不把车交给别人开,自己坐在副座上发呆。虎豹试探着问:"二少爷,密支那那一带有没有咱们的人?"温义瞪了他一眼,情不自禁地放了个响屁。

战争是一只双面怪兽,一方面摧毁文明,残害生灵;另一方面,人类的社会进步和科技飞跃,大多又与战争相关。密支那的克钦人或许是这场战争最大的受益者。如果战火没有烧到缅甸北部,即使到了二十三世纪,克钦人依然会停留在石器时代。战争彻底改变了他们的进化道路,虽然他们也受了些

伤害,但克钦人却实现了技术飞跃。如果没有这场厮杀,怎么会有这么多外国人来到这个荒蛮之地?克钦人从中国人、日本人和西方人身上都学了不少东西,特别是他们与温家帮建立了长期持久的关系。据说温二公子是所有克钦人家的理想女婿,大家都希望找个这样的中国人入赘。

温家帮不仅把枯门岭变成了原料提供基地,用枪支、弹药、粮食和日用品换取他们的劣质烟土,而且还传授他们不少组织才干和军事技能。温家帮甚至长期在枯门岭一带驻有代表,都是些营长级的头目。他们帮着土司训练武装人员,提供战术思想。每次驻守枯门岭的手下即将赴任,温义都再三叮嘱:"日本人来了,不许硬拼,钻森林,在森林里打他们。他们不进来你们就放冷枪,开冷炮,不让他们吃饭,不让他们睡觉。他们进来了,你们就随便吧。"

温正碰上的克钦人就是在温家帮顾问的指挥下,在温义战术思想的指导下,迎战远征军的。温义难堪不已,大哥受伤竟然是温家帮所赐,这事千万不能让他知道。虎豹最近不在温家帮,但大约也能猜出个八九分,之后他们俩再不敢谈论这个事了。

赶到部队医院,温正的手术已经做完了。医生说:左眼不保,性命无忧。温义给哥哥准备了一些好消息,他告诉温正:你有儿子了,叫温朴。温正马上询问梅兰的情况,温义撒谎道:一切都好,母子平安。

几天后,温正恢复了七八分体力,罗敷带着俩孩子去昆明小住,温义想拉着大哥出来散散心。南方城市大多有水,保山也不例外,城外就是一条大河。温义在河边的草甸子上立了帐篷,又准备了些吃食酒菜,然后把哥哥请了过来。

远方是巍峨的群山,草滩上碧绿如画,小河玉带般横在二人面前流淌着。

温义准备得很周全,几个小帐篷围成了一个封闭空间。温正的半张脸裹在纱布里,身上盖着条毯子,他躺在阳光下,浑身暖洋洋的。温正喝了口茶,用一只眼睛盯着弟弟:"我不明白,克钦人怎么一下子变成游击高手了?"

温义说:"他们是山里生山里长的,天生会打游击。"

温正的半张脸被纱布裹着,只得维持着原来的表情:"我叫人查过,你和克钦人关系不一般。你把当年咱们撤退的路变成了烟路,他们种的那些鸦片,是不是给你种的?"

温义看了虎豹一眼,那小子知趣地躲到了远处。温义皮笑肉不笑地说:"哥,是给温家帮种的,你在温家帮里也有股份,我给你留着呢。这个事不能

怪他们,谁让美国人招惹人家的?克钦人挺自卑的,他们最讨厌外人看不起他们。如果你尊重他,他们能为你豁命。不尊重他们,他们就拼命。"

温正腾地站了起来,毯子掉在了地上:"如果这个国家让我来治理,第一个就枪毙你。"

温义哈哈一笑:"大哥,你的国家很讨厌你,你自己还不知道。你当过正营长,然后就是副团长,副旅长,现在是副师长,我看你永远当不上正职,知道这是为什么吗?因为你是个抽鸦片的,你永远当不成领袖,当领袖的人是为别人预备鸦片的。"温正产生了拔枪的欲望,温义不理他,接着道:"我说过,是人就需要鸦片,金钱、爱情、权力、信仰,成功的人只是找到了适合自己口味的烟土,仅此而已。"

"我忠于国家,我要振兴华夏文明,难道这也是鸦片?"温正心道:如果在欧洲的中世纪,估计这弟弟早被教会烧死了。由此温正忽然又想到另一个问题,中世纪被教会烧死的人,大多是人类的先驱,难道温义的胡言乱语里果真有真理不成?

"国家给过你什么?民族又给过你什么?文明又是个什么东西?这类玩意儿仅仅是个概念。当权者用概念换来你们的税收和性命。他们制造正义的幌子,让你们俯首帖耳。"温义不愿意再和哥哥废话,反正他这辈子都想不明白。

九

谈话无法进行下去,温义干脆从小帐篷里走了出来,向虎豹招了招手。虎豹大声道:"马上就到,马上就到。"

不一会儿,吉普车载来五六个花枝招展的姑娘,冷清的草甸子上热闹起来。有两个姑娘带着乐器,咿咿哑哑地唱起了折子戏。另几个则偎依在温家兄弟身边,拼命往他们嘴里塞东西。温正惊奇万分:"保山的,怎么会唱京剧?"

温义说:"如今云南到处都是北方人,军人居多,所以她们也学会了京剧。"

这些姑娘都是保山头等妓院的招牌,温义为了让大哥消遣消遣,干脆把保山城里的招牌姑娘都请了来,准备在草甸子上开个色情茶话会。

温家兄弟的志趣大相径庭,但他们都是富家子弟,绝不是电影里那些纯洁得没洗过澡的热血青年。他们也如所有时代的富家子一样,拥有私生活,也拥有理想爱人。温义可以为了罗敷冒生命危险,但那并不妨碍他在外面寻花问柳。其实温正也差不多,当年他在北平时,还参加过川岛芳子举行的舞会呢。

女人能打消关于世界观的争论,草甸子上歌舞升平,到后来连虎豹都加入了狂欢行列。温义一再提醒姑娘们,千万要注意温正脸上的伤。姑娘们说:二少爷您放心吧,这两年,我们的主顾都是伤兵。

时间真快,转眼就闹腾到了下午。吉普车又运来些酒菜,是温义在保山头等饭馆预订的,哥俩与女人周旋得累了,躺在草甸子上喝酒。温义指着刚刚伺候过温正的姑娘:"大哥,她叫小桃红,保山城里最红的姑娘。"温正觉得那姑娘模样尚可,却不明白她凭什么最红。温义哈哈笑道:"省主席的八姨太叫小桃红,大家是奔着省主席来的。"

温正"啊"了一声:"难道真是他的小姜?"

温义笑得不能自制:"当然不是。大家想玩玩大人物的女人倒是真的。"

小桃红走过来,跪在温正身边关切地问:"报纸上说,日本人挨了两颗大炸弹,真会投降吗?"

温家兄弟相互看了一眼,他们都是消息灵通人士,两天前就知道原子弹的事了。温正说:"日本人都是抽了白粉的,再扔两颗他们也不见得投降。"

小桃红扭脸望着同伴们:"怎么样?我说日本人不会投降吧?他们要是投降了,咱们的生意就完了。"

温义哈哈笑起来,温正倒闹了个大红脸,自己居然为妓女做了证人。他听出弟弟的笑声里不仅充满了幸灾乐祸,还有嘲讽的意思,便板着脸道:"你和他们交过手,你见过几个日本鬼子投降?"

温义说:"大哥,日本人顽固,但好歹也是人,不能集体跳火坑,再打下去真要亡国灭种了。我估计,他们马上就投降了。"

温正摇头:"你把问题看得太简单了,疯子是什么事都干得出来的。"

温义说:"日本把普通人变成了疯子,但决策层并不疯。把国民变成疯子是驭民之术,全世界的老百姓都差不多。但只要兜售烟土的人还有理智,还想赚钱,日本就一定投降。"温正"哼"了一声,弟弟把当权者比喻成鸦片贩子是老生常谈。其实温义的话另有所指:川下组不就是烟土贩子吗?

天快黑了,虎豹询问两位少爷是否回城。如果现在不回去,姑娘们就要收双份钱了。温义表示无所谓,温正认为自己是医院的伤员,应该按时回医

226

院。于是虎豹开吉普车回保山,顺路把姑娘们也送了回去。

草甸子离市区不到一公里,只隔着一座小山。吉普车刚开上山坡,忽然听到空中砰砰几声巨响。温正急忙拔出手枪:"炮声!隐蔽。"温义也是一惊,日军飞机有大半午不见踪影了,难道又来轰炸啦?二人正迷惑不解,只见保山城的上空猛然炸开了几朵烟花,深蓝色的夜空呈现出一片壮丽的斑斓。接着炮声竟然连成了一片,天空很快就炸成了一锅粥。温正他们听得出来,炮声中还搀杂着不少枪声,都是向空中鸣放的空枪。

温正怒骂道:"妈的,这不是浪费弹药吗?"

温义在车玻璃上狠狠捶了一拳:"投降了,日本人投降了!"

温正将信将疑地看着他:难道这是真的?

无论如何,日军在中国战场上的确没有遭到过灭顶打击。当时除了少数的上层人士,普通百姓根本想不到骄横的小日本会突然投降。现在小日本居然投降了,大家欣喜若狂,觉得天上真掉馅饼了。

民国三十四年八月十五日,全中国开始了疯狂的庆祝。据说重庆的游行通宵达旦,连续进行了好几天,还发生了踩死人的事故。

小日本投降了,温义后悔得不得了。坏了,老鸦和干儿子去了日本,他们还回得来吗?虽然他料到日本会投降,但没想到他们投降来得这么快。他马上命令电台立刻与冯娜取得联系,询问二人行踪。冯娜回电了,电报上说:老鸦和张奇夫考察完毕,马上就到昆明。温义这才松了口气,他要偷偷赶到昆明,亲自迎接温家帮的两位功臣。

小日本投降了,昆明城沉浸在曲终人散的悲伤气氛中,外来人口都在打点行装,大家不约而同地要把昆明变成一座废城。温义让罗敷回了温家帮,自己找到张快,希望了解昆明权贵的动向。张快说:"就一个字,走。"

温义问:"英国人的办事处呢?"

张快哈哈笑道:"方敦走不了,这小子升官了。有传闻说他要代表英国去日本呢。"

温义说:"太好了,晚上我请他吃饭,搞得排场些。"

当夜,温义在著名的光华西餐厅请方敦吃饭。方敦是对华联络处副主任,刚刚晋升为少将。这家伙穿着将军制服出现在餐厅里,所有人都投去艳羡的目光。虎豹将他拉进单间,方敦还没有受够众人的赞赏,不满地说:"你们中国人就喜欢在单间里吃饭!"

227

温义把他拉进来："中国人讲究出我之口，入君之耳，天知地知你知我知。"

方敦赶紧坐下，特地把声音放低了："温先生，有事？"

温义说："没事，不过是告诉你，中国人不愿意在大堂吃饭的原因。"

方敦立刻松了口气。自缅甸一别，方敦在温家帮手里赚到了大把的钞票，他几乎认定温义是耶稣转世，什么奇迹都能创造出来。

表面上温义真没什么正事，二人吃着饭，喝着酒，海阔天空地瞎聊。逐渐地，话题落到了日本人身上，他不经意地问："盟国准备如何处置日本？"

方敦说："先占领，枪毙战犯，争取把邪恶的国家体制彻底改造过来。"

温义笑着说："远东战场上你们英国人除了投降就是逃跑，占领日本的事也是美国人说了算吧？"

方敦无所谓："美国人总要给我们面子，何况还有不少事他们需要我们呢。"

温义说："你今后有何打算？"

方敦眨巴眨巴眼睛："我还要在远东待一段时间，豆敦将军也会留下来。"

温义说："如此最好，我不愿意和新人打交道。"

方敦急忙道："我们也是这么想的。"

当晚二人喝得大醉，分手时方敦搂着温义的肩膀说："够意思，你们中国人做生意够意思，我喜欢和中国人打交道，不忘朋友，好样的……"

第二天下午温义才醒过来，虎豹报告说："老鸦和张奇夫回来了，正等着您呢。"

不一会儿，老鸦和张奇夫风尘仆仆地进来，张奇夫见了面就嚷嚷："干爹，我开眼了，我都会飞了。"

温义嘿嘿笑道："坐飞机算什么，跟着我，将来给你买一架飞机。"

老鸦谈了谈这两个月的行程。二人跟着冯娜辗转跑到武汉，在武汉有人接应他们。后来坐火车去了天津。他们在天津上了一架运输机，直飞东京。日本人的招待非常热情，又是喝酒又是唱歌的，还一个劲地让他们吃小活鱼。根据各方面的情况，川下组的确是有合作的意思，连协议都准备了，特地让二人带了回来。另外川下组实力之强超乎想象，他们甚至在巴西也有分支机构。

温义突然问："让你们留心的事查清没有？"

张奇夫得意地说："我瞎跑，瞎问，他们以为我岁数小，说了不少。"

温义向外面看了一眼："冯娜是不是也回来了？"

老鸦点着头说："在外面等着呢。"

温义抿着嘴笑了："晚上我接着请客。"

十

当天夜里，冯娜刚跨进温义的住处，老鸦、虎豹伙同几个大汉钻出来，把她捆死狗似的来了个四马倒穿蹄，之后虎豹将她拖进温义的房间，大汉们都离开了。冯娜艰难地扭着脖子，房间里除了温义之外还坐着两个男人，一个穿着中山装，另一个是披着将军制服的英国军人。温义趾高气扬地高坐在二人当中，三个男人谈天说地。虽然冯娜被大汉们扔进来，男人们竟连看都没看她一眼，接着聊天。

冯娜向来是异性的宠儿，此时她无法接受男人的忽视，骂道："温义，你这个王八蛋，你要干什么？"

温义装腔作势地扭过脸来，惊讶地说："原来是冯小姐，正好，我给你介绍两位朋友。这位是张上校，是军统西南地区负责人。这位方敦先生是驻华事务副总管，刚刚接到任命，立刻要去日本，代表英国方面协助美国人管理战败国。"

这俩家伙来头都不小，特别是那个张上校，应该是见过面的。冯娜的牙齿咯咯打着战，恶狠狠地说："咱们的事，与他们没关系。"

温义蹲到冯娜面前，歉疚地说："温家帮是准备与你们合作的，但这两位朋友提醒我，川下组是日本军方的帮凶，在盟国的处治范围之内，你说，我还敢吗？所以我准备把你们出卖给盟国当局，让他们把川下组在日本本土以及华北、东北的势力全部给清理掉。这个事，希望你配合。"

温义说得和蔼可亲，冯娜吓得差点不省人事了，心想这家伙真是个笑面虎。冯娜心里跟明镜似的，知道自己上当了，川下组看走了眼，温义的野心不可限量。这小子希望独霸远东毒品市场，想借西方人和军统的力量把川下组干掉。方敦咳嗽了几声，给冯娜松了绑，还替她揉了揉胳臂。冯娜坐在地上，耳边如过火车似的，轰隆轰隆直响。方敦见不得漂亮女人，失魂落魄的，他喃喃地说："日本人完了，小姐不要固执了。"

张上校阴森森地"哼"了一声："你以前是军统的人，你背叛党国，出卖国家和民族，死有余辜。"

冯娜猛地跳了起来，绝望地嚷嚷："不就是死吗？你们要杀我，共产党要杀我,日本人也要杀我。我不过是想帮那群浑蛋做点事,挣点钱,该死的温家帮出卖了我。我现在把川下组也卖出去,那我得死几回呀?"说到最后,忽然没劲了,不得不靠在墙上。"死就死了,死了就清净了。"

张上校看了温义一眼,换了一副笑脸:"你如果能配合我们工作,军统那边,我来摆平。"

温义立刻补充:"上校是军统要人,能和戴先生直接对话。"

冯娜气呼呼地不说话,似乎是下了必死的决心。

轮到方敦出场了,他颇有风度地搬来把椅子,请冯娜坐下,然后半躬着身子说:"冯小姐,配合盟军,清算日本人的战争罪行,我可以帮你办理欧洲的定居手续。到了欧洲,人海茫茫,谁能找到你?"

温义继续补充:"川下组的势力到不了欧洲,何况未来的日本有没有他们的位置都很难说。我资助你五万英镑,足够你在欧洲生活下去了。"

几个权势男人恩威并施,抛出一个又一个条件,冯娜终于招架不住了。她坐在椅子里,沮丧地说:"我是一个中级成员,太秘密的事我也说不清楚。"

温义说:"他们让温家帮入股华北,应该有华北所有白粉店的名录,你把名单弄来,这就是功劳。"方敦也说:"我只要川下组日本总部的地址和首要人员就可以了。"张上校说:"我要川下组在长江流域发展的会员名单,他们都是汉奸,一个也跑不了。"

冯娜有气无力地说:"这么多! 我哪儿有那么大本事啊?"

温义大笑起来:"其实你的作用仅仅是个补充,我们只是怕他们漏网而已。川下组在华北有三百四十二家白粉店,负责东北业务的人叫张红开,实际上那家伙是日本人,真名叫左下静二。川下组的这一代组主住在北海道,对不对?"

冯娜惊恐地盯着他:"你不是温二少爷,你到底是什么人?"

温义愣了一下, 自己明明是温家帮的二少爷,便晃着脑袋说:"我是温义,男人说话吐口唾沫就是个钉,只要你配合,一切都可以解决。"

无论从生理上还是心理上,冯娜都被彻底征服了。此后她就成了三个男人赚取情报的工具,表面上她在与温家帮谈判,甚至签订了合作协议。实际上却通过一次又一次的往来电报,拿到了对方需要的大部分情报。

罗敷起了疑心,带着儿子赶到昆明要和温义算账。但冯娜见了她,格外委屈,抱住老同学大哭不止。罗敷这才弄明白,温义亲近冯娜是另有目的。此时温义把金先生也请了来,把协议拿给他看:现在天地一家春了,希望你获得川下组制造白粉的最新工艺。金先生是偏向温家帮的,没出半个月便把新工艺拿到手了。

　　情报的分量差不多了,温义将全部情报交给张上校和方敦。二人如获至宝,立刻向各自的上司请功去了。张上校破获了国内最大的汉奸贩毒团伙,方敦则向英国上司报告说自己获得了日本黑社会势力策动战争的有力证据,而且根据这条线索,将破获东南亚地区最大的贩毒组织,这事将成为大英帝国对亚洲人民做出的无以伦比的伟大贡献。

　　当初温义发现金先生的身份是川下组卧底时,气愤了一段时间。日本人狡猾透顶,早就惦记上了温家帮。他无法容忍温家帮长时期被对方监视,所以他制定了消灭川下组的计划。他派老鸦和张奇夫去日本考察也是有目的的,一来为了争取时间以便自己与张上校、方敦等人尽快接洽;二来他要求二人尽可能地摸摸川下组的底细,掌握的情况越多,争取冯娜时就越主动。

　　老鸦脑子不大灵便,基本上是白去,但张奇夫却出色地完成了任务。由于他岁数小,日本人对他没加防备,翻译跟他说过许多不该说的事。另外这孩子半个月就学会了好几百个日语单词,经常拉着身边的日本人聊天,言多必失,又得到了不少信息。温义简直太喜欢这个干儿子了,又聪明又勇敢,必是温家帮的栋梁。

　　其他人当然愿意参加这场游戏。方敦要积累政绩,要继续与温家帮在生意上合作,张上校要巩固在军统的位置,所以三方的合作天衣无缝。

　　一个月后,美国人和军统同时在日本本土和华北动手了,川下组没想到盟军会有这一手,一时间本土上风声鹤唳,兵败如山倒。据说光川下组的大小头目就抓了几千个,在日本的总部也被捣毁了,组主在北海道开枪自杀。实际上他到死也没弄明白,树大根深的川下组怎么会落得如此下场!

　　战后,日本的战争罪行清理工作,以消灭川下组做得最为彻底,几百人成了枪下冤魂,这个组织完全覆灭了。日本当局不敢承认他们与黑社会有勾结,普通人更不明内情,所以至今也没有人为川下组翻案。

　　自此,温家帮打掉了一个最强劲的对手,三九牌白粉迅速占领了长江流域,并且向北向南延伸,逐渐填补了日本白粉留下的空白。温义没有为难金先生,反正这家伙也无处可去。金先生向老鸦表白说:我生是温家帮的人,死是温家帮的鬼。冯娜的结果还不错,她担心川下组的残余势力报复自己,真跑到欧洲去了。

　　温义清楚,百足之虫,死而不僵。此后相当长一段时间里,他在温家帮周边加强了防备,给自己的老婆孩子加了双哨。

　　二十世纪五十年代,川下组在日本死灰复燃,闹得很厉害。但他们始终没有弄清楚当初败落的原因,他们想当然地认定美国人是川下组的仇人。日本人思考问题的角度往往出人意料,在这个问题上他们把血统论发挥到了极致。川下组没有找美国人报仇,他们认为美国人是强者,拥有强者的基因才立于不败之地。于是他们玩儿命一样鼓励组员的妻子、女儿与美国人通奸,生出一批具有胜利者血统的新人类,希望仰仗新人类的能力在未来的某一日战胜美国人。

　　战后的日本,出现了大批混血儿,这些大多与川下组有纠葛。

第九章 谁的金三角

一

　　温家帮的事业如日中天,温正的人生却面临前所未有的危机。战后,他回到家里住了一个月。梅兰死了,他的一部分心也死了。他把儿子留给弟弟,自己又上了战场。

　　温正钦佩弟弟的组织能力, 如果没有温义,温家帮或许早就分崩离析了。如今弟弟不仅继续着温家帮的祖业,还取得了合法的社会身份,在云南简直比省主席都风光。倒是他这个党国精英,丧魂落魄。温正甚至连儿子都不愿意多想,因为每每想起儿子,就不得不想到梅兰。必须承认,梅兰是他们兄弟共同害死的,温义是没有心肝的人,但他也有不可推卸的责任。

　　赌局完结,庄家自然论功行赏,现在温正是第六军的少将参谋长。第六军是国民党的精锐部队,第二次远征缅甸率先攻进曼得勒,立了大功。其实温正更愿意做一名师长,上司认为他打仗的本事没说的,但不适合单独统领一支部队。

　　日本人宣布投降,第六军便接到命令,要他们立刻赶赴越南的防城,美国运输舰等着他们呢。二十天后第六军在秦皇岛登陆,接受了山海关日军的投降。

　　民国三十四年九月,关上飘扬了十年之久的膏药旗终于降了下来,一股热血又在温正胸中沸腾起来,他似乎又回到了九江,回到了北伐时期。那一刻他想冲上去照着日军大佐的脑袋捶上几拳。他大吸了几口气,总算忍住了。此时副参谋长兴奋地说:"参谋长,日本鬼子也有今天,真过瘾。我就跟抽

233

了大烟似的。"温正咳嗽了一声,他刚调到军部,难道就有人知道他家的底细不成?副参谋长满脸兴奋,语无伦次,看样子没有刺激他的意思。温正的心又凉了,胜利的感觉与抽大烟的感觉差不多,这理论要是让温义知道了,他保证又要胡说了。

占领了山海关,温正立刻接到了北上的命令,上司要他们占领苏联人还未及占领的地方。第六军浩浩荡荡地向北挺进,直扑兴城。温正指挥着一支现代化大军,耀武扬威,趾高气扬。十四年来,这是政府军第一次开进东三省,终于扬眉吐气了。如今除了外蒙古还有些麻烦,整个中国即将统一。温正在心里默默祷告了好几次,但愿这是华夏复兴的开始,大乱之后必有大治!

中国大陆有两条著名的走廊,河西走廊和辽西走廊。所谓辽西走廊即燕山与大海之间的一条通道,是东北进入华北的门户。由于地势狭长,最窄的地方只有几公里,中央军只得沿着靠近渤海的公路北上。

燕山就在西侧,山顶上的小树都看得异常清楚。部队通过兴城后,有个参谋跑过来,指着西面的山地说:"参谋长,那是什么东西?"温正举着望远镜观察,不禁大吃一惊。山脚之下烟尘滚滚,一支数千人的队伍正空着手向北方疯跑呢,他们前后拖出了十几里,他们急慌慌的,却不见零乱。温正看不到部队的任何有效标志,那是什么人的队伍?他们似乎穿着军装,但手中没有武器,肩膀上没有军衔,有些人连帽子都没戴。他用步话机找到了军长,军长大声叫道:"是共产党,是来抢东西的!"

温正一直在南方征战,对北方的情况不大了解。据说共产党的部队比较穷,他们趁乱接收日本人的物资确是情理之中。温正马上命令,部队连夜行军,到达锦州之前绝不休息。

第六军是百战之师,又是一水儿的机械化装备。全军将士在温正的带领下,与共产党的部队展开了长跑比赛。后半夜时,他们终于把山边那支火把组成的长龙甩到了后面。部队跑到锦州城外才发现有些人比他们来得更早,锦州早给人占领了,城头上立着八路军的旗号。据当地人说,这股八路有几千人,昨天才到。温正只得又与军长通了话:"他们先到了,咱们怎么办?"军长说:"打,他们占住了锦州,咱们连东北的门都进不去了。"温正说:"重庆正在谈判,现在动手等于挑起摩擦。"军长骂道:"你个木头脑袋,什么谈判?都是缓兵之计!谁占了地盘就是谁的,快点儿给我动手。"

温正清楚锦州是进出东北的门户,只得下令进攻。第六军刚一动手,对

方就吃不住了,三小时后,第六军顺利拿下了锦州城。事后温正才弄明白,八路军的部队太了不起了,他们大部分人连武器都没带,空手跑来就是为了重新武装。由于第六军进攻迅速,他们武器还没来得及分到士兵手里,他们不得不弃城而去。好在东北有那么多座城市,对方根本不在乎。温正下令封存日军仓库,带着部队继续追击。

两支部队同时出关,目标都是城市、仓库和工厂,谁先抢着就是谁的。中央军从南方来,终归晚了一步,而且也不习惯小部队行动。另外他们手里有美式武器,也不稀罕日本人的二流货。所以日军滞留在东北的物资,大部分被八路军拿走了。故事是这样的,往往八路军先到,中央军随后追过来,双方总要爆发些小型战斗,之后八路军迅速脱离接触。八路军的目的是武装自己,所以交战的规模非常有限。在短短三个月里,十几万八路军陆续出了关,行踪遍及东北全境。由于苏联红军和他们拥有共同信仰,红军对八路军的行为不闻不问,装聋作哑。

温正代表中央军向苏联人提出过抗议,指责他们没有按照协议将重要的战略目标移交给中国政府。苏联代表指着他头上的青天白日国徽道:"你们都是戴着这个的,又是一模样,我们怎么知道谁是政府军?"温正无言以对,只得下令部队加快行程。

民国三十五年初,两军的马拉松比赛跑到了四平。依照温正的心思,应该直接跑到黑龙江边去。但上司拍来了紧急电报:"后面的部队跟不上了,也没有那么多部队,先稳定辽、吉两省的局势。"

这一时期,"双十协定"生效了,但协议的权限仅局限于关内,长城之外的战火,从来都没有停息过。

第六军驻扎在四平城外,温正第一道命令是清理日军留下的装备和物资,不能再落到八路军手里。不久有团长跑来报告,说在长春抓到一个伪满大臣。据那家伙说,四平有日军最大的物资战备仓库,就在梨树。温正研究过,关东军为了维持对东北的长期占领,有一套周密的战略部署。为了达到这一目的,他们存储了大量物资,数量之大难以想象。于是他亲自带着一个团赶到梨树,希望先把仓库控制起来。

梨树在四平的西北方向,是一片丘陵地,一条河绕城而过。伪满大臣说仓库就在河岸的峭壁上。河面结冰了,部队刚到河岸,就发现仓库周围有其他部队活动。温正这叫一个气:简直是穷疯了,这是明着抢劫国民政府。他一不做二不休,命令部队攻击前进。

第六军曾经攻破了曼德勒,是血泊里爬出来的部队。这群南方兵在机枪

的掩护下,嗷嗷叫着踏着冰面扑了过去。八路军跟往常一样,打了几枪就没影了。温正估计,八路军不愿意正面冲突,是为了积蓄实力。此时温正对共军将领多少产生了几分钦佩,这些人审时度势,知道无法与中央军正面对抗,能捞就捞,能跑就跑,能不打就不打。这就叫能屈能伸,这样的对手太可怕了。

二

天空被冻得一片混沌,河面如一块大铁板。温正踏冰过河,脚下是吱吱嘎嘎的声音,非常刺耳。他边走边观察地形,心里不住地咒骂,仓库的位置让他想起了缅甸的堡垒。日本人太鬼了。仓库对面是宽阔的大河,仓库大门设在峭壁之下,如果对手想打过来,必然要付出极其高昂的伤亡!温正不大情愿但也不得不承认,如果没有盟军战场的胜利,中国可能还要再死上几千万人。大不了人家退回本土,中国连像样的海军都没有,只能干看着。

日本人的战备仓库森严得有些变态,墙面是钢筋水泥的,仓库的大门是座一米多厚的钢门,数吨炸药也奈何不得。由于日军撤离得仓促,仓库内狼藉一片。温正向里面看了看,硕长的走廊,巨大的内部空间,所有通道口都装了电灯。当然现在没电,只能靠几支手电筒维持照明。团长报告说:"还好,共军刚刚把大门弄开,东西还没搬走呢。"

进了仓库,温正更加惊奇了。仓库是座人工开凿的大山洞,洞顶有十几米高,数百米深,洞内用钢板打出了隔断,大约有十几处相对独立的空间。每个独立空间占地都有两三亩之广,有些地方半空中架设了水泥板,是名副其实的双层结构。仓库的主要物资是如山的弹药和工业橡胶,还有一小部分粮食储备,武器并不多。实际上八路军最感兴趣的是粮食,大部分粮食已经让他们搬走了。

此时又一个参谋敬礼道:"参谋长,您快来看看。"温正随他来到一个独立仓库,仓库里堆满了医用的大纸箱子,箱子上印刷着红十字标志。参谋说:"应该都是药品,这玩意儿咱们不懂啊。"温正的心咯噔了几下,他挥了挥手,几个士兵上前把箱子撕开。大家都有点迷惑,箱子里是牛皮纸的大袋子,袋子里装满了精细的白色粉末。温正已经料到了,翻着眼睛没说话。团长拍了下大腿,欢喜地说:"原来是白面,日本人还喜欢这一口呢!长官,白面就是银子,能直接换粮食。"参谋吸溜着口水道:"我的天,足有几十万两!参谋长,怎么办?"

　　"给我搬出去,全部烧掉。"温正面色铁青,鼻翅呼哧呼哧直动。日本人靠这东西在缅甸堡垒里支撑几个月之久,原来都是东北运来的。

　　团长和参谋诧异地相互看了一眼,没敢说什么。士兵们开始往外搬箱子,日本人的存货真不少,一连士兵花了两个多钟头才把白粉全部搬到仓库外面。小山似的纸箱子堆在冰面上,蔚为壮观。

　　温正刚要下令点火,军长的电话打来了。天知道是哪个王八蛋告了密,军长得知仓库里有着几十万两白粉,大为满意,他让温正立刻将这东西运到沈阳的长官部。温正说:"我们是军队,不是运白粉的!"

　　军长苦口婆心地说:"你不是不知道,咱们推进速度太快,战线拉了两千里,后勤补给已经跟不上了。烟土和白粉都是硬通货,可以用烟土换当地富户的粮食,补充军需。"

　　温正痛心疾首地说:"咱们成什么人了!"

　　军长没想到这家伙敬酒不吃吃罚酒,怒了:"什么人也得吃饭。如果这批烟土换不来粮食,半个月之内部队就要饿肚子了。"

　　温正冲着话筒喊道:"可以向地主征集粮食,以政府的名义借,以后再还,有何不可?"

　　军长在电话里冷笑了一声:"你说胡话吗?谁会相信?政府借了这么多,拿什么还?中国哪个政府给老百姓还过东西?中央军刚到东北,威信未立。拿烟土换粮食,就是要让东北老乡知道知道,咱们不是来抢粮食的。你是将军,怎么一点政治头脑都没有?"

　　军长怒气冲天地把电话挂了,温正嗓子里咕噜咕噜乱响,他咬着嘴唇琢磨了半天,最后只得命令士兵把白粉装上卡车,运到沈阳去。车队走了,他扶着仓库的铁门站了好久,胃里翻江倒海地难受。温家本来是干这个的,他不愿意干,不惜脱离家庭。结果呢?中原大战是和烟土作战,在缅甸日本人靠这东西射杀了无数弟兄。现在好了,堂堂的中央军靠缴获的烟土换饭吃,这叫什么事?!

　　此后几天,温正辗转反侧,后来他干脆把这件事上告国防部,状告军长此举有辱军人尊严,有违党国体统。据说,国防部的长官把军长狠狠训斥了一顿,可结果却是温正不知为何被调离了第六军。

　　回到南京,国防部问他愿意到哪支部队去。温正思量一会儿,老东家第五军如今也在东北战场呢,还是回第八军更靠谱,李弥军长与他还谈得来。就这样,温正离开了东北战场,而此时东北平原上已经打得不可开交了。

　　到了第八军,他不愿意与人谈起这事,他觉得离开战场多少有几分当逃

兵的感觉。

接连不断的好消息让人振奋。两个小少爷断奶了,十几年的云南王龙主席在蒋总统的逼迫下去了香港,温家帮迎来了前所未有的蓬勃发展。由于南方局势还算平稳,温家帮的生意越做越大,他们的触角遍布东南亚、南亚,整个长江流域、华北以及华南。每个月帮众们都要运出十万两以上的白粉,温家帮武装力量的控制范围也扩大了一倍。几个月前国民政府再一次下达了禁烟令,但在滇西北的广阔地区,这份政令就是一纸空文!

温义平时已不再负责生意的具体运作,老鸦岁数也大了,年轻一代开始在温家帮挑大梁。虎豹是帮里的大总管,连十几岁的张奇夫也可独当一面了。平日里温义躲在温家田园中,带着儿子侄子抓蛐蛐,捉蚂蚱,斗甲虫,玩金龟子,怒江两岸的山谷中时常可以听到他们爷儿们的欢笑声。

这一天温义开出吉普车,叫上罗敷和孩子们,要去玉龙雪山野餐。刚出家门,老鸦远远地跑了过来:"二少爷,来先生来了。"

罗敷扑哧一笑:"什么叫来先生来了?这是哪国的语言?"温义也没反应过来:"谁?来先生?"

老鸦说:"武汉的来先生,你怎么忘了?"

来俊臣!怎么把这家伙给忘了?当年他通报烟税要涨,为温家帮节省了几十万的税款。来俊臣是手眼通天的人,怎么会突然跑到这么偏远的地方?温义赶紧扔下两个孩子,三步并两步地往街上跑。

如今的普拉底已被打造成戒备森严的大堡垒,所有险要地段都建立了永久性火力点。集镇入口处由一个排的士兵把守着,路两侧还修筑了钢筋水泥的防御工事。温义跑到普拉底的街口,只见来俊臣站在两座工事之间的正路上,吃惊地四下张望。他身后停着两辆小轿车,车顶上捆绑着不少行李。士兵们神情戒备地站在四周,枪口在他脑袋附近转悠着。来俊臣看见温义,张开胳膊大笑着:"老弟,你这里简直是龙潭虎穴!"

温义急忙跑上前拱手:"哪里哪里!完全是为了防备不肯投降的日本人,啊对,还有土匪。在中国做事没有枪怎么行?"

来俊臣快笑翻了:"跟我就别来这一套了,我看你是防备政府军的。"

三

二人笑声朗朗,携着手走在大路上。普拉底城镇规模有限,但被温家帮

治理得井井有条。街上行人不多但道路平坦,排水通畅,连垃圾都看不见,更让人惊奇的是主干道两侧安装了路灯。来俊臣的惊奇是一个接一个,最后他指着一座三层楼的学校说:"有学生吗?"

温义抿着嘴没说话,老鸦插嘴道:"温家帮规定,所有的孩子必须上学,怎么着也得认字,学校里有三百多人。山里孩子不喜欢上学,都想当兵。"

来俊臣侧耳听了听,学校里果然有参差不齐的读书声。

温义感慨地说:"原来我嫂子是学校校长,她去世了。昆明的老师不愿意进山沟,没师资。每个礼拜我还要帮着讲几堂课呢,真烦人。"

来俊臣"啊"了一声:"你给孩子上课?"

温义说:"不然怎么办?这么大的学校才两个老师,我不帮忙他们就得累死。"老鸦欢喜地说:"我听说,孩子们最怕我们家二少爷。只要他在课堂上一站,他们连眼睛都不敢眨。"温义竟有些得意:"他们敢折腾?我是上过大学的。"

来俊臣万万没有想到,这烟贩子的业余爱好是教书!温家帮的确有非同凡响的地方。

一行人说说笑笑地来到温家住所,温家是坐落在山脚下的二层小竹楼,没有围墙,楼房的墙壁上爬满了藤类植物,雅致而幽静。来俊臣说:"看来你是把温家帮建成世外桃源了啊。"温义说:"自己的家,越舒服越好。"

罗敷准备了红茶,温义将客人请到门廊前的葡萄架下落座,罗敷亲自为大家筛茶。来俊臣望着忙前忙后的罗敷:"弟妹干练如此!你们两口子都是人中龙凤!"

罗敷嫣然一笑,高高兴兴地进了客厅。温义把茶送到来俊臣面前,郑重地问:"你老兄是大忙人,怎么跑到我这个小庙了?生意呢?不干啦?"

来俊臣抿了一口茶,赞叹道:"普洱,这茶应该有五十年了,少见少见。五十年的茶一定要喝掉,五十岁的人就应该收山了,我去年五十岁。"

"你老兄有五十岁?"温义很吃惊,这家伙看样子不过四十岁的光景。

"去年我把公司解散了,现在本人是闲云野鹤。"来俊臣得意地又喝了一口,似乎在欣赏红茶,也是在欣赏自己。他的产业规模,温义是见识过的,这个人在长江上翻手为云,覆手为雨,如果他愿意,长江水可以为他倒着流。这样的人难道说不干就不干啦?来俊臣发现温义一脸迷惑,解释道:"没骗你,我觉得挣钱的事总得有个够,何况烟土行终归是末流,没什么可留恋的。抗战一胜利我就决定退出江湖。"

温义很是惋惜,摇着头说:"我以为你老兄是来谈生意的呢。如此一来,

避税的人情,我是还不了你了。"

来俊臣忽然意识到了什么:"老弟,我不是来摸底的,你千万别误会。"烟土行最讨厌以谎言方式刺探对方情报,所以温义得知川下组派金先生做卧底,便做出了要把川下组送进虎口的决定。既然来俊臣不是谈生意,那他来到温家帮的目的就难说了。温家帮所在地点之偏僻难以想象,不可能有顺路之类的借口。来俊臣在烟土行滚爬了几十年,清楚温义的心思,他立刻将来龙去脉交代了。

来俊臣真把公司关了,他算计着自己的钱几辈子也花不完,于是立志做个行者,游遍天下。去年十月份他跑到欧洲,开始了漫游经历。这家伙走了几个欧洲国家,满眼都是凋敝的废墟。在欧洲待了三个月,来俊臣上飞机去了印度,上个月跑到仰光。本来他准备从仰光直接回上海,休整一段。但来俊臣在缅甸听到了不少关于温家帮的传闻,说唱艺人把温二少爷的事儿谱上了曲调,游唱于大街小巷。在缅甸人嘴里,温二公子简直是神仙下凡,什么希奇古怪的事都与他有关。来俊臣越听越好奇,找了几个翻译,专门把温二少爷的事翻给他听。根据缅甸人的说法,克钦人因为认识了伟大的二公子,整个民族就聪明了,连中国远征军都不是其对手。另外温二公子曾经放了一把天火,把日本人的一个联队给烧成灰烬,又利用日本人的骨灰当肥料,种出了上等的大烟。还有一种说法,说温二公子的银子无数,如果用他的银子修一条海堤,能从仰光一直修到孟买。来俊臣听得目瞪口呆,当年的毛头小伙子闯出了这么大名气!难道这些都是真的?于是他决定亲自来温家帮拜访温义,看看这小子是不是有传说中那般神武。于是来俊臣来到了昆明,辗转了几天总算找到了温义。说到最后他无限感慨地说:"老弟,你都成神话了。这一路我一直在打探你的消息,不光是缅甸人随意糟蹋你,滇西北的老乡也说:你是二朗神转世,裤裆里藏着第三只眼。"

温义下意识地摸了摸裤裆,心说这完全是胡说八道,败坏自己的名声。身后的张奇夫昂着脑袋说:"我干爹是玉皇大帝转世,想收拾谁就收拾谁。"

温义瞪了他一眼:"不许胡说,那是有人故意编派我!"

来俊臣哈哈笑道:"反正我不吃这碗饭了,你也不用担心。现在你我是普通朋友,我就是觉得奇怪,这些事真是你做的?"

"传说就是传来传去的胡说。"温义不得不把这几年的遭遇说了说。在他看来,自己所做的一切都是顺理成章的,但来俊臣却听得心惊肉跳,不时发出唏嘘声。讲述完毕,温义摊开手:"我不过是希望多卖点儿烟土,发展温家的事业。日本人啊、滇军军阀啊都跟我过不去,我只是想把他们请到一边去,别挡我的路。"

来俊臣满脸不可思议:"日本人完蛋了,龙主席下野了,你的对手全没了。"

"我本来就没想过找什么对手。不过,现在我温家的烟土的确是行销天下了。"温义开始眉飞色舞,他指着普拉底的街面,"我温家帮把这地方整治得如何?帮众安居乐业,设施应有尽有,上海老百姓的生活也不见得比我们滋润,大家伙儿都是温家帮的股东。"

来俊臣手指北方:"那个方向盘踞着蒋总统的对手,如果他们打过来了,你我的好日子就到头了。我要移民新加坡,省得将来太狼狈。"

温义认为来俊臣是杞人忧天:"我没有得罪过共产党,何况我云南之地如此偏远。即使他们打赢了,服从他们的领导不就得啦。就算他们不让我种大烟,我靠温家帮的积蓄一样能活下去。"

"我去过苏联,事情不像你想象得那么简单。"来俊臣知道他不了解共产党,"他们是要均贫富的,讲究阶级矛盾。你我怎么说也不是无产阶级吧?何况咱们中国人历来就毁宗庙,烧社稷,旧势力的一切都要被消火。"

温义对苏联的情况并不了解:"苏联到底怎么样?"

来俊臣叹息一声:"这次出国名义上是旅游,实际上是考察,为自己找一条路,安身而已。留在国内当然好,所以我把苏联的情况也了解了一下。他们有工厂,有集体农庄,上班就给钱。但他们不允许私人拥有过多财产,更不允许所谓的创业。"

"那私人又何必干活呢?跟着起哄不就完了?"温义大惊,这样的社会闻所未闻,社会难道不是私人组成的?

来俊臣说:"苏联未来的命运我不知道,但有本事的人不会在这样的国家生活,没有空间。"

温义吸了几口气:"这么说,即使我是穷人,也翻不了身了?"

"不过也饿不死你。"来俊臣嘿嘿地笑了起来。

温义还是不死心:"好在我们温家帮没有剥削,大家都是为自己做事。"

来俊臣冷笑着道:"做的什么事?"

温义"啊"地叫了一声。对呀,他们温家帮是百年的烟帮,怎么把自己是干什么的都给忘了。但温义还是觉得未来不至于如此,希望总是有的。来俊臣因为洗手不干了,才满脑子消极思想。他忽然想了起来,前几天大哥来信说,国军的重点进攻初见成效,延安即将被攻克,共产党的老巢完了。但来俊臣怎么一见面就给党国唱丧歌?他把这个问题摆了出来,来俊臣也知道他没什么恶意，索性笑说："中国是农业国，只要农民信了你的话，就一定能夺权。"

下午温义领着来俊臣参观了温家帮的白粉工厂、小水电站和学校，还重点带他到医院里看了看。来俊臣一个劲地赞叹："了不起，云南有几座水电站？"

温义说："两座，另一个是省主席为自己的别墅修的。"

四

当晚温家帮大排宴席，温义当着众人拼命给客人戴高帽，号称温家帮之所以有今天，与当初的逃税有莫大关联。多亏了来先生的无私指导，否则温家帮几十万的银子就便宜给省主席了！手下人纷纷向客人敬酒，来俊臣不得不推诿招架。酒喝到一半，来俊臣有点高了，拉着温义说："我想去新加坡定居。我在欧洲碰上了一个新加坡人，那是个了不起的人物，有机会你应该见一见。"

温义骄傲地说："高人还能高过房梁？"

来俊臣说："把你平生所见之人加在一起也不如他，新加坡有了这个人，是福气。"

温义撇了撇嘴，把酒杯送到来俊臣嘴边："喝，接着喝。"

当夜，所有人都喝多了，除了温义。

他告诉罗敷，准备行囊，自己要出远门了。罗敷问他去什么地方，温义说："我要看看，新加坡那小地方能出什么高人。"

第二天来俊臣刚刚起床，发现温家门口停着两辆崭新的吉普车，老鸦正带着人往车上装东西。温义叉腰站在门外，吆喝着指挥。

来俊臣吃惊地问："你要出门？"

温义说："咱们一起去新加坡，我从来不相信世界上有什么高人，都是猪鼻子插大葱，装象。"

温义以会高人的名义想去新加坡，罗敷死活要跟着。几经交涉，温义只得答应带着老婆一起去。后来张奇夫也想跟着，温义觉得让干儿子多见见市面也好，反正虱子多了不痒，索性全带上。

从温家帮到昆明至少要走上三天。路上来俊臣问他："去新加坡是不是另有目的？"温义明目张胆地说："高人是要会一会，另外新加坡那地方交通便利,辐射南洋。我想把新加坡变成中转站,温家帮的烟土要通过这个码头,走向全世界。"来俊臣笑道:"我猜你就这么想的。上海必然没落,不能再指望了,新加坡的确是个好去处。"

龙主席下野了,温义他们出入昆明也就方便了。张快准备了机票,大家第一站飞到了吉隆坡,然后坐上火车便到了狮城。温义常年与东南亚打交道,但最远的仅是到过泰国。在心理上,他对东南亚当地人有些蔑视,他认为热带人脑筋不灵便,人也比较懒,吃了上顿就不想下顿了。新加坡是例外,这是一个典型的华人世界,与中国的南方城市没多大区别。另外新加坡刚刚经受了战争洗礼,凋零而破败,市容实在不敢恭维。温义本来认为,张奇夫会因为出国而兴奋不已,但这孩子并没有表现得大惊小怪。他问干儿子,这地方比日本的城市如何?张奇夫说:"差远了,还不如昆明呢。"

当时大马和新加坡也是英国殖民地,但英国人自知其统治不会太长久,索性就来了个大省心,能不插手的事坚决不插手,让这两个地方处于半自治状态。由于温义和英国的远东当局联系紧密,到新加坡后,当局招待他住进了官方的豪华饭店。看在豆敦和方敦的面子上,马来总督还象征性地与他见了一面。闲暇时温义偷偷跑到码头上,观察港口的水文情况。他断定这个地方必然成为交通枢纽,其海运价值不可估量。于是他通过私人关系,将自己驾临新加坡的消息传了出去。当地黑社会的头面人物听说温二公子来了,于是排着队前来参见,都希望与温二少爷洽谈烟土事宜。罗敷在这些头面人物家眷的簇拥下也风光了,她以温夫人的名义受邀出席了不少社交舞会,一时间成了狮城的名人。

让温义大为不解的是,来俊臣一直吹捧的高人并没有出现,难道这家伙比总督还忙吗?他向来俊臣问起这个事,来俊臣不好意思地说:"人家听说你是烟帮的,本不愿意见你。我说你治理温家帮的理念可以借鉴,人家这才答应考虑考虑。"温义如吃了只苍蝇,这人如此看轻自己,倒要看看他是什么货色。他决定,一旦见了面,先给那家伙一点颜色看看。

两天后,来俊臣带来了一位高个子年轻人,此人姓黎。黎先生目光深邃,额头宽阔。见了面温义立刻打消了找人家麻烦的念头,此人的雍容气度让温义产生了仰视的感觉,这是从未有过的现象。

黎先生礼貌地打量他:"温先生祖上一直住在西南?"

温义老老实实地回答:"据说祖辈在缅甸住过百十年,具体的事我不大清楚。"

黎先生点着头说:"应该与资料上介绍的差不多,温家的血统让人羡慕

啊。你们家是明朝皇族,随永历皇帝逃到缅甸。缅甸内乱,你们回了云南。"

来俊臣惊叫道:"他家姓温,明朝皇族姓朱。"

黎先生说:"永历皇帝逃到缅甸时,被吴三桂追杀,缅甸不得不把他交出来。皇帝死了,但部分皇族就落在缅甸了,因为怕惹麻烦就改姓了温。后来温家成了缅甸的望族,参与过政变。战争失败后,一部分人回到云南,应该是在乾隆时的事。"

温义听得云里雾里,原来自己的血统如此高贵!如果有金先生在场,或许可以显摆一番了。他不好意思地说:"明朝的皇帝没干过什么好事,亡国亡得那么凄凉,其实是活该。"

黎先生笑道:"你倒洒脱,换了别人或许欣喜若狂了。"

三人品了咖啡,来俊臣将谈话引向正题:"黎先生对温家帮管理方面的经验很有兴趣,想听听你的高见。"

温义谦虚地说:"昆明人说我们是个乌托邦,也有人说温家帮是怪胎,怪胎的经验不足挂齿。"

黎先生说:"从进化学角度上说,第一个人类的出现,必定是怪胎。三百年前荷兰举行市民选举,欧洲人也认为尼德兰是怪胎,政权无法长久。现在全世界都成了他们的效仿者。"

温义得意地笑了几声,黎先生是个语言天才,依照他的说法,温家帮就是亚洲的先驱者了。他不得不端正态度,正经地说:"现在温家帮有上万之众,但万众一心,这就是成功的关键。"

黎先生坐直了身子:"我一直在思考这问题,如何能做到万众一心?"

"西南地区到处都有烟帮,与他们比起来我们没有任何优势,甚至土地比他们的还要贫瘠些。事实是那些烟帮大多沉沦,只有我温家帮傲然屹立。原因就是我们通过两代人的努力,把大家拴在了一条绳子上,温家帮是利益共同体,利益一致自然万众一心。"接着他把温家帮的组织情况详细介绍了一遍,最后他自得地说:"温家帮的人都是股东,人人利益相关,所有人都有权利参与决策,在这一点上,我们比西方的民主选举更能凝聚人心。他们选举是真的,但利益是虚的,嘿嘿,我们把二者结合了。"

黎先生说:"这种做法与经营企业差不多。"

温义笑道:"人类社会就是企业。难道国家不是企业?政客就是贩卖口号的企业家。如果企业能把员工们团结在一起,企业就没有不成功的道理。中国传统的驭民之术,是让百姓之间或者官员之间互斗,人为地割裂族群,统治者以平衡术来获得利益。那是蠢才想出来的蠢办法,只有蠢才才会这么

干。"

黎先生闭目冥思了一会儿:"国家是企业!这话倒是头一次听到。"

"我温家帮实践了几十年,行之有效。"温义终于扬眉吐气了。

此后黎先生没怎么说话,似乎陷入了思考。十几年后,黎先生在东南亚曾风骚一时,他的集团的管理模式,也曾被许多企业纷纷借鉴和效仿。

五

新加坡市场狭小,但这地方与欧洲联系密切。温义与当地烟帮的头领们商量,借新加坡的海运,将三九牌白粉运进欧洲。当地烟帮说欧洲人对质量要求苛刻,温义拿出了金先生利用日本最新技术生产的白粉。众人惊诧不已,纷纷夸奖温家帮技术高超,无愧于三个九的品牌。

离开新加坡后,温义他们从马来西亚转道回国。罗敷对这次南方之行没什么好感,这地方又穷又脏,而且热得让人受不了。

在吉隆坡机场外,温义碰上了一次暗杀行动,目标竟是自己。当时温义看到一个枪手在马路对面举起手枪。温义四下打量着,想看看谁是倒霉蛋。突然间张奇夫纵身跃起,一肩膀将干爹撞倒在地。枪响了,子弹擦着张奇夫的头皮过去了。张奇夫拔枪还击,对手一溜烟地钻进胡同,没影了。

温义坐起来,莫名其妙地说:"那家伙是不是看错人了?"罗敷铁青着脸跑过来:"肯定冲你来的。"张奇夫拼命点头:"干爹,你差点让人打死,赶紧上飞机。"张奇夫和罗敷拽着温义,把他弄上了飞机。温义在舱门口还不住地向下面张望着。什么人要杀自己?温家帮没有仇人,难道是川下组的余孽?

当时的飞机还是活塞式的,噪音奇大,机舱里的空间狭小。

起飞后,温义、罗敷和张奇夫挤在一起。他依然想不明白:"那小子真是冲我来的?"

罗敷说:"他还没拿出枪时,我就发现他一直盯着你。"

温义捂着脑门说:"咱们在南洋没有仇人,温家帮的仇人都完蛋了。"

张奇夫小声道:"干爹,川下组?"

温义摇着头说:"川下组的人到现在也不知道他们是怎么死的。"说着他拿出一个弹头,递给二人。温义身手灵活,逃走前把弹头顺手拿上了。

罗敷当过特务,立刻道:"这是勃郎宁的弹头。"

温义翻着眼睛:"是美国枪。日本人我是了解的,即使搞暗杀,也不会用

其他国家的枪械。"

罗敷知道丈夫的推测是正确的,那么到底是谁想要温义的命呢?

从吉隆坡飞到昆明需要五个小时,他们找不出头绪,想到后来三个人都困了。乘务员把他们叫起来时,飞机正准备着陆。

昆明的巫家坝机场曾经是驼峰航线的终点,几千万吨的援华物资就是从这里运到战场,运到黑市,运进权贵们的腰包。经过几年扩建,这座机场现在是中国最现代化的机场。温义等人刚从机舱里钻出来,一大群记者便冲进停机坪,有人举着笔记本,还有人托着照相机,那些家伙疯子似的向飞机跑过来。温义好奇地向机舱里看了一眼,难道飞机上还坐着什么明星、政要?实际上他没有看到任何熟悉的面孔。三人下了旋梯,记者们竟把温义围在了中间,照相机噼里啪拉一阵乱闪,温义抬着胳膊叫道:"你们认错人了。"

有个记者喊道:"您是温二公子吧?你是温家帮的实权人物,问个问题。"

温义诧异地看着妻子,罗敷也惊得说不出话来了。温家帮二公子能有什么新闻价值?这群记者吃多啦?温义不愿意与这群无聊的人纠缠,拉着干儿子和老婆拼了命地往外挤,口中高叫道:"我不认识你们,让开,都让开!"

记者们前呼后拥,包围圈越来越小。有记者喊道:"温先生,社会上风传,温家帮非法制造毒品,大量走私白粉,还与军统勾结甚密,官员们中饱私囊。您对此做何解释?"

三个人同时站住了,温义的脑子跟活塞发动机似的,一秒钟内转了几千圈。怪不得这些人要围着自己,原来温家帮与军统合作的事被人捅出去了!难道整个昆明城都知道这事啦?他忽然觉得,吉隆坡的暗杀与这事有关。但消息到底是谁捅出去的?军统的态度又如何?一时间温义脑子里充满了疑问。

温义愣神间,记者们彻底把三人围住了。又有记者问:"您每年要给军统多少钱?"有人说:"听说三个九的白粉就是温家帮的,你们一年产量多少?主要销往哪里?"一膀大腰圆的家伙叫道:"听说你与孔二小姐也有关系,请问孔二小姐在合作中扮演什么角色?"

温义彻底怒了。孔二小姐是孔家的二闺女,总统大人的外甥女,素有"男人婆"之称,据说风云叱咤,包养着不少年轻男子。如果说某某人与孔二小姐有关系,等于是骂人。温义往那家伙脸上啐了一口,骂道:"早晚我阉了你。"说着他向张奇夫使了个眼色。干儿子心领神会,把脑袋一低,牛一样地向前方冲了过去。温义拉着罗敷跟着干儿子一起往外冲。那一年张奇夫也就十六七岁的样子,浑身精肉,健壮之极。记者们没想到这年轻人会来这一手,阵形立刻被冲得东倒西歪,不少人被撞了个四仰八叉。温义他们趁乱拼命往外

跑，一口气冲出机场大门，记者们依然在后面追。

机场外，温家帮的吉普车正等着他们。三人气急败坏地钻进车厢，温义命令开车的虎豹："马上找张快，问问这到底是怎么回事？"虎豹发动车子，脸上全是苦笑："报纸上说，张先生和咱们是一伙的，前几天报社把他开除了，好多人正在找他。那小子躲起来了。"温义用拳头捶打自己的脑袋："我才出去两个月，怎么闹出这么多事？是谁干的？"虎豹咧着嘴说："不知道！该死的报纸就知道瞎吵吵，往报馆里扔几颗手榴弹，保证全老实。"温义"哎呀"了几声："你千万别这么干。马上，找张快。"

此时张大记者成了热锅上的蚂蚁，温义回来之前，他是昆明城里最炙手可热的新闻人物。这小子真吓坏了，躲在滇池附近的小村子里假扮农民。温义找到他时，这家伙穿一身破烂衣衫，头上裹了包头，居然还戴了副墨镜。温义被他这模样气乐了："简直像一只癞蛤蟆。"

张快顿足捶胸地说："关键是不能让人家找到我。"

温义拉他坐下："到底怎么回事？"

张快神经质地四下看了几眼："什么也别说了，赶紧带着我去温家帮。咱们一起走，昆明不安全。"

罗敷"哼"了一声："我在吉隆坡就差点被人打死，回温家帮有好几百里，谁能担保半路上不被人干掉？"

张快绝望地向天上望了一眼，心说这话算是说到点子上了。

三天前，发行量最大的《昆明日报》登出了一篇爆炸性文章。文章说温家帮与军统机关勾结一气，制毒贩毒，戕害人民，天人共愤！结果一石击起千层浪，当天昆明城就炸了窝，数千人跑到大街上游行，要惩办温家帮，取缔军统机关，结果连军统在昆明的办事处都差点被暴民砸掉。如今整个西南都知道温家帮和军统的关系非同一般，民怨沸腾，社会上充斥着喊打声。

张快说到这儿，温义拍着桌子叫道："是哪家报纸敢和军统过不去？他们吃了什么了？"

张快急忙说："虽然说戴局长的飞机撞了山，人也死了，换了毛局长，但这个事军统也不能答应。报社老板也挺委屈的，总编和记者事先根本没见过这篇文章。听说是在印刷厂被人做的手脚，报纸一出来，工厂里的好几个骨干就失踪了。妈的，文章里还说我是你的走狗。我怎么能是走狗啦？我是股东。我们报社总编吓得尿了裤子，他说留着我，会影响报社声誉，我就失业了。其实大家早就知道温家帮是怎么回事，主要是军统名声太臭，把咱们连累了。"

温义挥了下手："到底是谁想坑咱们，谁会在印刷厂里做手脚？"

张快摊开手说："不知道啊。"

罗敷在丈夫肩膀上点了一下："还用问？谁希望西南几省乱成一锅粥？"

其实温义想到了这一点："难道吉隆坡的事也是他们干的？"

罗敷说："没错，是军统干的。他们希望你死在外面，省得给他们找麻烦。"

温义骂道："想杀我灭口！我每年给他们十几万呢，白眼狼！"

张快急急地说："现在说什么都没用，他们是自身难保。赶紧走，回了温家帮就安全了。"

温义看了罗敷一眼："路上更不安全。"

罗敷冷笑道："军统说不清楚了，一定要杀你了事。"

温义仰天哈哈笑了几声："好啊，那我他妈的还不走了。"

张快的鼻子眼睛挤到一处，双手乱舞："不走大理那条路不成吗？咱们绕路，咱们多绕几圈，没准儿就把他们蒙过去了。"

温义没搭理他，反而拍着张奇夫的肩膀："小子，敢去军统办事处吗？"

张奇夫一梗脖子："他们算什么东西！"

温义别提多喜欢这孩子了："不愧是我温义的干儿子。你现在去，告诉那个姓张的王八蛋，我温义在滇池边上等着他，让他马上给我滚过来，否则我就把所有内幕全部捅给新闻界，让他吃不了兜着走。"

张奇夫眼里闪着光亮，骄傲地问："干爹，按原话说？"

温义双手叉在腰间："就按我的原话说，一个字都别改。"

张奇夫雄赳赳地走了，张快的舌头耷拉在下巴上，整个人都蔫了。他想，温义脑子里进水了，他想拿鸡蛋碰石头！

六

人生就是一顿饭接着另一顿饭，无论碰上什么艰难险阻，饭总是要吃的。张奇夫离开了半小时，温义独自在滇池边上转悠。滇池是云南名胜，游人无数，饭馆林立。他挑选了一家清雅的饭馆，整个包了下来，还让跑堂的把店里最好的红木桌案摆到湖边。布置停当后，温义点了汽锅鸡，要了锅花江狗肉，一壶黄酒。温二少爷守着湖边山色，逍遥自在地自斟自饮。

不一会儿，鼻青脸肿的张奇夫被几个彪形大汉推了来，为首者是张中校。啊不，他已经升职了，现在是上校了。温义是连看都不看他们，继续吃狗肉、喝黄酒。张上校皮笑肉不笑地走过来，大汉们则按照方位站好，把温义的退路都堵住了。

张奇夫大声说:"干爹,姓张的王八蛋滚来了。"

张上校气得放了个屁:"你他妈才是王八蛋呢,我撕你的嘴。"

温义开心地笑着,手指着对面的位子:"何必与孩子一般见识?你越来越长出息了,坐吧!"

张上校不放心地四下张望了一会儿,饭店里果然只有温义一个人。他战战兢兢地坐下来,咽了口唾沫说:"温二少爷,您可真是大少爷。"

温义给他夹了一块肉,又倒了一杯酒:"我本来就是少爷。戴局长死了,听说您又上升了,您现在是军统的第三号人物了,可庆可贺!"

张上校担心温义在肉里放毒,没敢动筷子,以手指轻轻点着桌面说:"温二少爷,不说别的了。如今整个西南数省都嚷嚷开了,说我们和你是合作关系,党国的形象给败坏了。"

温义阴险地托着下巴:"难道咱们之间没有关系吗?这是敌人的计谋,就是要在党国的后院里点一把火,咱们不能自乱阵脚。"

张上校苦笑着:"我们乱不了。虽然你我有交情,但我本人不想把你怎么样,但毛先生的命令来了,说要快刀斩乱麻。"

"所以你想在吉隆坡把我干掉,我一死就什么事也说不清楚了,对吧?但死无对证,难道你们想自己背着屎盆子?"温义似乎在探讨别人的事,脸上一直是灿烂的微笑。

张上校晓得温义主意多,担心夜长梦多,他突然拔出了手枪,几个大汉也同时把手枪都掏了出来。黑洞洞的枪口对着温义和张奇夫,温义不动声色地看着他们,张奇夫见干爹面无惧色,索性把胸脯挺了起来。张上校咬着牙,发着狠:"我什么都不听。温二少爷,我可要对不住你了。"说着,他一扬指头,手枪的保险打开了。

温义低声下气地说:"杀我,就这么容易吗?"众人都是一愣。对呀,大名鼎鼎的温二少爷就这么窝窝囊囊地死啦?谁能信?突然温义把上衣扯开了,张上校的手枪差点掉在脚面上,温义胸前居然绑满了黄色炸药。一旦开了枪,所有的人都得见阎王爷。温义调皮地怂恿他们:"开枪,开了枪,大家一起走,黄泉路上多热闹啊!"张上校倒退了两步,手下人也都惊了。温义忽然在桌面上捶了一拳:"蠢才,废物!杀了我就能解决问题?我温家帮上下万余人,只要留下一个活口,就能把证据送到南京去。杀了我,咱们谁也好不了。"

在云南,温家帮不好惹是常识。龙主席集一省之力才勉强与他们闹个平手,日本人扔了一个联队也没有讨得半分便宜。张上校索性把枪揣了起来,

249

探着身子:"二少爷,你说现在怎么办?"

温义坦然地说:"让你的毛局长先生调一个军,把我温家帮彻底铲除掉,杀个鸡犬不留。"

张上校急得原地转了一圈:"那怎么可能?即使戴先生活着也调不来一个军,就是真来了一个军,你们扭脸就跑缅甸去了。"

温义赞赏地说:"孺子可教!"

张上校气得小脸通红:"总得想个办法吧?总得收场吧?现在天天有人游行,天天有人闹事,这个消息传到南京就真麻烦了。"

温义从怀里拿出个本子,撕下来一张,是支票。他在支票上签了名:"拿去,这是十万块,你买通昆明所有的报纸和电台,再找几个写手,公开辟谣!就说这是敌人的阴谋,是故意破坏党国安定团结的局面。我温家帮曾守土抗敌,是党国栋梁,与军统毫无关系。"

张上校不大相信:"谁能信?"

"报纸上天天写,电台里天天说。天天说,月月说,保证能有人信。谁的声音大,谁就是世界的主宰,糊弄老百姓,其实一点都不难。"温义见张上校没有取走支票的意思,沉着脸道:"不听我的,大不了就同归于尽,难道你们连报社、电台都摆不平?"

支票在张上校手里掂量了几下,他的目光落在温义胸前的炸药上,狐疑地问:"真能成?"

张奇夫闪电般拔出手枪,猛地顶在张上校脑袋上,怒不可遏地对着他的耳朵喊道:"你敢不相信我干爹的计谋?你这个王八蛋,我一枪打你俩眼。"

张上校歪着脑袋大叫:"二少爷!二少爷!二少爷!"

温义抱着胳膊站起来,在军统特务的脸上扫了一眼:"知道我温家帮都是什么人了吧?就凭你们?哼!"

此后一段时间,温义亲自坐镇昆明。他吸取了当年预交税款而没有买通舆论的教训,与军统通力合作,花大价钱收买了一批写手。不久,昆明、贵阳、桂林甚至重庆的报纸上都出现了温家帮的正面报道,什么栽赃温家帮天理难容;什么温家帮保家卫国,天人可鉴;什么温家帮十年前便改种水稻了,如今正在实验新稻种云云。有人甚至把温家兄弟火烧日军联队的事编成了小说,在电台里反复播放。至于他们与军统合作的话题,温义决定:何必此地无银?提都不要提。

这类舆论刚出现时,社会上是一片鄙夷声。所有人都明白,这是温家帮在自吹自擂。游行照旧,请愿照旧,对温家帮的谩骂照旧。张上校恼怒地说:

"钱白花了,狗日的不买账。"

温义说:"我告诉过你,要天天说,要月月说。"

随着时间的推移,连篇累牍的正面消息充斥着人们的视线。一个多月下来,关于温家帮的争论果然越来越少,游行的队伍虽然还有,但只剩了区区几百人,明显成了强弩之末。

两月后,新的爆炸性消息出现了。报纸上刊登了四川东部、湖北西部的山区里发现了人猿杂居的原始社会,就是传说中的野人,据说他们是人与猴子相互交配而生出的新物种。整个社会的注意力立刻被吸引了过去,有人说那是人类二十世纪最伟大的科学发现,有不少人要组织探险队,去山里看个究竟。甚至有个民间组织声称,应该召集大学生志愿者在大学进行科学实验,看看人和猴子交配到底能生出什么玩意儿来。

野人的新闻出现后,再没人注意温家帮和军统的事了。实际上云南到处都是种大烟的,这种事闹一闹也就过去了。

一日午后,张上校又到了滇池。湖边支起了一把遮阳伞,温义和罗敷正在伞下喝茶。远远望去,俨然一对富家的恩爱小夫妻。

张上校走过去,撇着嘴说:"现在大家都想看看人和猴子到底能生出什么。你的命好,当时毛局长已经有了鱼死网破的念头。"二人看了他一眼,罗敷哈哈大笑起来,笑得花枝招展,笑得张上校浑身不自然:"你们……你们笑什么?"

罗敷眯着眼睛问:"人和猴子交配,能生什么呢?"

温义非常认真地回答:"蠢才就是这么出来的。"

张上校将报纸摔在桌子上:"秭归一带的确出现了野人,很多人亲眼见过。古书上也有野人的记载。多亏了这个事,要不他们还揪着咱们呢。"

温义怜悯地看了他一眼,扭过脸去不再搭理这家伙。罗敷不愿意把老上司得罪得太狠,微笑着说:"上校,您先坐下。我告诉你,这主意是我们俩一起想出来的。如果人和猴子的交配无法转移他们的视线,我们就准备换成人和狗。什么古书记载,什么当地传说,这工作不是非常简单吗?只要花了钱,什么样的瞎话编不出来呢?"

张上校似乎吞掉了一只活蛤蟆,眼珠子鼓起半寸多高:"什么?这么有鼻子有眼的事,是你们俩编出来的?"

"我是燕大哲学系的,有一门课程叫'传播与社会发展',就是研究如何制造社会舆论,如何引导社会舆论,如何利用社会舆论。我们先用新闻轰炸,把温家帮的负面影响冲淡,然后以突发事件和爆炸性的新闻突然介入,这样就可以彻底扭转人们的注意力。"罗敷讲课似的,把操作过程解释得非常详尽。

251

温义转过脸,轻蔑地说:"在中国办事,一手枪杆子,一手笔杆子,把这两样东西利用好就无往而不胜。你们要是请我去当行政院院长,出不了一年,我就能把民心争取过来。这是科学。嘿嘿。"

张上校对这两口子只剩下钦佩,当天他用公款请这二位好好地吃了一顿。

七

有趣的事永远能吸引人的眼球。民国三十七年仲夏,温义为了将人们的注意从贩毒事件上转移,利用从长江船工那里听来的传说,编织了秭归、神农架一带野人出没的谣言。注意力的确转移了,很多人都信以为真。此后好事者将一些支离破碎的资料和传闻,牵强附会地融入到这谣言里,使之更加神秘难测。

温家帮和军统的合作危机解除了,温义他们准备回普拉底。张快说:"我不愿意再在城里待了,我们全家都要搬到温家帮,安全。"温义琢磨着,在昆明有个人终归消息灵通,希望他能留下来。就在这时温正来信了,他在信上说自己正在徐蚌前线作战,东北即将沦陷,中原危急四伏,乃党国生死存亡之秋!温正要求温家帮捐出全部家产,救党国于危亡。温义把信藏起来,通知张快,到温家帮入伙。

路上,张奇夫好奇地问:"干爹,军统的人看着都像木头,笨死了。那样的人是怎么当的官?"

罗敷说:"他们怎么像木头了?"

张奇夫撅着嘴说:"反正他们在干爹面前跟小孩一样,想怎么要就怎么要。"

温义思索了好一会儿,想不出如何向干儿子解释。罗敷扑哧一声笑出来:"你干爹什么都不信,什么都不在乎,所以你干爹什么事都能干成。"

温义含情脉脉地看了妻子一眼:"奇夫,你干妈说得对,除了人情,什么都不要信。"

张奇夫皱着眉说:"为什么要相信人情?"

"本能!"温义斩钉截铁地回答。

温义似乎在抢时间,他们星夜兼程地往普拉底跑。这一来张快一家人被累惨了。于是他让张快带着家人,在后面慢慢走。张快惊道:"什么事这么急？"温义说："急事,要不就跟上,要不你就自己走。"张快只得训斥家人,不许说累。

第二天中午车队开到普拉底。正是割膏季节,怒江两岸开满了艳丽的大烟花。由于温家帮的存在,附近的大烟场基本绝迹了。烟农收了烟膏,直接送到普拉底就可以换到现金。

张快向外张望着,大地似乎披着一条绚丽的丝绸,漫山遍野的罂粟花,将普拉底打扮得如童话世界。他忽然感慨起来："我和二少爷认识了二十年,今天才觉得,这东西是真好看。"

温义开着车说："明年也许就见不到了。"

"除非是变了天,嘿嘿。"张快没听出弦外之音。

车队开进卡子,士兵们发现二公子回来了,欢呼起来。温义没下车,指着卡子上的少尉道："用卡子上的电话,联络中尉以上的军官到学校里开会,说我回来了,有重要的事和大家商量。把镇长和各位老爷也请来。"

少尉啪的一个立正："是！"

吉普车队开进普拉底,罗敷疑惑地问："有什么事？"

温义瞥了张快一眼："谁说变不了天？没准儿明年真要变天了。"

车队直接开到学校,温义心事重重地下了车,张快追了上来。温义把哥哥的信递给他,张快看得身上直起鸡皮疙瘩,小声说："这种事怎么告诉手下人呢？干不干全在你。"

温义笑着说："你刚进温家帮,该学的东西很多。"

温义一刻都没敢耽误,当天就召开了干部扩大会议。中尉以上的军官都到了,还有普拉底的老镇长、各位乡绅以及老鸦等元老级的人物。他在大庭广众之下,将温正的信高声朗读了一遍,随后询问人家的看法。

虎豹头一个站起来："二少爷,没什么可说的。你说怎么办就怎么办。"他声如洪钟,嚷嚷了好几声,却没一个人出来响应。

温义拎着一杆大烟枪,在手里把玩着,湘妃竹的杆子,石榴石的嘴儿……

"咱们温家帮有章程,我们家只有三成股份,其他的都是弟兄们的。这事儿我不能替弟兄们和乡亲们做主。大家有什么想法,尽管说。"

镇长是位七十多岁的老乡绅,当初是他极力邀请温家帮落户普拉底的,在当地人心目中的威望颇高。老镇长以长者的身份说："我这个镇长是政府任命的,按说应该响应大少爷的号召。但我也是温家帮的人,党国跟咱们没啥关系,他们从来没给过咱们一分钱。再说大厦将倾,独木难支,咱们认识蒋总统,他不认识咱们,为了个不相干的人把家底拿出去？万一共产党打过来,知道咱们资助过蒋总统,那咱们两边都不是人!二少爷,您要仔细想一想。"一群老人随声附和着,教室里传出了一片叹息声。老鸦气呼呼地站了起来:"党国跟龙主席是一伙的,专门跟咱们过不去,大少爷是走火入魔了!二少爷,让虎豹带些人去安徽,把大少爷绑回来。"

众人齐声叫好,温义笑了出来:"我大哥现在是副军长,身边有一群警卫呢。"

罗敷关切问:"你是怎么打算的?"

温义大声说:"我大哥的担心也有道理,如果共产党来了,咱们的生意就干不下去了。凭咱们这几千人,讨不到好。"

张快凑到他身边,对着温义的耳朵说:"咱俩出去说,我有个主意。"

温义朗声道:"你就站在这儿说,大声说,温家帮没有背人的事。"

张快尴尬地站了一会儿,自成人以来他没在这么多人面前说过真话,真有些不适应。张快好不容易才把情绪调整好:"我的意思是不能在一棵树上吊死,偷偷和共产党联络,只要他们过了长江,咱们就改名叫滇西北纵队,到时候,咱们也是开国功勋。"

人群里嗡嗡响了一阵儿,老镇长大声说:"过得了长江吗?那是天堑,想当年曹孟德兵败赤壁……"

温义赶紧挥手制止他:"老镇长,赤壁大战到现在快两千年了,早不一样了。日本人隔着大海都过来打咱们了,美国人越过太平洋把日本给灭了,长江就一条臭水沟。"

镇长失望地说:"这么说党国真完啦?"

张快说:"所以咱们不能和党国的船一块儿沉下去,新船来了,咱们争取让新船把咱们捎上。"

温义托着下巴想了一会儿,来俊臣的话在他耳边回响起来,但他终归不信,他说:"咱们没有得罪过他们,联络一下终归是条路,摸摸底吧。实在不成,咱们可以跑。"

会议决定,双管齐下,既要准备逃跑,也要准备谈判。至于温正的要求,所有人都没当回事。

此后几天,温义、张快他们商量着如何与北方人取得联络。罗敷拿出了西安的几个地址,她当特务时曾经调查过这几家的主人,其中肯定有人通共,但他们没有抓到证据。罗敷认为通过这些人可以找到他们的组织,当然如果西安陷落了,就更好办了。温义派张快马上去西安,谈判的底线是温家帮放弃烟土生意,成立纵队,通电起义,新政权允许温家帮以现在的方式存

254

在,不追究温正。温义又偷偷派出几个保镖去安徽,一来是保护大哥,二来在关键时刻把他抢回来,不能让他殉国。另外温义命令虎豹拓宽通往缅甸的道路,还要与缅北部落保持密切接触,实在不成就跑到缅甸去。计划完毕,张快带着随从出发了。

除了烟土,温家帮的人多了一层心事,大家对战局更加关心了。温义思考良久,觉得虎豹不善于处理人际关系,就又把老鸦派到缅甸去了,希望克钦土司能给温家帮预留一块落脚地。好在野人山一带人迹稀少,看在往日交情的分上,土司网开一面的可能也是有的。当然温义做好了最坏的准备,如果共产党、克钦人都不愿意接纳温家帮,那就只有靠实力说话了。他通过新加坡的朋友给方敦带了消息,准备购买一批最新的装备。

张奇夫想跟老鸦一起去,温义说:"你小子不能去,万一谈不成,你动了手就坏了。"

张奇夫惊讶地说:"干爹,你怎么知道我想动手?"

温义冷笑一声:"在我身边待着吧。"

八

几天后,几个身穿中山装的官员开着小车来了。卫兵们担心是奸细,把这些人堵在了卡子上。那些家伙老大不满意,与士兵发生了口角。温义赶到现场时,士兵们把枪栓都拉开了。那些家伙脸色铁青,玩儿命般嚷嚷道:"温团长,你的兵太不讲理了。"温义一直督促手下,除了客商,任何人都不得随便放进温家帮。这几个家伙口口声声地叫团长,肯定是代表官方来的。他询问了几句便证实了,他们从昆明来的,号称代表省政府来传达指示的。

龙主席下野了,云南当权的是卢主席,虽然他和龙主席穿一条裤子,但始终没有和温家帮撕破脸。温义客气地将他们请到镇公署,由老镇长接待。

为首的官员说:"温团长,我们专门来找您,谁都知道您说了算嘛。"

温义说:"大老远的你们干什么来了?"

官员干笑了几声说:"温团长,想必你听说了,美国援助泡汤了。如今总统给各省政府下达了筹资额,我们就来了。"

温义冷笑着:"原来是要钱的。"

官员说:"温二少爷,大家在一个锅里吃饭,一荣俱荣,一损俱损。共产党真要打过来,就没咱们的好日子了。"

"我不知道好日子是什么滋味。"温义拿着证件比对一下,说话这家伙是处长,"处长!我一分钱的税款都没少交。现在正打仗,生意也不好做,况且我手下还有三千多将士呢,上面没给过我一分钱的军饷。万一敌人打来了,我拿什么来保卫党国?"

官员们哀求着说:"温团长,我们是奉了命令来的,前方的将士指望着救命钱呢。如今大公子在上海收购黄金、美元,连杜月笙都没放过。"

二毛正在旁边,这小子早不是当年的小毛头了,哼哼着说:"杜月笙算什么东西?大公子他爸爸来了我们也不怕。"

温义偷偷笑了几声。官员不敢与下层人纠缠,拉着温义说:"温团长,不为别的,您也应该为温将军着想。他是蒋总统的学生,党国的干将。"

这一来,温义果然动心了。万一国民党狗急跳墙,什么人都咬一口就坏了。他再次召集手下商议如何应对,大家不愿意给大少爷找麻烦,决定拿出十万银圆,给大少爷买个太平。官员们清楚这点钱不过是打发要饭的,但这一路上他们的确没拿到几个钱,相比而言,温义是最大方的。

半月后,老鸦回来了,苦着脸说:"土司不答应,他说咱们的人太多,没地方安置。如果你自己去,他双手欢迎,能把女儿给了你。"

温义骂了几声:"妈的,关键时刻谁也靠不住。马上通知英国人把物资运过来,再多要些柴油。"

老鸦不知道这事:"什么东西?"

"五十辆通用型号的山地装甲车。"

"有用吗?"老鸦觉得那东西与烟帮的地位不大相称。

温义若有所思地说:"逃跑方便,打克钦人也好使。"

老鸦马上动身,方敦正在昆明处理远征军在缅甸的遗留事务。英国人总希望在对手内部寻找朋友,对温义的要求一般不会拒绝。

老鸦走了没几天,温义在共产党的广播中听到了惊人的消息。徐蚌会战(淮海战役)国军全线败退,几十万大军被逐个围歼,总司令杜长官成了解放军的阶下囚。温义惊得两天没吃下去饭。在缅甸,他见过那位杜长官,那是中央军难得的少壮派军事人才。以杜长官的本事和国军的装备,怎么会败得如此之惨?此后一些消息更让人如坐针毡,平津战场成了盘死棋,北京、天津如两个大口袋,困住了几十万国军。

党国的烟灯要灭了。

温义到处找熟人拉关系,希望能打听到大哥的下落。几天后,温正从河南打来电话,他当时并不在包围圈中,而且把长官李弥也接出来了。如今他

们奉命去保卫四川。温义好歹松了口气，他在电话里试探着说："大哥，你还是回来吧，反正你们也打不过人家，何必呢？"

温正怒道："国家危亡之刻，卵石即可救大厦于将倾，绝不临阵逃跑。民国二十七年我们退守四川，一样坚持了八年。"

温义哀求道："大哥，你爱国，谁爱你呀？现在你不过是副军长，你还瞎折腾什么，谁愿意跟着你们再折腾八年？"

电话里传来了忙音，温正竟把电话挂了。

又过了几天，克钦土司派人送来了大量的礼物，还捎带着几个皮肤黑亮的克钦美女。他们是敲锣打鼓地来的，克钦使者让美女在学校前的小广场上，表演了一场狂野性感的克钦歌舞。温家帮的孩子们欢呼雀跃着，好不开心。

歌舞还没有结束，罗敷小声问温义："土司老人家是什么意思？"

"他老人家不愿意得罪咱们，但也太客气了，没必要。"温义指着舞场里热情奔放的姑娘，"你去查一查，如果哪个弟兄没老婆，给他们介绍介绍。野人山的女人最能生孩子。"

"虎豹就没老婆。"罗敷拽了他一下，"你一直琢磨退路，如今土司老人家是断了你的退路啊，怎么办？"

温义攥着拳头，懊恼地在脑门子上敲了几下。

罗敷后悔不已，最近温义心情不好，何必再刺激他？罗敷偷偷地跟着他，温义径直去了学校图书室。罗敷进门时，他正将一张巨大的地图铺在桌面上，俯着身子一寸一寸地观察呢。那是一张高比例的东南亚军用地图，温义的视线在老挝、泰国和缅甸交界的地区徘徊。

罗敷小声说："有目标了？"

温义凝视着地图说："地域要开阔，政府的能力不能太强，土地适合大烟生长，离出海口还不能太远，当地人口越少越好。"说着，他手指一块区域道："看，这一带就不错，是个三角地带，三国政府都鞭长莫及。"

罗敷受过严格的军事培训，对军用地图很熟悉。她摇着头说："咱们温家没那么多人，也用不了那么大的地方。"

"地方大些，总比不够用强。"温义向来是雷厉风行的，说完，他走到门口，把老鸦和张奇夫喊了过来，当下给了他们一些路费，任务就是探询三国交界的地带，把具体情况摸清，顺路感谢一下土司他老人家的厚爱，说话一定要客气。

老鸦他们立刻出发了，温义感慨地对妻子说："什么事都不能离开老鸦，老头子都七十多了，身体真是棒。"

罗敷笑道:"抽大烟抽的。老鸦一直抽大烟,只有你不知道。"

温义笑了笑,什么事他不知道?

无论天翻地覆,中国人总是要过年的,春节前新账旧账一律要算清楚。民国三十八年春节前,三场大战均以国军失败而告终。这一年春节,中国大地上充斥着改朝换代的歇斯底里,有人欢喜有人忧。但谁也说不清,前面的路上潜伏着什么样的怪兽。

大年初五,张快带着四五个北方人抵达了温家帮。为了表示接待的隆重,温义把最精锐的部队调到了小广场,几十辆装甲车列队欢迎。张快带着人从队伍中央走过来,快走到学校门口了,温义觉得为首的那个人有些眼熟。

温义想不起来在什么地方见过这人,只得走上前,假装热情地说:"我保安团上下竭诚欢迎贵军代表的到来。"

春节前他就接到张快的电报了。张快在西安与共产党接洽上了,还没摸清对方的身份,西安便让彭德怀的部队占了。这一来双方倒省心了,张快提出了起义条件。对方答应考虑,而且希望能够实地考察。

九

为首者刚刚伸出手,身后的一位年轻人指着队列道:"温团长,如此耀武扬威的,是做给谁看呢?"

"是给你们看的,这是我们最隆重的接待客人的方式。"温义的眉毛立刻拉了下来。对方显然是误会了温家帮的好意,胜利者是不容挑衅的。

为首的人见气氛立时尴尬了,哈哈笑着说:"非常感谢你们的欢迎,客随主便。温义,还认识我吗?"温义仔细打量这人,肯定是见过的,却依然想不起来。那家伙笑得很开心:"我叫石原,还记得保定的事吗?十三年,弹指之间!"

温义想起来了:"砸马老板场子的家伙,就是你。"

石原显然没有想到,对方说话是如此江湖气,当众就嚷嚷出来了。他嘴里"啊"了几声,眼角向随从的方向瞟了几下:"那是革命需要,我们借他的场子宣传抗日!听说你打算起义,太好了,都是老朋友啦。"

温义笑容中有几分不怀好意:"现在你们得势了,进军云南指日可待,别忘了朋友就好。"

石原说:"打过长江去,解放全中国,快啦,快啦。"

二人这么一打岔,气氛也就缓和了。温义拉着石原进了镇公所,镇长准

备了一大桌子菜,酒都倒好了。温义说:"诸位远道而来,尝尝我们云南的特产。汽锅鸡、山菌、小牛肉……"

石原的手下人相互看了几眼,没人坐。石原咳嗽了几声:"坐吧,我和温团长是老相识,不会在菜里下药的。"

镇长疑惑地问:"下药,下什么药?"

张快赶紧解释:"外面的人把咱们温家帮传得不成样子,说咱们吃的米饭都是放了烟土的。"

温义仰天笑道:"这米饭太贵了,我们可吃不起。"

说笑一番,大家落了座。温义、老镇长和张快相继起身敬酒,又道了辛苦。石原回敬了几杯,另外那几个人则声称不会喝酒,温家帮也没有强求。吃到一半,石原挺着腰板说:"想必温团长明白,起义和投诚不是一回事,将来的待遇也是不一样的。你们到底怎么打算?"

温义点了支香烟,没说话。张快不得不解释:"二少爷,起义就是大军到来之前动手,建立起根据地,并为大军牵制敌人的部分兵力。投诚就是等大军来了,双方不交战,直接换旗子,待遇自然低些,当然投诚者自然就不是敌人了。"

镇长脱口叫道:"我们周围都是滇军和中央军,你们没到我们就动手,那不是找死吗?"

石原说:"不一定立即动手,比如在大军将进军云南时动手也可以。"

曾在欢迎仪式上找茬儿的年轻人,严肃地说:"如果起义了,还可以抵消你们犯下的罪恶。记住,你们也是双手沾满了人民鲜血的人。"

温义无法接受这等威胁,他举着双手上下抖落着,似乎要让大家看看自己手上有没有血,煞有介事地说:"我杀过日本人,杀过军阀,还杀过抢我生意的人,就是没杀过人民。你去问问,我把哪个人民杀了?"

石原与手下人相互看了一眼,似乎没想到对方会如此理直气壮。石原说:"你是杀过不少人的。你们是烟帮,上溯到一八四○年,中国人民就开始反抗鸦片的毒害了,但你们呢,种植、贩卖,与特务机关和英国人有勾结,完全是帝国主义的帮凶,难道还不应该反省?"

温家帮众人立刻不说话了,眼睁睁地看着温义。温义笑得极其自然,他又给石原倒了一杯酒:"你的意思是,烟土这玩意儿中国人不应该种也不应该卖,应该让他们抽外国人的?"

石原从来没有在这个角度思考过,立刻哑口无言了。

这次谈判并不顺利,温家帮上下都感到了盛气凌人和无形的压力。此

后,双方进行了几次正式谈判,但对方一张嘴就是什么人民啊,主义啊,阶级啊,闹得温义有点儿晕。

他不得不私下里找到石原,希望看在当年的交情上,透个底,怎么着才能算起义。石原说:"我们马上要挺进大西南了,这不是秘密。希望你们能拖住云南的国民党军,不能让他们去四川增援,你们是有这个能力的。"

温义说:"我们只有三千人,你是想让我们当炮灰吧?"

石原在他肩膀上拍了一下:"起义就得付出代价,革命战争嘛。我听说温家帮部队的战斗力非常强,完全可以独当一面。"

温义说:"我不愿意死人,特别是温家帮的人,能不死就不死。"

石原抱着胳膊笑了:"老弟,革命没有不死人的。另外大烟是不能再种了,你得考虑别的营生。"

温义召集手下开了几天的会,大家不同意起义,温义却认为没必要两败俱伤,起义可以考虑。他把这消息告诉石原,石原说:"太好了,你算我们的同志了。有个事,你要明白,必须和你哥哥划清界限,他是死硬分子,残害过我们不少同志。"温义说:"你们准备把他怎么办?"石原说:"他是不会投降的,你要能把他抓住,再好不过。"

温义表面上答应认真考虑,心里又开始琢磨撤退方案了——想抓大哥?没门儿!几天后,石原他们要去昆明,温家帮特地派了一班士兵,将他们护送到大理。他们走后,罗敷问他有什么看法,温义冷冷地说:"起义可以,不种大烟也可以,但让我把哥哥交出去,嘿嘿……"

此后温义下了命令,南方各省的温家帮人员尽快回到云南,尽可能将资金带回来。他开始收缩烟土生意的规模,静观事变。

不久,护送谈判代表的张快回来了,他垂头丧气地说:"他们想脚踩两条船。"温义忙问缘由。原来,张快与他们分手后,依照温义的指示在昆明活动,他利用老关系,终于获得了一些极有价值的情报。石原他们希望多点开花,尽快瓦解云南的敌人,温家帮只是他们争取的目标之一,他们的主要精力是策动云南当局。为此他们早和香港的前省主席接触了,当今云南省主席是人家的表弟,这家伙在云南依然有翻云覆雨的本事。一旦他们动了手,云南的大局就由不得国民党了。

如果滇军和共产党联了手,温家帮就回不了云南了。他命令张快立刻把滇军与共产党谈判的消息通知张上校,最好把他们的事搅黄。张上校回电说:蒋总统刚刚下野,人心惶惶的,不能打草惊蛇,特别是那些地方军阀。

风雨欲来,大厦将倾,这帮人没准儿都在给自己找退路呢。温家帮好歹可以自保,大哥怎么办呢？国民党看不上他,共产党恨他,温正这辈子太失败了。温义和罗敷商量,罗敷说:"李弥兵团进入四川了,大哥应该和他们在一起。一旦共产党打进四川,李弥守不住。四川的刘文辉和龙主席都是一肚子心眼,他们不会为党国卖命。你和李弥有一面之交,应该也为李长官想一条退路,或许大哥也就保住了。"温义抱着老婆狠狠亲了十几口,这样的老婆胜过百万雄兵。

刚出正月,老鸦从南方赶回来了。他在张奇夫的协助下,将三国交界处的地理、人文、气候以及政府干预能力摸得差不多了。情况与温义的估计出入不大,的确是三不管地带。那里林木茂盛,大山纵横,方圆有几万平方公里。更可贵的是地域广阔,人烟稀少,没有克钦人那样的强悍部落。温义将地图拿出来,让二人将考察的路线详细地标在地图上,或许这条路就是温家帮的未来。

国民政府依然口气生硬,要戡乱,要救国。但大家心里都跟明镜似的,中国历来的军事征服都是从北向南,现在共产党占领了东北和黄河流域,长江流域等于门户大开了。一个月后,电台敲响了最后的丧钟,长江防线被攻破,共产党大举南下了。

外面乱得不可开交,温义准备利用最后的机会,除掉老仇人。于是他令张快立刻动身去昆明,将龙主席与共产党谈判的消息当面告诉张上校,以党国大局威胁他。如果张上校置之不理,就直接找他上司。然后他给绵阳的李弥长官写了封亲笔信,大意是敌势大,凭将军之力应是回天无力,孤木难支也。但将军所部奋战于西南各省,去海甚远。万一战事不利,弹尽粮绝之际则断无退路。望将军怜悯数万将士之生命,及本人兄长之忠诚,不做无意义之抗争。如今西南之地尚有退路可达缅甸。此路由本人及部下经营多年,保诸君全身而退,诸多军需亦有保障,详情恕不细表。望长官照顾本人之兄长,勿至愚忠送死。写到这儿,温义不得不擦了擦眼睛。封好信,他把信交给虎豹,让他立刻送到绵阳,直接交到李长官手里。虎豹说:"还见不见大少爷?"温义担心大哥多心:"不见也罢,完了事就赶紧回来。"

温义希望他立刻动身,虎豹刚刚得了两个克钦美女,不得不回家安抚了一番,出发时已是黄昏了。

温义经过了不少风浪,见了不少大场面,但这次他惴惴不安如网里的鱼。他破天荒地亲自给虎豹送行,并拉着他的手过了怒江桥。虎豹不好意思,一个劲地劝二少爷回去。温义说:"时局太乱,这次出门一定小心。记住,路上什么闲事也不要管,快去快回。"

虎豹雄赳赳气昂昂地说:"想当年,日本人何等厉害,咱们不还是迎着他们上?没什么可怕的!二少爷你就放心吧。"说完,他上了马,沿着山路跑了下去。

✝

温义站在高处,看着夕阳吞没了虎豹的身影,听着涛声吞没了马蹄敲击岩石的声音,黑暗逐渐将大山也吞没了。

一只手搭在他肩膀上,温义小声说:"让我自己待一会儿,心里别扭。"来人是罗敷,她手里握着张纸:"别多愁善感,没用。张快来电报了,龙主席下月从香港回昆明,估计是来组织起义的,估计他接受了人家开出的条件。"

"什么?"温义跳了起来,"难道军统的人就看着吗?"

"张快说,军统准备在他坐的飞机上装炸弹,直接送他回老家。"罗敷说得轻描淡写,这些事她以前都干过。

"派几个人帮帮他们,要钱就给,要多少都给。"温义歪着脸狞笑了几声,"我就剩这么一个仇人了,他要是活得太好,我心里不舒服。"

不久,雨季光临了云南,天空如一只破了口的水袋,没完没了地倾泄无边的怨恨。普拉底经历了两次洪峰,有一次,怒江水漫到了学校的台阶上,罗敷不得不把孩子们接到家里上课。老人们说今年洪水来得早,不是什么好预兆。

温义心里的洪水已经发过四五次了。张快、虎豹被派出去一个多月了,这两个家伙却如石沉大海,一点消息都没有。前几天电台里说,一架香港飞昆明的飞机在广西境内掉了下来,不知道是不是把龙主席摔死了。这年头每天都掉飞机,但愿是他。

到夏天,张快气急败坏地跑回来了,这小子险些把小命丢在昆明,是逃回来的。原来龙主席在共产党的帮助下,事先得到了袭击的消息,根本就没上那架飞机,摔死的都是冤死鬼。现在龙主席在香港藏了起来,军统的人也找不到他,但这家伙却仍然遥控着云南的局势。由于飞机被炸,龙主席铁了心地要造反了。如今昆明几乎成了共产党的天下,党国要员全跑光了,军统机关更是倒了大霉。前几天,卢主席派出军队,将军统的昆明办事机构包围了。张上校等人不敢反抗,乖乖当了俘虏。幸亏那天张快没和他们在一起,否则就见不到温义了。

温义心口里像堵了块大石头，半天没说出话来。君子报仇，十年不晚，当初滇军血洗温家帮到现在眼看快十年了，自己居然连个狗屁君子都没混成。此后几天温义一直垂头丧气的。罗敷当众骂他是窝囊废，现在不是难过的时候，应该马上筹备下一步行动。温义被老婆骂醒了，如今势力更大的云南军阀倒向北方，起义的路已经彻底断绝了。他在小广场上召开全体大会，把温家帮里所有能走动的人全部请了来。小广场上挤满了脑袋，大家面目严肃，鸦雀无声。

温义毫无保留地把当前局势告诉了大家，他说，共产党要赢了，龙主席要起义了，留下来，大烟行是肯定干不成了，希望大家拿个主意。会场上寂静了三分钟，忽然老镇长冲到温义面前："二少爷，还等什么呀？收拾东西，跑吧！"老鸦也跳了出来："龙主席是咱们的死对头，留下来也没咱们的好日子。"张快的意见更干脆："那是些要分房子分地分财产的，大家都是有财产的人，留下来等着人家分吗？"老镇长转向众人："乡亲们，以前咱们普拉底是什么样子，现在又是什么样？我七十多岁了，我不信别人说什么，我就信他们干了什么！我看，跟着二少爷最省心，反正大家都是长着腿的。"

温义大声询问乡亲的意见，温家帮上空响起了一个声音："跑！"

家当太多也不是好事。此后，温家帮开始了漫长繁琐的搬迁过程，他们整理出了成车的银子、成船的烟土，拆卸了工厂，将机器零件全部分类打包盖上戳。温义命人把小水电站的发电设备也拆了，这东西到了新家必然能用上。最后光马车就装了几百辆。数量最多的是武器弹药和粮食，温家帮干脆把新买来的装甲车也利用上了，全部用来装货。那是一种英国产的轻型山地装甲车，适应性强，特别皮实，三吨载重却能装下五吨货物。温义计划是先把一部分笨重的物资运到麦通，派张快到三角地区打前站，选址，并与当地人联络感情。

拆卸工厂时，温义特地把金先生请来。这家伙双眼通红，似乎是刚哭过。温义说："我给你准备了一百两金子，你可以回日本，也可以在东南亚找个地方住。"

金先生惊道："温家帮不要我了？"

温义叹息着说："温家帮前途未卜。我年轻时争强好胜，有些事你就忘了吧，都是命运。这一百两金子让你安家，足够你活上几十年了。"

金先生冷笑着说："我不走，我也不要金子。普天之下，哪里能让我白抽白面我就在哪儿待着。实话告诉你，我把提炼精度又提高了百分之一，如今咱们的白面纯度比日本的还高。我要是走了，你得后悔死。"

263

温义满脸苦笑:"随你吧。现在要搬家了,你做好准备。局势变化太快,随时准备出发。"

金先生忽然指了指窗外搬运物资的人群:"到了东南亚,哪一支军队也不是温家帮的对手,温家帮还有前途。"

又过了俩月,搬迁工作准备到位,笨重的物资都到麦通了。温义再下命令,把其他物资运到怒江西岸,随时候命。温家帮的部队还不能离开,虎豹还没有回来,温正还没有消息呢。温义真着急,他相继派出了几批人马,希望把虎豹接回来。但就是找不到这家伙的踪迹,连李弥的部队都不知道跑到哪儿去了。另外共产党进四川了,攻势如摧枯拉朽。有传闻说,李长官兵败攀枝花,如今不知下落。温义真担心大哥的安全,他力排众议,一定要在原地等着。温义琢磨着,李弥是心眼活泛的人,徐蚌战场上就偷偷跑了出来,这家伙没有勇气为党国殉身,如此一来大哥也就有一线生路了。

十月份,北平重新改成了北京,新政府成立了。

旧世界大势已去,温义多了个私心,让老鸦带着罗敷和两个孩子去新加坡安身,等温家帮安定下来,再行会合。罗敷死活不肯走,理由非常简单:"没有我,你什么事也干不成。"温义只好退而求其次,让老鸦把两个孩子带走了。

十一月中旬,巡逻的保安团士兵把虎豹送了回来,这家伙中了三枪,奄奄一息,只出气不进气了。医生看了一眼,就知道他完了,为他打了一针强心针。众人无法想象,虎豹带着这么重的伤是怎么跑回来的。虎豹睁开眼便说:"要快,马上占领高贡黎山的路,他们要断咱们的退路。"

温义急道:"谁?"

虎豹说:"滇军。"

原来虎豹从成都赶到绵阳,不久便见到了李弥。李长官看了温义的信,没做任何表示,反而客客气气把虎豹软禁在军部里,一有机会就向他打听温家帮的情况以及去缅甸的路是否畅通,能否容得下几万大军,等等。李长官绝口不提温正,虽然虎豹总能听到大少爷的消息,却根本没见着。由于没有得到明确答复,他只能跟着部队一起行动。

一个月前,国军在攀枝花又被打败,大部队溃散了。李弥立刻命令虎豹赶回温家帮,说自己的部队要去缅甸避难,请温义立刻准备。虎豹提到想见温正,李长官说:"他人还安全,你赶紧走。如果他知道要去缅甸,他不会答应。"虎豹清楚大少爷是个死心眼,于是急匆匆赶回温家帮。在路上他发现了滇军的两个旅,正在向西北方向进发。虎豹多了个心眼,化装成挑夫,想看看这帮家伙想干什么。

虎豹在部队周围转了两天，终于弄明白了，这帮家伙是冲着温家帮来的。其实龙主席也没有忘记姓温的仇人，特别是温家帮也参与了炸毁飞机的行动。另外社会上还有传闻，说温家帮藏了上百吨的黄金，拥有上亿美元的现钞。所以他与卢主席商量后，决定派军队封锁从普拉底通往缅甸的道路，争取把温家帮一网打尽。一来可以报仇，二来把温家帮的现钞、黄金和烟土全部劫下来。这支部队就是执行封锁任务的，他们神不知鬼不觉地跑了出来，却被虎豹撞上了。

虎豹摸明情况，立刻就要回温家帮送信，却被人家发现了。双方发生了枪战，虎豹连续受伤，但这家伙硬是拖着将死的身子，一路跑了回来。

虎豹的眼睛快没神了，嘴里依然念叨着："一定要打通道路，大少爷他们要来了，我的女人要生了，不能没有路啊……"说着说着虎豹一歪脑袋，没气了。

温义大哭不止。最近他总是心惊肉跳，凶兆居然应验在虎豹身上。当天他为虎豹举行了隆重的葬礼，两个挺着大肚子的克钦女人，死活要找温义要人。温义哭着说："他假爸爸姓张，实际上他没姓，将来你们生了孩子，姓什么呀？"

众人好不容易才把两个女人拉走。温义还算清醒，命令张奇夫带两营士兵迅速拿下怒江对岸的高地，把北上的滇军赶到了江里去。此后温义下达了撤退令，温家帮的所有人把家当全部收拾停当，明天过江，带上东西，翻越贡黎山。

十一

保安团刚刚把有利地形控制住，就发现滇军了。温家帮的人训练有素，架起二十门迫击炮就是一顿炮击，远处的装甲车队也进行了火力支援。滇军几时见过此等猛烈的火力？一时被打得抬不起头来，死伤无数。张奇夫勇猛过人，招呼着装甲车要发动冲锋。温义立刻制止，这一带山势险要，不利于装甲部队行动。他想起哥哥对付日本人的办法，调来十几支火焰喷射器，让喷火手们打头阵。此时滇军明白了过来，纷纷还击。

温义红着眼跳上一块大石头，高声叫道："典田卖地……"所有的人将卡宾枪和火焰喷射器举了起来："将金逐利。"温义又喊道："谁要拦着……"众人呐喊出来："人头落地！冲啊！"

一道道的火柱扑向天空，持续不断地喷射过来，火焰之后是上千名光着上身的帮众。他们咬着牙冲过来，完全是一副拼命的架势。养尊处优的滇军

面对这等阵势,立刻乱成一团,纷纷逃跑。整个滇西北的上空回响着人头落地的宣言,温家帮真玩命了。

红了眼的温义冲在队伍的最前方,张奇夫跟在他身边,不断地为干爹打掩护。其实温义心里也没底儿,对方是两个旅,自己现在只有千把人,危险之极!

滇军禁不住温家帮浪潮般的冲击,不得不后退,但阵型还算完整。他们退上几座小山,要依托地形组织反击。突然重炮声响彻山谷,榴弹炮的炮弹雨点般落了下来,一股部队从滇军后面杀了过来。滇军真的给打傻了,三下五除二地就让背后这股部队收拾了,除去死者,大部分投降。保安团士兵冲到小山边,战斗基本结束了。

温义等人简直不敢相信自己的眼睛,从后面冲上来的是国军。他正要找人问个清楚,忽见温正提着手枪,面目严肃地走过来。温义鼻子一酸,眼泪落了下来。

这股中央军便是李弥的残部,他们向南败退,逃跑的速度跟虎豹比是一点儿都不慢。本来他们是要来温家帮的,半路上却发现保安团与滇军打起来了。温正掐算好了进攻时机,一鼓作气地就把滇军干掉了。滇军的战斗力本来就是稀松二五眼,再加上腹背受敌,发动进攻的一个旅就投降了,另一个旅还没有进入包围圈,扭脸便跑回昆明了。

温家兄弟在战场上见面了,百感交集。

温义抱着哥哥说:"你们还剩多少人?"

温正说:"不到两万人。"温义放心了,在滇西北,这股力量还是无人能敌的。温正继续道:"等李长官上来,咱们商量一下。有了你们这股生力军,在滇西北与他们周旋几年,问题不大。"

温义松开抱住哥哥的手:"周旋?与谁周旋?"

温正手指北方:"共产党,咱们打游击,咱们也来个农村包围城市。"

温义捂着脸想了一会儿,不敢搭腔了。

两小时后,温义和李长官见面了。如今的李长官军装肮脏不堪,胡子拉碴,全然没有了将军的神气。他握着温义的手说:"兄弟,你的建议是好的。我们不想陪葬,我把电台给砸了。以后你我弟兄亡命天涯,靠你们了。"

温义看了看温正:"我也是为了我哥哥。"

李长官说:"我明白我明白,缅甸的路还畅通吗?"

温正听不下去了,插到二人中间:"缅甸?去缅甸干什么?"

李长官有点不好意思:"温正,我跟你说实话吧。咱们来滇西北,不是为了打游击的,将来你我还可以去台湾,可弟兄们怎么办?我要给弟兄们找一条生路……"

温正毫不客气地打断了上司："所以你准备带着弟兄们去缅甸,难道要去种大烟吗?"李长官与温义互望了一眼。温正立刻就明白了,这两个人早就串通好了,而且肯定是去种大烟的,如今只有他温正被蒙在鼓里。

将领们当着士兵的面争吵,往往会动摇军心。李长官只得安慰他,不要急,晚上再商量。温正气呼呼地走了。

部队暂时安全了,温家帮的大队人马还滞留在普拉底。温义与李长官协商了一下,由温家帮部队作为先锋率先进入缅甸,中央军紧随其后。之后,温义回了普拉底,组织大家尽快撤离。

温正先一步回了温家帮,父老们已经开始过江了,很多人都看见了大少爷,但没有人上前搭讪。温正孤零零地来到学校,学校被废弃了,值钱的东西已经运走。他在校园里转悠了一会儿,走进教室,站到讲台上,想象着梅兰曾站在这里的情景。

温义气喘吁吁跑了进来:"大哥,此地不可久留。"

温正似乎没听见,他走到窗前,望着群山说:"我给你嫂子烧点纸。"

温义觉得这个要求不过分,立刻让罗敷剪了些纸钱。

风凄凄,雨潇潇,如丝的雨线抽打着天空与大地。衣服潮了却没有湿透,阴冷的空气中全是腥气。梅兰的坟建在怒江边的一道山冈上,背靠群山,俯视整条怒江,风水极佳。温家兄弟走在山路上,怒江在下面不远处咆哮,温家帮的老少们正沿着怒江上的吊桥西撤,人们夹杂在众多的车辆里,扶老携幼,人声嘈杂,活脱脱一幅难民流离图。

墓碑上的字是温义亲手写的:嫂:梅兰之墓。国军上校团长,弟,温义立。温正蹲在墓碑前,认真地将纸钱排开,一张一张地烧了起来。灰烬随风飘着,越飞越高。据说阴间的人缺钱花了,灰烬就会随风飞起来,看来梅兰在那边生活得也不太顺心。

温义背着包裹,站在哥哥身后,不知道该怎么劝解他。温正头也不回地问:"你们出去了,真靠大烟生活?"

温义说:"种粮食养活不了这么多人。咱们有军队有装备有钱,不怕当地政府。放心吧。"

温正双手在墓碑上擦拭着:"当年父亲要给我一把大烟枪,说是传家宝,我没要。嘿嘿,但我这辈子依然离不开大烟,好像走到哪儿都能碰上,你说怪不怪。"

温义从行囊里拿出那支大烟枪:"是这一支吧?别胡思乱想啦!世界上谁

267

都离不开大烟，无非就是有形与无形的区别。"

温正猛然转身，一把将大烟枪抢了过去："我不愿意再听你胡说了，我听够了。我宁肯被自己人欺负死，也不愿意寄人篱下地活。"他拎着烟枪，走到梅兰墓碑前，久久地凝视着。

温义忽然感到了几分迷惘。大哥还想着梅姐呢，大哥或许后悔了，梅姐应该已经托生了，又会在何处呢？如果有来世，自己还会不会再干烟帮呢？好像自己这一生是被大烟帮绑架了，干了很多事似乎又回到了起点。他努力使自己保持清醒，叫道："大哥，该走了。刚刚得到消息，滇军正式宣布起义了，再不走就真来不及了。"

温正背对着他，用烟枪在自己肩膀上点了点，温义注意到那是一颗将星。他这才想起，李弥的部队败退至此，军人们把所有的标志都扔了，什么军旗、军徽、军衔，全都不见了，似乎只有大哥还保留着军衔。温正口气冰冷："我是将军，我不愿意亡命天涯，不愿意做丧家之犬，更不愿意一辈子靠烟土吃饭。"

温义嚷嚷起来："大哥，你的党国完了，你难道要投降？投降了也未必有好果子吃。"

温正依然没回头："有些话你还真说对了，党国是个大烟帮，我们的烟土被淘汰了，烟帮也就散了。"忽然，砰的一声响，墓碑前升起一股白烟。温正身子一震，手里的烟枪向前递了出去，烟枪顶在墓碑上，把他顶住了。咔吧一声，烟枪折了，温正仰面倒了下去。

温义惊叫着将哥哥抱了起来，原来，温正利用背对弟弟的机会，对着自己的胸口打了一枪。此刻鲜血如注，半边身子立刻就红透了。温义哆哆嗦嗦地叫道："你疯啦？你疯了你！"罗敷也闻声跑了过来，她撕下自己的袖子，上前要给温正止血。温正毅然将弟妹的手推开，目光死死地盯着天空。温义哭得语无伦次："你疯了你？虎豹死了，你怎么也要死啊？你们都疯了……"

温正脸上闪现出一丝笑容，目光中透出了几分温柔："你是个好弟弟，你是最好的弟弟，可你是个没心肝的人。听我一句，别指望大烟，别跟他们走，走你自己的。妈的，这世界跟咱们有什么关系？"

温义哭着说："那……那温家帮呢？"

温正的眼睛渐渐暗了，天空也骤然黯淡下来。

温义抱着哥哥的尸体大哭，罗敷不知所措地站着，那支断成两截的大烟枪孤独地插在墓碑前的泥土里，像一棵树苗。

　　很多年过去了,历史已经远去了。至于温家人,自从离开云南他们就失踪了,没有人知道他们的下落。有人说温二少爷带着家小去了新加坡,有人说他们跑到欧洲了。还有人说,温二公子在一次交火中被政府军击毙。更有人说,温义一家在逃难的路上被他干儿子害死了,目的是谋取温家帮的控制权……